Saggi di Storia dell'arte

Flaminia Bardati

«Il bel palatio
in forma di castello»

Gaillon tra *Flamboyant*
e Rinascimento

Campisano Editore

Con il patrocinio dell'équipe
Histara dell'École Pratique des
Hautes Études, Parigi

histoire de l'art — sources
histoire des représentations — documents
archéologie de l'Europe — méthodes

In copertina,
Veduta del castello di Gaillon,
dettaglio dalla *Natività* nella
cappella del castello di Gaglianico

Progetto grafico
Gianni Trozzi

© copyright 2009 by
Campisano Editore Srl
00155 Roma, viale Battista Bardanzellu, 53
Tel (39) 06 4066614 - Fax (39) 06 4063251
campisanoeditore@tiscali.it
www.campisanoeditore.eu
ISBN 978-88-88168-50-0

Indice

APPARATI

«À l'anticque et à la mode françoise» [1]
Paola Zampa

Tra la fine del XV secolo e il primo decennio del XVI, il cardinale Georges d'Amboise, «il maggior committente artistico francese del regno di Luigi XII», indirizza con i lavori promossi nelle sue numerose residenze pubbliche e private, il fervore edilizio della *Première Renaissance* francese, caratterizzandolo con la sintesi tra la «più sfrenata ricerca formale e strutturale moderna, il *Flamboyant*, e la progressiva penetrazione dei modelli quattrocenteschi italiani».

Potente consigliere del re di Francia, Georges d'Amboise assomma funzioni politiche ed ecclesiastiche e, deciso a riscattare la sfortuna politica del padre, mette in scena attraverso l'architettura la nuova ascesa della famiglia e il suo personale prestigio di principe della chiesa, realizzando la propria autorappresentazione nella costante ricerca di un possibile equilibrio tra la tradizione francese e l'aspirazione a declinazioni all'antica, emule delle magnificenze dei pontefici romani.

A partire dal 1498 fino al 1510, anno della sua morte, il cardinale è impegnato in particolare nella ristrutturazione del castello di Gaillon, la cui storia è ricostruita puntualmente da Flaminia Bardati attraverso la rilettura di una documentazione tanto estesa quanto complessa.

L'intrapresa coincide, cronologicamente, con gli ultimi cinque anni del pontificato di Alessandro VI Borgia (1492-1503) e con gran parte di quello di Giulio II Della Rovere (1503-1513), un periodo importantissimo, ricco di cambiamenti e innovazioni.

Come è noto, alla fine del XV secolo, Alessandro VI è impegnato nella ristrutturazione delle rocche pontificie per adeguarle ai moderni strumenti di offesa che stavano rivoluzionando l'ingegneria militare. Ma accanto alle finalità pratiche si evidenziano intenti rappresentativi nell'impiego di soluzioni tipologiche e formali e di dettagli ispirati all'antico.

Arnaldo Bruschi, in un suo fondamentale saggio [2], individuava tra l'autunno del 1499 e l'autunno del 1503 un momento decisivo nella definizione del nuovo linguaggio che impronterà le grandi committenze di Giulio II e appuntava la sua attenzione sulla ristrutturazione della rocca di Civita Castellana, una vera e propria 'fortezza in forma di palazzo'[3], dotata di un imponente cortile d'onore sul quale affacciavano, ricavati al piano nobile dell'ala settentrionale, gli appartamenti papali. Questi interrompevano il disegno della corte d'onore con una facciata che, secondo Sabine Frommel, rimandava, per la sua differenziazione rispetto alle altre parti del complesso, al *corps de logis* dei castelli francesi: una soluzione che il figlio del pontefice, Cesare Borgia, poteva aver ammirato nel suo viaggio in Francia tra 1498 e 1499 e in particolare in occasione del suo matrimonio, celebrato il 10 maggio 1499 nel castello di Blois[4].

Ma altre somiglianze fanno pensare a un rapporto tra la realizzazione dei Borgia e le contemporanee intraprese del cardinale d'Amboise.

Flaminia Bardati identifica un primo progetto per il castello di Gaillon, databile tra 1494 e 1501, nella *Pianta di Poitiers* dove gli spazi aperti attorno ai quali si dispongono i diversi corpi di fabbrica appaiono regolarizzati e dove, soprattutto, l'appartamento di rappresentanza nel braccio nord orientale riprende la distribuzione caratteristica delle residenze pontificie, da Avignone in poi, e si colloca tra due torri quadrangolari, in una delle quali sono ricavati gli ambienti privati: studio, oratorio, guardaroba. Flaminia Bardati individua i modelli di questo primo progetto, soprattutto per la presenza delle torri quadrangolari, nelle dimore lombarde, ben note al cardinale d'Amboise, ma una conformazione molto simile caratterizza anche l'appartamento pontificio nella rocca di Civita Castellana – gli ambienti di rappresentanza stretti tra il puntone del Papa, con la stanza privata di Alessandro VI, e il puntone del Comune, con gli alloggi del duca Valentino: *cubiculum* e cappella privata – rendendo manifesti i complessi intrecci tra modi francesi e italiani.

Nel 1503 nella progettazione del castello di Gaillon si assiste a una svolta. A partire dall'agosto e per tutto l'autunno di quell'anno, infatti, Georges d'Amboise si trova per la prima e unica volta a Roma, impegnato nell'elezione del nuovo pontefice: come possibile candidato in un primo momento e, a seguito dei soli ventisei giorni del pontificato di Pio III Piccolomini, come sostenitore del cardinale Della Rovere con il quale tuttavia, deluso per le aspettative frustrate, ingaggerà «una continua competizione politica, religiosa e artistica». In questo breve periodo ha occasione di familiarizzarsi con i costumi della corte pontificia e con gli scenari che facevano da cornice al *modus vivendi* dei cardinali romani.

Nella realizzazione del castello di Gaillon, accuratamente ricostruita dall'autrice, la ripresa di modi francesi, dettata sia da esigenze funzionali che dalla volontà di rendere manifesto il radicamento nella tradizione di una famiglia di antica nobiltà, si accompagna all'evidente riferimento alle disposizioni delle grandi residenze romane: i palazzi Venezia, Borgia (Sforza-Cesarini), della Rovere a Scossacavalli e Vaticano.

Non è possibile sapere se, in questo breve lasso di tempo, Georges d'Amboise abbia avuto occasione di visitare la rocca di Civita Castellana ma è probabile che ne conoscesse l'esistenza e indubbiamente colpisce a Gaillon la grande corte d'onore con i porticati nei due bracci nord-ovest e sud-est e con il centro marcato dalla fontana. Questa, realizzata da Pace Gagini e Antonio della Porta a partire dal 1506, riprende nel bacino inferiore a lastre scolpite disposte su base ottagonale, la vera da pozzo che Giulio II fa apporre, probabilmente proprio negli stessi anni, al centro del cortile d'onore di Civita Castellana, a ricordo dei lavori di completamento della fortezza[5]. Lo stesso impianto torna nel giardino superiore di Gaillon e nel palazzo di Rouen confermando le relazioni tra i castelli francesi e il palazzo-fortezza italiano.

Infine, la grande terrazza che a Gaillon apre l'appartamento principale verso il paesaggio, mostra sorprendenti affinità con un'indicazione di progetto che, collocabile intorno al 1506, nella pianta della rocca di Civita Castellana conservata nel *Fondo Mascarino* dell'Accademia di San Luca (n. 2539), sembra testimoniare la volontà di dotare il braccio orientale della fortezza di un monumentale affaccio verso la città, anche in questo caso stretto tra due torri quadrangolari[6]. Di nuovo intrecci tra Italia e Francia per i quali non è dato stabilire con certezza priorità di invenzione e possibili influenze e dipendenze e che restituiscono complessità alle trame del rapporto tra le due culture.

Nel settembre del 1508, a cantiere ancora aperto ma con il massimo dello sfarzo, verrà ospitato Luigi XII: un'occasione in vista della quale si moltiplicano gli investimenti per accelerare i tempi della realizzazione, si accentua il coinvolgimento di artisti italiani quali il fiorentino Girolamo Pacherot e la bottega genovese di Pace Gagini e Antonio della Porta, e prende corpo l'apparato decorativo caratterizzato dal riferimento ad architetture 'trionfali' quali l'arco di Castelnuovo a Napoli e dal linguaggio ispirato all'antichità ma ancora libero e inventivo del tardo quattrocento italiano.

La sottile ed efficace analisi di Flaminia Bardati restituisce il senso di una grandiosa operazione che concorre a fare della monumentale residenza la più emblematica tra le fabbriche del grande committente, nella quale

Légerdel e
Engelmann, *Ruines
du palais de
Gaillon*, non datata,
da C. Nodier,
J. Taylor, *Voyages
pittoresques et
romantiques dans
l'ancienne France*, III
*Ancienne
Normandie*, Paris:
Gide fils, 1820-1878.

si intrecciano indissolubilmente l'esigenza di validazione di un'antica nobiltà, basata sulla ripresa di antichi e consolidati costumi di vita, la volontà di confrontarsi con le più aggiornate espressioni artistiche e la celebrazione del proprio ruolo politico inverata nel ricorso alla simbologia imperiale.

Tra memoria della tradizione francese e tensione verso i modelli 'all'antica', il castello di Gaillon realizza una sintesi che appare perfettamente rappresentata dalla veduta a corredo del volume di Charles Nodier e Justin Taylor del 1820: in un pittoresco e romantico accostamento le vestigia del castello fanno da sfondo a frammenti anticheggianti, memori delle rovine antiche che nei frontespizi di alcuni trattati rinascimentali giacevano in attesa della loro ricomposizione.

NOTE

¹ A. Deville, *Comptes des dépenses de la construction du château de Gaillon*, Paris 1850, p. 405. Ove non indicato, le citazioni sono prese dal presente volume.

² A. Bruschi, *L'architettura a Roma al tempo di Alessandro VI: Antonio da Sangallo il Vecchio, Bramante e l'Antico. Autunno 1499 - Autunno 1503*, in «Bollettino d'Arte», n. 29, genn.-febbr. 1985, pp. 67-90, ripubblicato in Id., *L'antico, la tradizione, il moderno. Da Arnolfo a Peruzzi, saggi sull'architettura del Rinascimento*, a cura di M. Ricci, P. Zampa, Milano 2004, pp. 238-274.

³ In generale sulla rocca di Civita Castellana, si veda M. Chiabò, M. Gargano (a cura di), *Le rocche alessandrine e la rocca di Civita Castellana. Atti del Convegno (Viterbo 19-20 marzo 2001)*, Roma 2003.

⁴ S. Frommel, *Il cortile della rocca di Civita Castellana: un'analisi stilistica*, ivi, pp. 101- 112, in particolare p. 106.

⁵ Si veda A. Bruschi, *Dopo Alessandro VI. Gli interventi di Giulio II nella fortezza di Civita Castellana*, ivi, pp. 129-141, in particolare p. 129.

⁶ Per l'analisi del disegno del Fondo Mascarino e per la datazione delle indicazioni di progetto, si veda. F. Becker, M. Gargano, P. Zampa, *Analisi storica delle trasformazioni strutturali e funzionali degli appartamenti pontifici nella rocca di Civita Castellana*, in «Quaderni dell'Istituto di Storia dell'Architettura», in corso di pubblicazione.

Il bel Palatio

Introduzione

Il castello di Gaillon (fig. 1), situato lungo il corso della Senna tra Parigi e Rouen, è stato considerato per secoli una delle più prestigiose realizzazioni architettoniche francesi. Attorniato da giardini squisitamente decorati e da un grande parco per la caccia, il nucleo principale della costruzione (fig. 2) è stato realizzato tra il 1498 e il 1510 dal cardinale Georges Ier d'Amboise (fig. 3), arcivescovo di Rouen, da cui dipendeva la signoria di Gaillon. Le poche ma imponenti vestigia sopravvissute della dimora potrebbero non giustificare agli occhi dell'osservatore moderno l'enorme successo che questo edificio suscitò fin dai tempi della sua costruzione tra i visitatori francesi e italiani. Le demolizioni effettuate subito dopo la Rivoluzione, la trasformazione in carcere dipartimentale durante il secolo XIX, nonché l'abbandono in cui il castello è caduto fino alle recenti campagne di restauro, ne hanno completamente modificato l'aspetto (fig. 4).

Tuttavia Gaillon rappresenta un momento fondamentale per la comprensione dello sviluppo del primo Rinascimento in Francia: cerniera, o meglio, sintesi tra tradizione funzionale francese, ricerca contemporanea e profondo interesse per le novità decorative provenienti dall'Italia, esso costituisce un laboratorio internazionale in cui si concludono le esperienze del XV secolo e si aprono le strade per il nuovo corso dell'architettura francese nel XVI. Residenza prediletta di uno dei più ricchi e ambiziosi committenti del periodo, esso costituisce anche un importante anello di congiunzione per la comprensione del Rinascimento in quanto fenomeno globale europeo, nutrito da diverse scuole e influenze: sia perché in patria è stato un modello importante, sia per la conoscenza che se ne aveva nel contesto internazionale grazie alle numerose descrizioni e rappresentazioni contemporanee[1], e infine perché diversi artisti passati nel cantiere di Gaillon hanno poi continuato la loro carriera altrove, in Francia, in Italia e in altri paesi europei.

Tradizionalmente lo studio dell'architettura del Rinascimento si è concentrato soprattutto sull'esperienza italiana, sui maggiori centri artistici e sulle figure chiave, contrapponendo i cambiamenti stilistici che caratterizzano il Quattro e Cinquecento in Italia al mondo ancora gotico del resto d'Europa. Da diversi anni l'attenzione è stata spostata anche sui centri e sugli artisti cosiddetti 'minori' della penisola, così come sull'operato di alcuni maestri italiani all'estero, attivi in diversi campi delle arti, allargando e variegando il concetto di arte rinascimentale con l'accoglimento di diverse scuole ed esperienze.

Fuori d'Italia lo studio delle produzioni artistiche locali è consolidato ormai da lunghi anni, permettendo di definire in modo sempre più preciso le realtà culturali autoctone, l'influsso dei modelli italiani, il mantenimento delle tradizioni ma anche lo sviluppo di ricerche formali autonome e l'influenza di altre scuole. Il confronto tra diversi studiosi europei, avviato fin dagli anni 1980 in seno al Centre des Études Supérieures de la Renaissance di Tours e al Centro Italiano di Storia dell'Architettura di Vicenza, spesso condotto su temi estremamente mirati, ha mostrato quanto lo studio comparato degli sviluppi dell'architettura europea potesse contribuire a comprendere meglio fenomeni specifici, fortuna e sfortuna di talune tipologie, determinazione di particolarismi nazionali all'interno delle più ampie e onnicomprensive categorie del Rinascimento o del Classicismo.

Il castello di Gaillon, che accoglie i più importanti protagonisti dell'architettura francese di fine Quattrocento, alcuni degli artisti italiani portati in Francia da Carlo VIII nel 1495 e le maestranze locali specializzate in ogni campo della tecnica e della decorazione, si presta perfettamente a questo tipo di analisi, costituendo un caso esemplare di migrazione, rielaborazione e sintesi di modelli derivati da diverse tradizioni culturali, guidato dall'ambizione di uno dei più ricchi e potenti committenti francesi a cavallo tra XV e XVI secolo.

Benché si tratti di un edificio studiato fin dalla metà dell'Ottocento[2], molti argomenti restano ancora da approfondire. Studi recenti sulla cronologia della costruzione e sulle descrizioni cinquecentesche[3] hanno mostrato la possibilità di andare oltre la visione proposta nella monografia di Elisabeth Chirol (1952), che per prima aveva tentato di affrontare il tema con l'obiettivo di restituire i caratteri fondamentali dell'edificio, le fasi costruttive e i protagonisti della fabbrica.

Inserito nel contesto più ampio della committenza architettonica del cardinale e legato *a latere* Georges d'Amboise, che abbraccia moltissime fabbriche (fig. 5), il castello di Gaillon ha costituito uno degli argomenti centrali delle mie ricerche di dottorato, condotte sotto la guida di Arnaldo Bruschi e Jean Guillaume presso il Dipartimento di Storia dell'Architettura, Conservazione e Restauro dell'Università di Roma "La Sapienza" e il Centre des Études Supérieures de la Renaissance dell'Università di Tours "François Rabelais"[4], in parte pubblicate in articoli dedicati ad argomenti particolari dell'edificio, quali la definizione graduale del progetto definitivo, il ricorso alla decorazione all'antica, i giardini[5].

Il successivo approfondimento di aspetti specifici legati ad alcuni protagonisti del cantiere, una complessiva più matura conoscenza delle dinamiche interne alla cultura e all'architettura francese, acquisita su temi diversi e periodi successivi, nonché l'interesse che la fabbrica di Gaillon ha suscitato negli ultimi anni[6], hanno suggerito di riprendere il tema in vista di una pubblicazione monografica che, pur non avendo la pretesa di esaurire l'argomento, possa fare il punto sulla conoscenza dell'edificio, sul suo committente e sul contesto storico-artistico in cui questo è sorto, nel tentativo di sottoporre all'attenzione della comunità scientifica anche gli aspetti meno affrontati finora dalla critica.

Le riflessioni qui proposte si basano sull'analisi comparativa tra le diverse fonti documentarie, grafiche e testuali, il rilievo e lo studio archeologico delle vestigia dell'edificio, nonché sull'inserimento in un più ampio contesto storico-diplomatico, artistico-culturale e tecnico.

Il castello di Gaillon, oltre a costituire un caso particolare dal punto di vista architettonico, è infatti dotato di una documentazione fuori del comune rispetto ai casi francesi contemporanei, che comprende la serie quasi completa dei conti di costruzione tra il 1498 e il 1509[7], tre inventari (1508, 1540 e 1550)[8], numerose descrizioni redatte tra il 1507 e il 1777[9]. Generose fonti iconografiche, comprendono due affreschi eseguiti entro il 1510 nel castello di Gaglianico (Biella)[10]; un disegno anonimo cinquecentesco conservato nella collezione Cronsted a Stoccolma[11]; i disegni e le incisioni di Jacques Androuet Du Cerceau della seconda metà del Cinquecento[12]; quelle di Israël Silvestre databili intorno al 1658[13]; un rilievo catastale del 1731[14]; un olio di Hubert Robert[15] e una serie di incisioni e disegni eseguiti da diversi autori nel corso del XVIII secolo, anche durante la demolizione di larga parte dell'edificio[16]. A questo *corpus* nutrito si aggiunge una pianta che con tutta probabilità costituisce uno dei primi progetti di Georges d'Amboise per la trasformazione del castello di Gaillon[17].

Il percorso qui proposto affronta in primo luogo la figura del committente, inserendolo tanto nel quadro nazionale che in quello internazionale, con particolare attenzione all'ambiente cardinalizio. L'analisi dell'edificio mira a ricostruire la cronologia della fabbrica con la graduale messa a punto del progetto definitivo, chiarendo le tappe fondamentali e le motivazioni che sottendono alle diverse modifiche effettuate in corso d'opera. Il confronto con quanto fatto realizzare dallo stesso committente in altre dimore, in particolare nel palazzo arcivescovile di Rouen, consente di cogliere tanto le scelte comuni alle fabbriche del cardinale, quanto le specificità di Gaillon. L'analisi delle fonti permette una restituzione attendibile della pianta dell'edificio nel 1510, evidenziando i molteplici modelli spaziali e distributivi scelti dal cardinal d'Amboise tanto in patria che in Italia. La decorazione è analizzata con particolare attenzione rispetto a due assi di riflessione: da una parte l'integrazione tra *Flamboyant* e linguaggio classico, dall'altra il progressivo inserimento di elementi riferibili all'iconografia imperiale. Grazie alle numerose fonti e in particolare ai conti di costruzione è possibile indagare il funzionamento del cantiere, che si rivela tanto più interessante per la presenza di maestranze di diverse nazionalità ma anche di problemi tecnici che obbligano a soluzioni complesse. Il parco e i giardini, lodati da tutti i visitatori di Gaillon al punto da essere paragonati al paradiso terrestre, sono il necessario complemento alla grande struttura architettonica e permettono di gettare una luce sulla poco esplorata tipologia dei giardini francesi del primo Cinquecento. Uno sguardo alle successive trasformazioni della dimora, infine, conclude lo studio, proiettando la fabbrica sospesa tra *Flamboyant* e Rinascimento nella più squisita maniera del secondo Cinquecento francese.

Al termine di questo lavoro il mio ringraziamento va innanzi tutto ai miei maestri, Arnaldo Bruschi e Jean Guillaume, che per molti anni hanno guidato i miei studi con il loro insostituibile aiuto scientifico unito a un sincero sostegno affettuoso. Monique Chatenet è stata ed è l'interlocutore continuo per la verifica delle mie teorie, nonché l'aiuto prezioso per la comprensione dei documenti francesi. Durante le ricerche di dottorato non mi è mai mancato il consiglio di Françoise Boudon, Corrado Bozzoni, Annarosa Cerutti, Paolo Fiore, Vittorio Franchetti Pardo, Claude Mignot e Paola Zampa, particolare fonte di incoraggiamento anche nella redazione di questo studio. Sabine Frommel ha permesso di sottoporre le mie riflessioni in numerosi convegni scientifici internazionali, aiutandomi a definire nuovi approcci di ricerca. Grazie alle borse di studio dell'Accademia di San Luca, di Villa I Tatti, The Harvard University Center for Italian Renaissance Studies e della J. Paul Getty Fondation ho potuto approfondire i miei studi sul primo gruppo di artisti italiani in Francia e sulla committenza cardinalizia francese tra il 1495 e il 1560, potendo riconsiderare i miei iniziali risultati su Gaillon in un contesto più ampio. In diverse fasi della ricerca l'équipe Histara dell'École Pratique des Hautes Études di Parigi ha permesso l'acquisizione di materiale documentario. Questo studio non sarebbe arrivato a concretizzarsi in una monografia senza i suggerimenti, il sostegno e le numerose occasioni di discussione avute con Victoria Avery, Hervé Brunon, Valeria Cafà, Francesco Ceccarelli, Bernard Chevalier, Claudia Conforti, Joseph Connors, Amedeo De Vincentiis, Caroline Elam, Claire Etienne, Etienne Faisant, Guillaume Fonkenell, Marie-Madeleine Fontaine, Margaret Haines, Étienne Hamon, Tommaso Mozzati, Julien Noblet, Xavier Pagazani, Alina Payne, Guido Rebecchini, Eva Renzulli, Denis Ribouillaut, Patricia Rubin, Marc H. Smith, Évelyne Thomas, Jean-Claude Waquet, Ronald Witt, Gerhard Wolf. La cortesia e la professionalità del personale della biblioteca Guglielmo de Angelis d'Ossat, della Bibliothèque Nationale de France, degli Archives Nationales, della Drac Haute Normandie, degli Archives Départementales de la Seine-Maritime e della Biblioteca Berenson mi hanno permesso di lavorare con grande serenità. Luca Menegatti ha ridisegnato alcune delle mie restituzioni. Non posso scordare il ruolo fondamentale della mia paziente famiglia, che in innumerevoli momenti ha incoraggiato e sostenuto i miei sforzi. Un ultimo ringraziamento va infine a Graziano Campisano che ha accolto con entusiasmo questo progetto.

NOTE

[1] Illuminanti in questo senso le considerazioni di André Chastel e Marco Rosci: «Le succès de Gaillon en Italie fut incontestable. Il s'explique par la place de son maître sur la scène internationale et par l'excellente publicité qu'on su faire l'oncle [Georges d'Amboise, n.d.r.] et le neveu [Charles de Chaumont, n.d.r.], mais aussi, après tout, par l'exceptionnelle originalité de l'ouvrage qui semblait combiner et conclure à la fois ce qui s'était créé de plus intéressant en France et de plus neuf en Italie depuis 1490. [...] Il incorporait avec une telle ampleur et tant de richesse d'invention les motifs d'origine méridionale et les trouvailles décoratives lombardes que, de toute façon, à une date où les grandes demeures spectaculaires n'étaient pas encore, en Italie même, très nombreuses, Gaillon entrait naturellement dans une perspective "internationale"» (A. Chastel, M. Rosci, Un «portrait» de Gaillon à Gaglianico, in «Art de France», III (1963), pp. 103-113, p. 113).

[2] A esclusione di qualche articolo su temi specifici, in particolare la cappella castrale, per più di un secolo i principali testi di riferimento sono restati A. Deville, Comptes des dépenses de la construction du château de Gaillon, Paris 1850; E. Chirol, Un premier foyer de la Renaissance en France: le château de Gaillon, Paris-Rouen 1952.

[3] E. Thomas, Gaillon: la chronologie de la construction, in B. Beck, P. Bouet, C. Etienne, I. Lettéron (a cura di), L'architecture de la Renaissance en Normandie, Caen 2003, t. I, pp. 153-162; M.H. Smith, Rouen - Gaillon: témoignages italiens sur la Normandie de Georges d'Amboise, ivi, pp. 41-58.

[4] F. Bardati, L'architettura francese di committenza cardinalizia nella prima metà del Cinquecento: i cardinali protagonisti delle guerre d'Italia, tesi di Dottorato in Storia dell'architettura, Università di Roma "La Sapienza" e Université François Rabelais di Tours, Centre des Études Supérieures de la Renaissance, 2002, relatori A. Bruschi e J. Guillaume.

⁵ F. Bardati, M. Chatenet, E. Thomas, *Le château de Gaillon*, in B. Beck, P. Bouet, C. Etienne, I. Lettéron (a cura di), *L'architecture de la Renaissance en Normandie...* cit., t. II, pp. 13-29; F. Bardati, *Italian "forms" and local masonry in early French Renaissance: the stone coffered ceilings called "voûtes-plates", from the castle of Gaillon to the Bouton Chapel in Beaune*, in S. Huerta (a cura di), *Proceedings of the 1st International Congress on Construction History*, (Madrid 2003), Madrid 2003, vol. I, pp. 313-323; Eadem, *"Uno paradiso terrestre se po' chiamare": i cardinali Georges d'Amboise e Charles de Bourbon a Gaillon*, in S. Frommel, F. Bardati (a cura di), *Villa Lante a Bagnaia*, Milano 2005, pp. 218-229; Eadem, *A Norman building site of the early Sixteenth Century: the castle of Gaillon. Organization, workers, materials and technologies*, in *Proceedings of the Second International Congress on Construction History*, Cambridge, (Queen's College 2006), pp. 289-307; Eadem, *Le château de Gaillon: du projet de Poitiers à l'édifice réalisé sous Georges Ier d'Amboise*, in T. Berrada (a cura di), *Du dessein à l'exécution. Architectes et commanditaires: cas particulier, du XVIe au XXe siècle*, Actes de la journée d'étude (Paris 2004), Paris 2006, pp. 18-33; Eadem, *Napoli in Francia? L'arco di Alfonso e i portali monumentali del primo Rinascimento francese*, in «I Tatti Studies. Essays in the Renaissance», XI (2007), pp. 115-145; Eadem, *Un omaggio a Caterina? La committenza di Charles de Bourbon a Gaillon*, in S. Frommel, G. Wolf (a cura di), *Il mecenatismo di Caterina de' Medici. Poesia, feste, musica, pittura, scultura, architettura*, Venezia 2008, pp. 345-367, tavv. 104-111; Eadem, *"Loghi da spasso et da piacere": i giardini del cardinale Georges d'Amboise a Déville, Gaillon e Vigny*, in G. Venturi, F. Ceccarelli, *Delizie in Villa: il giardino rinascimentale e i suoi committenti*, Firenze 2008, pp. 289-315.

⁶ T. Garnier, *Gaillon*, Saint-Cyr-sur-Loire 2004; *L'art des frères d'Amboise. Les chapelles de l'hôtel de Cluny et du château de Gaillon*, Paris 2007.

⁷ A. Deville, *Comptes de dépenses...* cit., per gli anni compresi tra il 1502 e il 1509; Ch. de Beaurepaire, *Inventaire-sommaire des Archives départementales de la Seine-Maritime*, Série G, t. 1, Paris 1868, pp. 26-29 per il 1498-1509.

⁸ Quelli del 1508 e 1550 sono conservati presso gli Archives Départementales de la Seine-Maritime (*G* 866 e *G* 868) e sono stati pubblicati in A. Deville, *Comptes de dépenses*, cit., pp. 500-559. Quello del 1540 è conservato presso la Bibliothèque Nationale de France.

⁹ Si veda *infra*, Antologia di fonti, 1-11.

¹⁰ Gaglianico era feudo di Sebastiano Ferrero, generale delle finanze del ducato milanese e fidato collaboratore di Charles de Chaumont, nipote del cardinal d'Amboise. È senza dubbio nell'intenzione di compiacere il potente nipote del cardinale che Ferrero, giocando sull'assonanza tra 'Gaillon' e 'Gaglianico', ha fatto eseguire gli affreschi (A. Chastel, M. Rosci, *Un «portrait» de Gaillon...*, cit.).

¹¹ J. Vallery-Radot, M.-G. Huard, *Un dessin de la Collection Cronsted du Musée national de Stockholm*, in «Bulletin de la Société nationale des antiquaires de France», 1950-1951, pp. 129-132; P. Bjurström, *French drawings, sixteenth and seventeenth centuries*, Stockholm 1976, cat. 82.

¹² I primi conservati al British Museum e in parte pubblicati in W.H. Ward, *French châteaux and gardens in the 16th century: a series of reproductions of contemporary drawings hitherto unpublished by Jacques Androuet du Cerceau*, London 1909, pp. 9-10; le seconde pubblicate dallo stesso Du Cerceau nel primo volume de *Les plus excellents bastiments de France* (1576). Si vedano le figg. 1-2, 26, 58-61, 69-70 in questo volume e, per un commento generale J. Androuet Du Cerceau, *Les plus excellents bastiments de France*, Paris 1576-1579, edizione commentata da D. Thomson, Paris 1988, pp. 148-162.

¹³ Si vedano le figg. 6, 38, 67-68 in questo volume.

¹⁴ Archives Nationales, *E* 2119, f. 375*r*.

¹⁵ Rouen, palazzo arcivescovile, *Salle des États*.

¹⁶ La maggior parte conservati presso la Bibliothèque Nationales de France, Estampes, compreso un rilievo eseguito dall'architetto Louis Ambroise Dubut nel 1811, e presso il Cabinet des arts graphiques del museo del Louvre.

¹⁷ Archives Départementales de la Vienne, *Carton 37*, pièce 8, pubblicata da R. Crozet, *Un plan de la fin du Moyen Age*, in «Bulletin monumental», 1952, pp. 119-124. Si veda *infra*, cap. 3.

«Ipse est vere rex Franciae».
Georges Ier d'Amboise, cardinale e mecenate

«Donde se'l Nostro Signore Iddio levassi el legato dalle faccende, o per morte, o per un tale impedimento nella persona che etiam vivendo non vi potessi varare, apparirebbe in questa corte tanta confusione nel trattare e maneggiare faccende, che forse alli dì nostri non fù vista tale»[1]. In questi termini scrive l'ambasciatore fiorentino Nasi al gonfaloniere Piero Soderini nel gennaio 1510, pochi mesi prima della morte di Georges Ier d'Amboise[2].

Tale era in effetti la considerazione di cui godeva presso gli ambasciatori italiani in Francia il cardinal-legato, considerato da tutti l'unico vero regista della politica francese durante il regno di Luigi XII (1498-1514). Un ruolo difficile da presagire quando, nel 1465, Pierre de Chaumont d'Amboise, padre di Georges, è punito da Luigi XI per aver aderito alla lega del *Bien Public:* i beni di famiglia vengono confiscati e il castello di Chaumont, *berceau* del casato, viene raso al suolo[3]. Georges, l'ultimo dei fratelli d'Amboise, ha solo 5 anni.

Nel 1473, alla morte del padre, Charles de Chaumont, fratello maggiore del futuro cardinale, rientra nelle grazie reali[4] e gradatamente i nove fratelli e le sorelle d'Amboise iniziano la loro capillare ascesa al potere[5]. Georges, che ha intrapreso la carriera ecclesiastica, ottiene la carica di *aumônier du roi* insieme alle abbazie di Saint-Paul di Narbona e di Grandselve, diviene protonotario apostolico nel 1477, quindi vescovo di Montauban nel 1484 per passare nel 1492 alla sede arcivescovile, ricchissima, di Narbona[6]. All'avvento di Carlo VIII al trono di Francia, Georges viene confermato nella carica di *aumônier du roi* potendo restare vicino al giovane re durante la difficile reggenza della sorella Anne de France. Già in questi anni egli è profondamente legato a Louis d'Orléans, il futuro Luigi XII: «Ce qu'on remarqua aussi-tôt par la libre entrée qu'il avait le matin à la chambre du Duc d'Orléans, dont la porte était fermée à telles heures à toutes sortes de personnes»[7].

L'appoggio del re e del duca d'Orléans si rivelano fondamentali quando, nel 1493, il capitolo della cattedrale di Rouen elegge Georges d'Amboise arcivescovo, nonostante da Roma arrivino disposizioni diverse, in favore del cardinale di San Teodoro, Federico Sanseverino. L'indignazione per la scelta del pontefice di conferire ad altri il ricco beneficio traspare in una lettera di Francesco della Casa a Piero de' Medici: «La quale chiesa è d'una grandissima importanza e reputazione; e di qua è suta data dal capitulo e da Sua Maestà a l'arcivescovo de Narbonne, che è il cuore e consiglio di M. d'Orléans, in modo che, sdegnati di questa collazione contro il Papa, il Rè tenne il dì medesimo gran consiglio»[8].

Dopo un lungo scontro diplomatico, nel 1494 Alessandro VI trasferisce Georges d'Amboise alla chiesa metropolitana di Rouen. Nel mese di settembre egli ottiene anche la carica di governatore della Normandia in vece del duca di Orléans ed entra ufficialmente nella città nella doppia veste, religiosa e civile, come sottolineano i verbali delle riunioni municipali precedenti l'evento: «Il faut considerer que Monseigneur l'archevesque vient en deux autoritez, l'une comme archevesque, l'autre comme lieutenant»[9].

La notte tra il 7 e l'8 aprile 1498 Carlo VIII muore inaspettatamente nel castello di Amboise e Louis d'Orléans sale al trono con il nome di Luigi XII: fino alla morte di Georges d'Amboise, alla base di tutte le scelte politiche e diplomatiche del nuovo re di Francia, vi sarà «monsignor de Rovano [Rouen, n.d.r.], primo homo apresso a sua maestà»[10].

Tra le prime istanze che Luigi XII pone al papa vi sono il cappello cardinalizio e la legazione di Francia per l'arcivescovo di Rouen, il primo ottenuto nel settembre 1498, la seconda solo nel 1501.

Nel frattempo Luigi XII conferisce al suo fido consigliere il governo della Normandia con la carica di *lieutenant général*. In questo modo d'Amboise riunisce definitivamente nella sua persona le più alte cariche amministrative, politiche e religiose per la grande e florida provincia di Normandia, accumulando le ricchezze necessarie a intraprendere la realizzazione di vasti complessi architettonici.

In politica estera, egli sostiene Luigi XII nella conquista del ducato di Milano, città in cui la corte francese entra trionfalmente il 7 ottobre 1499. Georges d'Amboise assume il governo della Lombardia in assenza del re, per affidarlo nelle numerose occasioni in cui è assente egli stesso al nipote Charles de Chaumont. L'aspetto decisionale resta però sempre nelle mani del ministro-cardinale, per il quale il re «avait parfait amour et singulière fiance [...] auquel, dela les mons, donna charge de toutes ses choses, et pouvoir autorisé sur icelle, pour en faire et ordonner comme si par luy meme en était disposé»[11]. I lunghi periodi trascorsi a Milano o nella Lomellina, donatagli dal re, gli permettono di familiarizzare con l'arte e l'architettura lombarda, che vasta eco avranno nella progettazione e nella decorazione delle sue residenze.

Nonostante il ruolo giocato dalla regina Anna di Bretagna, il vero epicentro politico e culturale della corte di Francia è presso il cardinale, di cui prima del 1503 sono spesso ospiti Ascanio Sforza e Giuliano della Rovere, certamente le due personalità che maggiormente hanno stimolato le aspirazioni artistiche e l'ambizione politica di Georges d'Amboise. D'altra parte, non c'è decisione politica che venga presa prescindendo dalla volontà del cardinale, come si evince ancora dalla corrispondenza diplomatica con Firenze: «perché la Maestà del Re, per quello che si è visto sempre, si rimette in tutte le cose al reverendissimo cardinale de Rouen»[12]. Dello stesso parere Guicciardini: nella politica francese egli «era el pondo d'ogni cosa»[13].

Nel 1503, alla morte di Alessandro VI, le pressioni della Francia sono fortissime per l'elezione di Georges d'Amboise al soglio pontificio; egli è anche l'unico candidato possibile per la sopravvivenza politica del Valentino. Infatti, come sottolinea Machiavelli, «Quelli che lui [Cesare Borgia n.d.r.] aveva offeso erano, infra li altri, Sancto Pietro ad Vincula, Colonna, San Giorgio, Ascanio; tutti li altri avevano, divenuti papi, a temerlo, eccepto Roano e gli Spagnuoli: questi per coniunzione et obbligo, quello per potenza, avendo coniunto seco el regno di Francia. Pertanto el Duca innanzi ad ogni cosa doveva creare papa uno spagnuolo: e, non potendo, doveva consentire a Roano, non a San Pietro ad Vincula»[14]. Si noti che a eccezione del Colonna gli altri cardinali citati da Machiavelli sono stati in diversi frangenti tutti ospiti di Georges d'Amboise in Francia.

Benché all'inizio del conclave il candidato francese sembrasse molto favorito, la strenua opposizione di Giuliano della Rovere e la sottile diplomazia di Ascanio Sforza, che, come ricorda Guicciardini, mai «se avesse potuto, arebbe consentito che Roano conseguitasse il pontificato, a perpetua depressione ed estinzione d'ogni speranza che avanzava a sé e alla casa sua»[15] impediscono il progetto della fazione francese.

Tutti i dispacci da Roma colgono lo stato di Georges d'Amboise, tradito proprio dai cardinali che aveva protetto durante il papato di Alessandro VI e che aveva condotto fino a Roma convinto del loro appoggio[16]. Una per tutte la testimonianza di Antonio Giustiniani: «El qual cardinal de Roano si vede esser sta' deluso da Ascanio e de lui poco se contenta, né credo sia stato fin a quest'ora a pentirsi di esser partito di Franza et aver etiam lassato vegnir Ascanio in qua»[17].

Quando un mese più tardi, alla morte di Pio III, i disegni del della Rovere sono incontrastabili, Georges d'Amboise accetta di sostenerlo, in cambio della conferma delle legazioni di Francia e d'Avignone e della nomina cardinalizia per il nipote François de Clermont-Lodève. Ma una continua competizione politica, religiosa e artistica, si scatena da questo momento nei confronti di Giulio II. Potenza incontrastata in Francia, temuto avversario del pontefice, Georges d'Amboise è infatti anche il maggior committente artistico francese del regno di Luigi XII.

Frustrato nelle aspirazioni pontificie, il cardinale si dedica anima e corpo alla politica interna, usando la carica vitalizia di legato *a latere*, ovvero colui che rappresenta la persona del papa in terra straniera, come lo strumento per il completo governo della Francia. Quando, dopo la ribellione di Genova e la successiva dura repressione del 1507, la corte francese si abbocca con Ferdinando d'Aragona, il legato pontificio presente all'incontro, Antoniotto Pallavicino cardinale di Santa Prassede, non può che scrivere nel suo resoconto: «ipse est vere rex Franciae»[18].

Se il potere di Georges d'Amboise è totale in Francia e nei territori lombardi, la leggerezza con cui egli affronta il conclave del 1503 mostra una certa ingenuità nella valutazione della fedeltà dei cardinali cosiddetti filo-francesi e, soprattutto, la totale mancanza di consuetudine con i delicati equilibri concistoriali e diplomatici italiani. Uomo politico onnipresente in patria, cresciuto nella logica ancora cavalleresca della *noblesse d'épée*, Georges d'Amboise conosce Roma e il suo fare politico solo al momento del conclave, uscendone evidentemente sconfitto.

Il cardinale di Rouen in Italia

La commitenza architettonica di Georges d'Amboise (1495-1510) si situa in un momento di grande fervore edilizio, caratterizzato dalla copresenza della più sfrenata ricerca strutturale e formale moderna, il *Flamboyant*, e la progressiva penetrazione dei modelli quattrocenteschi italiani. La *Première Renaissance* francese offre infatti una sintesi tra questi due fattori, entrambi innovativi rispetto ai canoni architettonici tradizionali. Uomo ricchissimo, oltre che potente, il cardinale di Rouen è avido di novità e di tutto ciò che possa testimoniare il prestigio politico raggiunto. I suoi soggiorni in Italia sono anche l'occasione per acquistare o commissionare opere d'arte o elementi scultorei da integrare alle fabbriche in corso di realizzazione in Francia, per reclutare artisti ovvero per scegliere modelli stilistici e distributivi che possano mostrare agli occhi dei connazionali la sua consuetudine con le esigenze abitative dei signori e cardinali italiani, o, ancora meglio, dei pontefici.

La conoscenza diretta di alcuni edifici si rivela fondamentale per determinare i modelli evocati nelle sue residenze, individuabili soprattutto nell'area lombarda e a Roma. Una serie di testimonianze contemporanee permette di ricostruire i diversi soggiorni italiani e di formulare ipotesi fondate circa i riferimenti effettivamente conosciuti dal cardinale.

La presenza di Georges d'Amboise a Roma è limitata al solo periodo dei conclavi di Pio III e Giulio II, nel 1503. In occasione della discesa verso Napoli, il cardinale non fa infatti parte dell'armata francese che attraversa Roma nel giugno 1501 [19].

Nonostante dal 1498 sia cardinale del titolo presbitero di S. Sisto vecchio, egli non risulta aver avuto contatti con la comunità conventuale domenicana che faceva capo a questa chiesa prima del trasferimento nel rione Monti, nel 1575. Non è neanche coinvolto in lavori inerenti la chiesa e il convento, che aveva subito recentemente un restauro sotto il pontificato di Sisto IV a opera del cardinale titolare Ferrici y Comentano e ne avrebbe subito uno più radicale alla fine del secolo XVI sotto il cardinalato di Filippo Boncompagni [20].

Dall'archivio dei Pii stabilimenti di Roma e Loreto, non sembra neanche che Georges d'Amboise sia stato in contatto con la comunità di S. Luigi dei Francesi, né che egli abbia partecipato alla costruzione della chiesa e del convento della Trinità dei Monti, probabilmente poiché entrambe queste fondazioni erano maggiormente legate a Guillaume Briçonnet, più spesso presente a Roma [21].

Grazie alla sua abituale assenza dalla città eterna e alla sua mancanza di contatti con il monastero di S. Sisto, nel *Diarium* del cerimoniere papale Burckardus, Georges è sempre chiamato *cardinalis Rothomagensis*, mentre non si fa mai riferimento al suo titolo romano. Dalla stessa fonte e dalle cronache francesi si evince che nell'agosto 1503, una volta giunto a Roma alla morte di Alessandro VI, egli non aveva residenza né presso il monastero né presso la comunità francese. Secondo Jean d'Auton, il cardinale festosamente accolto a Roma – Burckardus riporta un'accoglienza più fredda – raggiunge insieme ad Ascanio Sforza la Cancelleria Vecchia, dove viene alloggiato per tredici giorni [22]. Secondo Burckardus la notte dell'elezione di Pio III, insieme ad altri cardinali si trasferisce nel palazzo Vaticano, prendendo alloggio nelle camere che furono di Cesare Borgia, situate sopra l'appartamento di Alessandro VI[23]. Ma nel giro di pochi giorni la presenza di Georges d'Amboise a palazzo diventa insostenibile. Infatti il francese aveva accordato i propri voti al futuro papa in cambio della conferma della legazione in Francia e del cardinalato per il nipote vescovo di Narbona ma nel concistoro seguente Pio III non tenne fede agli accordi presi, invitando Georges d'Amboise a cambiare residenza[24]. Secondo Jean d'Auton egli si ritira in un «*pallais fort ou se tenoit le duc de Vallentinoys*», ovvero nel palazzo della Rovere in Borgo[25] dove, a esclusione dei giorni del conclave di Giulio II, resta fino al concistoro del 4 dicembre, in cui vede confermata la sua legazione e accordato il cappello al nipote. Indi lascia definitivamente Roma[26]. Nel suo unico soggiorno romano, dunque, egli ha abitato per circa dieci giorni a palazzo Sforza-Cesarini, per poco tempo in Vaticano, nel futuro appartamento di Giulio II (dove non ha evidentemente assistito personalmente alle trasformazioni architettoniche da questi volute), quindi a palazzo Della Rovere in Borgo.

Più lunghi sono stati invece i periodi trascorsi nel nord d'Italia, tra Milano e Genova, malgrado neanche in questi luoghi Georges d'Amboise abbia lasciato tracce di commesse d'architettura[27].

Senza voler ripercorrere tutte le tappe delle campagne francesi nel nord Italia dall'avvento di Luigi XII al 1510, si possono individuare gli edifici in cui il cardinale di Rouen ha soggiornato o è stato ospite per ricevimenti ufficiali e che possono aver influenzato le realizzazioni architettoniche intraprese in Francia.

A parte il soggiorno a Novara al fianco di Louis d'Orléans durante la spedizione di Carlo VIII, egli si trova sicuramente ai primi dell'ottobre 1499 a Pavia con Luigi XII, per entrare trionfalmente in Milano il 7 ottobre[28]. Nel capoluogo lombardo, dove si comportava da vero re[29], sembra aver risieduto sempre nel castello Sforzesco, sia in presenza di Luigi XII sia da solo; è inoltre ospite nella villa suburbana di Gian Giacomo Trivulzio[30]. Ancora a Milano, probabilmente sempre in Castello, si trova tra aprile e giugno 1500 e tra giugno e settembre 1501[31], avendo soggiornato nel frattempo sicuramente a Vercelli, a Novara, nel castello di Gaggiano e a Vigevano. Mentre diverse città italiane si arrendono all'armata francese, Ludovico il Moro e il cardinale Ascanio vengono portati prigionieri, a Bourges[32]. La presenza di Ascanio Sforza in Francia fino al settembre 1503 ha sicuramente un peso non trascurabile nella maturazione delle mire papali di Georges d'Amboise, ma anche nell'affinamento delle esigenze 'abitative' e nelle conseguenti commissioni di dimore eccezionalmente rivolte a esempi italiani rispetto alle coeve realizzazioni francesi.

D'Auton tace circa la ricezione di Luigi XII e del suo seguito a Genova, in piazza San Matteo proprio davanti palazzo Doria, avvenuta nel 1501[33]. Nell'agosto successivo, dopo aver controllato da Milano la discesa dell'armata verso Napoli, d'Amboise passa a Como per poter organizzare la difesa contro gli svizzeri che minacciano i domini francesi in Italia; vi resta fino al mese di settembre, quando si ritira per un periodo di riposo nella contea di Lomellina. Non si reca mai direttamente a Napoli a gestire i domini là donatigli da Louis XII: con l'atto di procura del 27 novembre 1501, rinnovato il 3 dicembre dello stesso anno, li ha affidati al cancelliere Jean Nicolaï[34]. Il 18 settembre 1501 lascia l'Italia per attendere all'ambasciata da compiere presso il Re dei Romani, da cui Luigi XII attende l'investitura per il ducato di Milano[35].

Nell'ottobre 1501 il cardinale è a Brescia, da cui scrive al cancelliere Jean Nicolaï, allora a Napoli[36], poi a Lomello, capoluogo della contea di cui il re gli aveva precedentemente fatto dono[37]. Per la fine del 1501 è in Francia, a Blois[38], quindi a Rouen, dove nel gennaio 1502 fa l'entrata solenne in qualità di legato *a latere*[39].

Georges d'Amboise è di nuovo in Italia, ad Asti[40], nel luglio 1502, gravemente malato e una volta guarito soggiorna ancora a Lomello. Rimessosi dalla malattia è al fianco del re per la nuova entrata a Milano, dove riceve insieme al sovrano i cardinali di San Pietro in Vincoli (della Rovere), di San Giorgio (Riario), San Severino e Orsini[41]. Successivamente segue il re nel lungo soggiorno nel castello di Pavia, dove si occupa degli accordi con gli ambasciatori svizzeri[42]. Il 26 agosto Luigi XII entra solennemente nella città di Genova, immediatamente seguito da Georges d'Amboise e dai cardinali filo-francesi della Rovere e Riario; la corte prende alloggio nel palazzo Carignano, il cardinal d'Amboise nella casa adiacente, che secondo quanto riportato da Jean d'Auton, i Flisco (Fieschi?) avevano fatto fare in pochi giorni[43]. Doveva trattarsi in realtà di due corpi dello stesso palazzo, identificabile con lo scomparso palazzo Fieschi in via Lata a Carignano, fatto radere al suolo nel 1547[44]. In ottobre il cardinale rientra in Francia insieme al re e a Lione presenta ufficialmente i brevi per la sua carica di legato[45].

Incerto è un soggiorno bolognese di Georges d'Amboise nel febbraio 1506, quando il cardinale avrebbe ottenuto dal re di Francia l'appoggio per Giulio II[46]. L'eventuale alloggio nel palazzo apostolico precedente ai lavori bramanteschi, destinato al legato papale, potrebbe aver costituito un importante paragone per le fabbriche che egli faceva costruire in quel periodo[47].

A seguito della sanguinosa rivolta di Genova tra il dicembre 1506 e il marzo 1507, il re parte nuovamente per l'Italia; Georges d'Amboise lo precede ad Asti per organizzare le truppe francesi. Riconquistata la città, a fine aprile 1507, il re e tutto il suo seguito soggiornano a Genova, probabilmente di nuovo a palazzo Carignano, che Jean d'Auton descrive come «moult grant et spacieulx, garny de grandes salles, belles galleryes et bonnes chambres et a grant nombre»[48].

Tra maggio e giugno 1507 Amboise segue il re a Pavia, Milano, Genova e Savona. La corte di Luigi XII, momentaneamente spostata a Milano, assiste a feste e banchetti sontuosi. In particolare quello offerto da Gian Giacomo Trivulzio nel maggio 1507 viene descritto minuziosamente dal cronista reale, colpito dalla magnificenza del palazzo «ouquel lieu estoyent grandes salles tapissées et galleries et chambres parées, jardins et lieux propices pour la feste, table garnyes et buffetz d'argent a tous costéz»[49] e dell'organizzazione, che prevede undici grandi cucine, 160 *maistre d'ostel*, 200 servitori vestiti con abiti di velluto nero o di *taffetas* e seta. Per accogliere i convitati e iniziare i festeggiamenti una grande sala effimera è stata costruita appositamente lungo la strada davanti alla casa di Trivulzio di circa 120 passi di lunghezza, a due ranghi di *pillier de verdure*, coperti di drappi blu decorati da gigli di Francia dorati[50]. La cena viene servita all'interno del palazzo dove «estoyent salles, chambres, gabinetz, garde robes, galleryes ordonnées: les unes pour le Roy, les autres pour les princes et ambaxades, les autres pour les cardinaulx et les aultres prelatz...»[51]. Lo stesso Luigi XII offre un banchetto nella *Roquecte du chasteau* per tutta la corte, mentre solo i cardinali d'Amboise, di Narbona[52], di Sanseverino e de la Tremoïlle sono ospiti nel palazzo arcivescovile di Milano, dove il cardinale di Ferrara offre l'ennesimo banchetto[53].

A rompere questo clima di ricevimenti arriva a Milano il cardinale di Santa Prassede, inviato da Giulio II come legato *a latere* in Lombardia. Il re lo fa ricevere fuori dalle mura di Milano da Georges d'Amboise e un gran numero di altri cardinali, prelati e nobili francesi. L'ambasciata segue la corte fino a Genova e poi Savona, dove il re incontra i reali di Spagna. La cronaca ufficiale di Jean d'Auton è affiancata dall'*Itinerarium legationis Cardinalis Sancta Praxedis ad Regem Franciae Ludovicum XII qui tunc Janua erat Anno 1507*[54]. Questo testo, che dà pochissime indicazioni sugli edifici in cui si svolgono i colloqui tra il cardinale legato Pallavicino, il re di Francia e l'omnipresente Georges d'Amboise, illustra inequivocabilmente il ruolo decisionale del cardinale e la sua opera continua di intermediario tra il legato e Luigi XII[55].

La successiva campagna militare del 1509, durante la quale lo stato di salute del cardinale peggiora sensibilmente, non è riportata da Jean d'Auton, la cui cronaca minuziosa si arresta all'inizio del 1508, ma alcune tappe sono ricostruibili tramite la corrispondenza diplomatica, da cui riemerge, tra l'altro, la rivalità tra Georges d'Amboise e Giulio II, preoccupato di non aver completamente sopito le mire papali del francese[56]. Il re e il suo seguito partono da Blois ai primi dell'aprile 1509 per entrare a Milano il 30 dello stesso mese[57]: affaticata dal viaggio e dal troppo lavoro, la salute di d'Amboise ha un primo peggioramento[58], nonostante il quale, l'8 maggio egli parte al fianco del re per il primo scontro con i veneziani[59]. Dopo la battaglia di Agnadello e la sconfitta di Bartolomeo d'Alviano, la corte si sposta a Brescia (22 maggio)[60], poi a Peschiera (1 giugno)[61], dove in attesa dell'arrivo dell'imperatore, Luigi XII dona al cardinal-legato «tutta la Riviera di 'Assalò' (Salò), che sono dodici castella, ed assai ville in su questo lago di Garda»[62]. Con un piccolo seguito di fidati Georges d'Amboise passa per Salò il 5 giugno recandosi incontro all'Imperatore, che incrocia probabilmente a Lodron, vicino Trento[63]. Alla fine di giugno il re e il legato alloggiano nel piccolo borgo di Desenzano[64], indi entrano a Cremona[65] e tornano ai primi di luglio a Milano, dove il legato visita un giardino di Trivulzio alle porte della città[66]. Dalla metà di luglio la malattia del cardinal-legato si aggrava, tanto che dopo una visita notturna al suo capezzale il re si risolve a non attenderne la guarigione per lasciare l'Italia[67].

Georges d'Amboise rientra in Francia il 25 agosto, gravemente afflitto dalla gotta, e ha in progetto di andare per qualche tempo a Gaillon «dove ha affezione»[68]. La politica francese subisce un momentaneo arresto: «Quà – scrive Nasi ai Dieci – in assenza del legato non è per farsi faccenda d'alcuna sorte; e sua signoria reverendissima disegna starsi en Normandia parecchie settimane e settimane…»[69].

Successivamente, fatta eccezione per un breve soggiorno nella sua proprietà di Vigny per le feste pasquali, Georges d'Amboise segue gli spostamenti della corte tra Blois, Parigi, Digione e Lione, dove muore il 25 maggio 1510[70].

I periodi trascorsi nell'Itaia settentrionale e le occasioni di visitare o di alloggiare nelle residenze viscontee, sforzesche o appartenenti alla nobiltà genovese sono dunque stati decisamente maggiori rispetto al breve soggiorno romano del 1503, e questa maggior consuetudine con il Quattrocento lombardo si riscontra tanto nel repertorio decorativo maggiormente presente nelle opere commissionate da Georges d'Amboise, quanto nel bacino di provenienza della maggior parte degli artisti italiani che operano a Gaillon[71]. Il contatto con questi ultimi avviene probabilmente soprattutto grazie al nipote Charles de Chaumont, che commissiona personalmente diverse opere in Lombardia, quali gli interventi nel castello di Gaglianico, la cappella inferiore di Santa Maria alla Fontana e una villa, mai costruita, su progetto di Leonardo[72].

Un elemento da non sottovalutare nelle possibili influenze generate da questi ripetuti soggiorni italiani, è inoltre costituito dalle numerose entrate trionfali cui Georges d'Amboise ha assistito, che prevedevano il riferimento ai trionfi imperiali e l'utilizzazione del linguaggio classico.

Il maggiore committente del regno di Luigi XII

Non appena nominato alla sede di Rouen, Georges intraprende una frenetica attività edilizia, concentrata per la maggior parte nelle dimore della nuova sede episcopale, senza trascurare tuttavia nuove residenze private e i castelli di famiglia di Chaumont-sur-Loire e Meillant-en-Berry, appartenenti al nipote Charles II de Chaumont, ma la cui ricostruzione è guidata dallo stesso cardinale. Questo imponente insieme di interventi è senz'altro da legare all'ambizione personale del ministro di Luigi XII ma anche al progetto dell'intera famiglia Chaumont-d'Amboise di ristabilire l'immagine e il potere perduti con la distruzione del castello di Chaumont nel 1465. Al casato infatti si devono moltissime opere, non solo in campo architettonico, commissionate nel corso dei secoli, in gran parte andate perdute o radicalmente modificate. Un caso esemplare è costituito dal castello di Amboise, antica proprietà della famiglia, acquisita dalla corona nel 1431 e completamente ricostruita[73]. Per quanto riguarda la fine del XV secolo e l'inizio del XVI, a Georges d'Amboise e ai suoi fratelli si devono edifici di grande importanza per la definizione dello stile rinascimentale francese, tra ricerca *flamboyant* e sollecitazioni italiane, quali il castello di Chaumont, la cui riedificazione inizia sotto Charles I, fratello maggiore del cardinale, ma continua grazie all'intervento di quest'ultimo[74], quello di Mussy-sur Seine e l'hôtel de Grancey a Digione, voluti da Jean, vescovo di Langres, il castello di Dissay costruito da Pierre, vescovo di Poitiers, l'hôtel de Cluny a Parigi commissionato da Jacques, e infine i castelli di Gaillon e Vigny, il *manoir* di Déville-les-Rouen, l'hotel *particulier* di Blois e il palazzo arcivescovile di Rouen dovuti a Georges[75].

Nella sua qualità di arcivescovo di Rouen e ministro di Luigi XII Georges d'Amboise è responsabile di altre fabbriche, oltre a quelle appena citate. La *Temporalité de Rouen* possiede diversi edifici e benefici nella provincia di Normandia. Tralasciando tutti i censi, i diritti da riscuotere in denaro o in natura, l'amministrazione della giustizia, la proprietà di mulini e strutture simili, propri dell'organizzazione feudale del territorio, una dichiarazione dello stesso Georges d'Amboise del 1501 elenca tutti i fabbricati di proprietà dell'arcivescovo di Rouen (fig. 5)[76]: il palazzo arcivescovile di Rouen, con tutte le case contigue[77]; la signoria di Déville con un *manoir* affacciato sul fiume[78]; un *manoir* chiamato 'le Châtel' a Louviers[79]; un altro a Pinterville e diversi nelle signorie di Douvrend e di Alihermont[80]; il castello di Gaillon, con la città, la torre e le dipendenze[81]; alcuni *manoir* nella signoria di Fresnes l'Archevesque[82]; un altro vicino la chiesa collegiale della parrocchia di Andely[83]; un altro con case annesse nella parrocchia di Corny[84]; un hôtel con giardini nella cittadina di Pontoise[85] e un altro hôtel a Parigi sulla strada per Saint-Germain-des-Prés, vicino al *sejour d'Orléans*[86]. Dall'analisi dei registri dei conti arcivescovili per il periodo 1495-1510 si evince che Georges d'Amboise è intervenuto in modo sostanziale solo in tre edifici.

Le altre proprietà, forse in alcuni casi saltuariamente abitate e intrattenute, non sono state oggetto di lavori né di ampliamento né di straordinaria manutenzione: quest'ultima spetterà conseguentemente al nipote Georges II d'Amboise, che viene chiamato a capo della chiesa di Rouen alla morte dello zio per restarvi fino al 1550[87].

Più che ai tanti piccoli manieri normanni di sua competenza l'attenzione di Georges d'Amboise va alle grandi residenze di Rouen[88] e Gaillon, al *manoir* di Déville[89] che viene trasformato in residenza suburbana e, in qualità di arcivescovo e governatore, alla stessa città di Rouen, capitale di una delle più floride regioni francesi, situata lungo la Senna e dunque luogo di ferventi scambi commerciali.

La nomina di Georges d'Amboise alla sede arcivescovile di Rouen coincide con un periodo di grande trasformazione urbana. Senza dubbio gli inizi di questa fervente attività edilizia vanno cercati nella grande ricchezza della città, che già dalla metà del XV secolo inizia il processo di rinnovamento destinato a subire una forte accelerazione sotto l'episcopato del cardinale[90]. D'altra parte la Normandia, nonostante le devastazioni della guerra dei Cent'anni, resta una regione ricca e animata da circoli intellettuali aperti all'Umanesimo, grazie, soprattutto, agli stretti rapporti con l'Italia[91].

Già durante l'episcopato di Guillaume d'Estouteville, oltre ai lavori inerenti il nuovo palazzo arcivescovile (progetto del 1459) erano iniziate la ricostruzione di numerose chiese parrocchiali e la fortificazione del circuito murario difensivo[92]. A partire dagli anni 1490, in concomitanza con l'arrivo di Georges d'Amboise nella città con il doppio ruolo di massima autorità religiosa e politica, aprono una serie di cantieri, relativi tanto alla realizzazione di nuovi edifici, quanto alla creazione di nuove piazze o alla riqualificazione di quelle esistenti: dalla piazza del Neuf-Marché (dal 1494), con una lottizzazione regolare a schiera sul lato sud, alla riqualificazione della piazza de la Calende sul fianco meridionale della cattedrale, alla piazza della stessa cattedarle, in cui vengono edificati il portale e la *Tour du Beurre* e l'hôtel des Aides, alla creazione di uno spazio rappresentativo con il palais de Justice e il palais Royal, cui fa eco un'altra lottizzazione regolare di case a schiera, tutt'ora esistenti.

Contemporaneamente vengono demolite, a più riprese, le antiche mura urbane e nel 1508, in previsione della visita del re di Francia accompagnato da tutta la corte, la volontà di rinnovare l'estetica cittadina si manifesta anche con l'emanazione di decreti inerenti le case comuni: bisogna «faire peindre les maisons par devant, affin qu'ilz en semblassent plus belles»[93]. Come sottolineato da Bernard Gauthiez, Roland le Roux, l'architetto responsabile della maggior parte dei cantieri cittadini, agisce secondo un progetto d'insieme che, molto probabilmente, vede nel governatore-arcivescovo il principale ideatore[94].

Un aspetto importante dell'immagine urbana costruita in questi anni è dato dalle numerose fontane, che segnalano le piazze e gli incroci viari principali. La città di Rouen venne infatti fornita di un impianto idrico eccellente, che da diverse sorgenti portava l'acqua per tutto l'abitato[95]. La veduta urbana che Jacques Le Lieur presenta nel 1526, insieme al rapporto per il Consiglio cittadino sullo stato dell'approvvigionamento idrico della città, celebra questa importante operazione[96].

La quantità e la bellezza delle fontane dovevano essere tanto notevoli da venir puntualmente segnalate dai numerosi viaggiatori dell'epoca, tra cui Antonio de Beatis, segretario del cardinale di Aragona[97] e un anonimo milanese[98].

Georges d'Amboise è sicuramente tra i promotori di questa impresa, come attestano già le fonti: «C'est à la magnificence de ce grand Cardinal que le peuple de Rouen doit une bonne partie de ces tresors publics de ces belles & claires fontaines qui coulent sans cesse dans la Ville, si necessaires pour la commodité, & si agreables pour son ornement, qui ne pûrent estre conduites en tant d'endroits qu'avec des frais extraordinaires»[99]. Probabilmente egli è spinto soprattutto dall'esigenza personale di poter portare l'acqua, copiosa, nelle numerose fontane del palazzo arcivescovile. Il 17 agosto 1500, infatti, le autorità cittadine devono concedere la captazione di acque provenienti da fonti comuni per la fontana di Darnetal, per servire una casa di proprietà del cardinale[100]. L'eco di questo intervento nella città di Rouen si ritrova nelle spese relative all'inverno 1527-1528, quando il nipote Georges II si trova a dover far fronte alle riparazioni occorrenti alla *maison de ladite fontainne prez les Célestins*, fontana che, come altre della città fu fatta dal cardinal d'Amboise[101].

Diversi testi dei secoli XVII-XIX sulla città di Rouen attribuiscono inoltre a Georges d'Amboise la costruzione del palazzo di Giustizia ma quest'opera non può essere annoverata tra quelle commissionate dal cardinale. Sotto il suo episcopato viene operata un'importante trasformazione giuridica, che rendeva stabile l'*echiquier* di Normandia creando un tribunale autonomo nella provincia. A seguito di questa operazione le autorità municipali decretano la costruzione di un palazzo destinato al tribunale, sul luogo dell'antico mercato: il palais de Justice. Tuttavia, benché Georges d'Amboise non commissioni direttamente l'opera, in qualità di governatore della Normandia, egli è continuamente consultato dal comune sia per la definizione del sito sia sullo stile che il nuovo edificio dovrà adottare[102].

Il cardinale collabora anche economicamente a due cantieri inerenti la facciata della cattedrale, il rifacimento del portale e la costruzione della Tour de Beurre, per la quale dona anche l'enorme campana, denominata Georges d'Amboise[103]. Anche questi interventi fanno parte di quelli descritti entusiasticamente dai due citati viaggiatori italiani, entrambi saliti in cima al campanile per ammirare la nuova, enorme campana[104].

Benché, come dimostrato da Bernard Gauthiez, l'insieme di questi interventi rientri in un processo più lungo e complesso vissuto dalla città nel corso di almeno un secolo, è indubbio che gli anni dell'episcopato di Georges d'Amboise costituiscano un punto di accumulazione per quantità ed entità delle realizzazioni. Ne è riprova il fatto che, come sottolineato da Marc Smith, è proprio su questi interventi – la facciata della cattedrale, il palazzo arcivescovile, il palazzo di giustizia, le fontane – che si sofferma l'attenzione dei viaggiatori di tutto il Cinquecento[105].

Se in Normandia l'attività edilizia in qualità di arcivescovo occupa il cardinale tanto nelle residenze di Rouen, Gaillon e Déville che nella trasformazione della capitale, egli pensa anche al proprio casato e alla necessità di aggiornare la rete delle residenze familiari in relazione ai luoghi maggiormente frequentati da Luigi XII: Blois e Parigi. Infatti, oltre a soprintendere ai lavori nei castelli del nipote a Chaumont-sur-Loire e a Meillant, Georges si dota di un piccolo hotel *particulier* a ridosso del castello reale di Blois (fig. 6)[106] e acquista la signoria di Vigny[107], situata a metà strada tra Gaillon e Parigi, lungo il corso della Senna.

Questa postazione gli permette di raggiungere velocemente la capitale ma anche di fare tappa alloggiando esclusivamente nei propri possedimenti durante gli spostamenti tra Parigi e Rouen.

In questa costellazione di edifici, i tre cantieri principali documentati sono quelli del palazzo arcivescovile di Rouen, della dimora sub-urbana di Déville-lès-Rouen e, naturalmente, del castello di Gaillon.

Già dal settembre 1494 il cardinale comincia a Rouen ingenti lavori per la costruzione di un nuovo corpo di fabbrica, a tre piani, destinato a ospitare il nuovo appartamento cardinalizio; inizialmente si tratta di una costruzione piuttosto tradizionale che amplia l'edificio costruito da Guillaume d'Estouteville mezzo secolo prima. A Déville opera solo piccoli interventi per adeguare il *manoir* alle comodità richieste dal suo stato per dedicarsi soprattutto alla realizzazione di uno splendido giardino e di una sorta di *barco* per la caccia, non esente da echi lombardi certamente riconducibili all'influenza di Ascanio Sforza[108].

A Gaillon, fino al 1503 d'Amboise sembra limitarsi alla ristrutturazione dell'antico edificio, dedicando molta attenzione nuovamente al giardino e al parco.

Ma uno sguardo all'andamento dei conti di costruzione mostra che, a partire dal 1504, soprattutto a Rouen e a Gaillon, le spese aumentano moltissimo e questa impennata corrisponde a importanti modifiche ai progetti architettonici e ai programmi sottesi ai cantieri.

A Rouen, dove la decorazione rimane legata generalmente al *Flamboyant* e la volumetria delle nuove torri a pianta quadrata rimanda a esempi lombardi come i castelli di Pavia, Vigevano o Scaldasole, un sistema di gallerie realizzato dopo il 1503 dà luogo a un grande giardino quadrato circondato da portici (fig. 9). I tanti ruoli giocati dal cardinal d'Amboise sembrano trovare ciascuno il proprio spazio nella tripartizione dell'edificio: intorno alla *cour de l'église* si concentrano le funzioni ecclesiastiche dell'arcivescovo; la *cour de l'archevesché* dà accesso all'appartamento dove il *liutenant général* gestisce la vita politica della regione, mentre intorno al giardino, ornato da una superba fontana, si celano gli spazi privati del principe della chiesa, accessibili solo agli ospiti più intimi.

La logica distributiva che lega l'appartamento cardinalizio ufficiale a un secondo appartamento, privato, situato in uno dei padiglioni del giardino (fig. 9), rimanda all'organizzazione del palazzo di Venezia realizzato dal cardinale Barbo a Roma. Dal punto di vista decorativo un'importante innovazione è costituita dall'inserimento di bassorilievi in marmo scolpiti a Genova, con tutta probabilità nella bottega di Pace Gagini e Antonio della Porta detto il Tamagnino (figg. 10 e 11).

Si tratta di uno dei primi cicli decorativi rinascimentali marmorei accertato in Francia, dove generalmente si preferivano le più accessibili pietre locali (in Normandia quelle di Vernon e Saint-Leu).

L'uso del marmo, documentato anche per le basi, i capitelli e la trabeazione dei pilastri delle gallerie del giardino e assolutamente inconsueto in questi anni in Francia, mostrava agli occhi dei visitatori contemporanei la ricchezza e il potere del cardinal-legato, capace di aggirare le limitazioni imposte alle esportazioni di marmi dalla zona di Carrara e di far giungere a buon fine un carico di materiali nonostante un viaggio lungo e spesso periglioso.

Le scelte attuate a Rouen saranno poi amplificate ed esaltate a Gaillon, dove il marmo assume un significato ancora più pregnante in relazione a espliciti riferimenti all'iconografia imperiale[109].

Di carattere completamente diverso è invece in castello di Vigny (fig. 12), un edificio assolutamente privato destinato alla famiglia, in cui si ripropongono le stesse forme del castello di Chaumont, la signoria della famiglia per eccellenza e di quello di Dissay, costruito dal fratello Pierre d'Amboise vicino Poitiers.

Nel castello di famiglia, dunque, domina la tradizione e l'auto-riferimento familiare, mentre a Gaillon, la residenza prediletta del cardinal-legato, a Rouen e in parte a Déville regnano lo sfarzo, la ricchezza, l'aggiornamento formale rispetto alle realizzazioni italiane. Si tratta di una sorta di amplificazione di quanto già messo in atto nella logica degli spazi nel palazzo di Rouen.

L'elemento che lega le quattro residenze è la predilezione per le fontane, la cui bellezza ed eccellenza tecnica impressiona tutti i visitatori.

* Questo capitolo comprende anche una parte della comunicazione *Georges Ier d'Amboise tra Francia e Italia: «ipse est vere Rex Franciae»*, presentata alla giornata di studio *Piaceri e doveri. L'immagine del cardinale nel XVI secolo* (Firenze, Villa I Tatti, aprile 2005).

[1] Nasi al gonfaloniere Piero Soderini, Blois, 23 gennaio 1510 (a.s. 1509), in G. Canestrini, A. Desjardins, *Négociations diplomatique de la France avec la Toscane*, Paris 1859-1886, t. II, p. 460.

[2] La carriera religiosa di Georges d'Amboise è stata oggetto di una tesi per il diploma di *archiviste-paléographe* discussa nel 1996: F. Janin, *Georges d'Amboise, archevêque de Rouen et légat "a latere" (1493-1510)*, inedita, i cui contenuti sono riassunti in *École Nationale des Chartes, Positions des thèses*, 1996, pp. 153-161. Un quadro completo della biografia del prelato e della sua attività di committente, con i riferimenti documentari completi si trova in F. Bardati, *L'architettura francese di committenza cardinalizia nella prima metà del Cinquecento: i cardinali protagonisti delle guerre d'Italia*, tesi di Dottorato in Storia dell'architettura, Università di Roma "La Sapienza" e Université François Rabelais di Tours, Centre des Études Supérieures de la Renaissance, 2002, relatori A. Bruschi e J. Guillaume, pp. 75-96 e in Eadem, *Hommes du roi et princes de l'Église romaine: la réception des modèles italiens dans le mécénat des cardinaux français (1495-1560)*, Thèse pour l'Habilitation à diriger des recherches, Paris, École Pratique des Hautes Études, 2008, pp. 235-248. Si vedano inoltre: L. von Pastor, *Storia dei papi dalla fine del Medioevo*, Roma 1958, vol. III, pp. 724-758; G. Moroni, *Dizionario di erudizione storico-ecclesiastica*, Venezia 1860, vol. I, pp. 309-310; P. Frizon, *Gallia purpurata*, Paris 1638, pp. 546-549; De Montbard, *Le cardinal d'Amboise*, Limoges 1879; A. Aubery, *Histoire générale des cardinaux*, Paris 1645, t. III, pp. 9-26; *Vies du cardinal d'Amboise, de Sembalnçay, de Duprat, du cardinal de Tournon etc.*, Paris 1809, pp. 1-98; L.A. Jouen, *Georges Ier d'Amboise, archevêque de Rouen, ministre de Louis XII*, Rouen 1914; L.A. Jouen, Msg. Fuzet, *Comptes, devis et inventaires du Manoir Archiépiscopal de Rouen*, Paris-Rouen 1908, pp. 385-392; la recente biografia di Yves Bottineau-Fuchs (*Georges Ier d'Amboise, 1460-1510: un prélat normand de la Renaissance*, PTC 2005) propone un quadro sintetico della vita del prelato e della sua committenza, senza tuttavia integrare alla riflessione le più recenti acquisizioni critiche.

[3] «Loys, par la grâce de Dieu, roy de France, à tous ceux qui les présentes verront, salut. Comme Pierre d'Amboise, naguère au lieu de Chaumont-sur-Loire, se sayt, puis aucun temps, armé et eslevé allencontre de nous et fait plusieurs machinations et sollicitations et poursuites afin de grever et dommager nous et nos loyaux subjects, à l'occasion desquels cas, qui sont tous notoires, tous ses biens nous soient acquis et ayant forfait comme et déjà en signe de ce et pour l'absence dudit Pierre d'Amboise, qui sest rendu fugitif de notre royaume et n'y a peü estre appréhndé pour procéder contre sa personne, avons fait démolir et abasttre son chastel dudit lieu de Chaumont et austres de ses maisons, comme loisible nous estoit» (Bibliothèque de Saint-Germain, *Registres de la Cour des Comptes*, acte du 31 mai 1465, in J. De Broglie, *Histoire du Château de Chaumont (980-1943)*, Paris 1944, pp. 99-100).

[4] «Estant gouverneur de Champagne & puis de Bourgogne» (*Abrégé de la vie et des plus belles actions du cardinal d'Amboise, sous les règnes de Louis XI, Charles VIII & Louis XII*, Parigi, Bibliothèque Nationale de France [d'ora in poi B.N.F.], Ms. *Pièce originale*, 50, *Amboise*, f. 479).

[5] Un quadro riassuntivo delle carriere civili ed ecclesiastiche dei fratelli e sorelle d'Amboise si trova in M. Harsgor, *Recherches sur le personnel du Conseil du Roi sous Charles VIII et Louis XII*, Lille 1980, t. II, pp. 918-979.

[6] J. Balteau, M. Barroux, M. Prevost, a cura di, *Dictionnaire de biographie française*, Paris 1936, t. II, pp. 491-503.

[5] M. Baudier, *Histoire de l'administration du cardinal d'Amboise*, Paris 1634, p. 8.

8 Francesco della Casa a Piero de' Medici, Orléans, 31 agosto 1493, in G. Canestrini, A. Desjardins, *Négociations...* cit., t. I, pp. 248-249.

[9] C. de Beaurepaire, *Inventaire-sommaire des Archives Communales antérieures à 1790, Ville de Rouen*, Rouen 1887, t. 1, pp. 75-76.

[10] Benedetto Capilupi a Francesco Gonzaga, Milano 11 giugno 1498, in A. Grati, F. Leverotti, a cura di, *Carteggio degli oratori mantovani alla corte sforzesca (1450-1500)*, XV, 1495-1498, Roma 2003, p. 354. Nei documenti francesi Georges d'Amboise è quasi sempre indicato come *monseigneur*, *cardinal* o *archevêque* «de Rouen», oppure, dopo il 1501, come il *légat*. Nel breve periodo trascorso a Roma nelle cronache e nella corrispondenza non è mai indicato in riferimento al titolo cardinalizio di San Sisto, ma sempre come «Rouen» o «cardinale di Rouen».

[11] J. D'auton, *Chroniques de Louis XII, 1499-1508*, edizione moderna a cura di R. de Maulde La Clavière, Paris 1889-1895, t. II, pp. 25-26.

[12] 12 Istruzioni a Francesco Soderini e Luca degli Albizzi, in G. Canestrini, A. Desjardins, *Négociations...* cit., t. II, p. 68.

[13] F. Guicciardini, *Storie Fiorentine*, edizione moderna a cura di V. De Capreriis, Milano-Napoli 1953, p. 230.

[14] N. Machiavelli, *De principatibus*, edizione moderna a cura di G. Inglese, Roma 1994, p. 216.

[15] F. Guicciardini, *Storia d'Italia...* cit., p. 623.

[16] In particolare Ascanio Sforza era in Francia prigioniero del sovrano dopo la caduta di Milano.

[17] *Dispacci di Antonio Giustiniani ambasciatore veneto in Roma dal 1502 al 1505*, edizione moderna a cura di P. Villari, Firenze 1876, II, pp. 200-202.

[18] *Itinerarium legationis Cardinalis Sancta Praxedis ad Regem Franciae Ludovicum XII qui tunc Janua erat Anno 1507*, Archivio Segreto Vaticano (d'ora in poi ASV), *Fondo Pio*, 15, f. 140r.

[19] J. d'Auton, *Chroniques...* cit., t. II, p. 34. Il cardinale resta infatti a Milano, da dove tiene costantemente informato sugli sviluppi italiani il monarca che è in Francia (ivi, p. 92, nota 2). Le

[20] R. Krautheimer, S. Corbett, W. Frankl, *Corpus Basilicarum Christianarum Romae. Le basiliche paleocristiane di Roma (IV-IX sec.)*, Città del Vaticano 1976, pp. 157-170; C. Huelsen, *Le chiese di Roma nel medioevo. Cataloghi e appunti*, Firenze 1927, pp. 470-471; J.J. Bertier, *Chroniques du Monastère de San Sisto à Rome, écrites par trois religieuses du même monastère et traduites par un religieux dominicain*, Levanto 1919, vol. I; G. Ronci, *Antichi affreschi in S. Sisto vecchio a Roma*, in «Bollettino d'Arte», 36 (1951), serie IV, pp. 15-26; A. Zucchi, *Roma domenicana*, Firenze 1938, pp. 317-345; S. Pagano, *L'archivio del convento dei SS. Domenico e Sisto di Roma. Cenni storici e inventario*, Città del Vaticano 1994.

[21] F. Bardati, *L'architettura francese di committenza cardinalizia...* cit., pp. 69-71; Eadem, *Hommes du roi et princes de l'Église romaine...* cit., pp. 265-272; 498-500. Sul cardinal Briçonnet si veda soprattutto B. Chevalier, *Guillaume Briçonnet (v. 1445-1514). Un cardinal-ministre au début de la Renaissance*, Presses Universitaires de Rennes 2005, pp. 201-233. Sulla chiesa di San Luigi si veda S. Roberto, *San Luigi dei Francesi. La fabbrica di una chiesa nazionale nella Roma del '500*, Roma 2005.

[22] J. d'Auton, *Chroniques...* cit., t. III, pp. 204-205, 249.

[23] J. Burckardus, *Liber Notarum*, edizione moderna a cura di E. Celani, Città di Castello 1910 (*Rerum Italicarum Scriptores*, 32), t. II, p. 368. Si veda anche J. Burchard, *Alla corte di cinque papi [Diario 1483-1506]*, traduzione ed edizione moderna a cura di L. Bianchi, Milano 1988, pp. 413-424. Secondo il cerimoniere, Georges d'Amboise arriva a Roma il 12 settembre 1503 e la decisione di trasferirsi in Vaticano viene presa la notte tra il 21 e 22 settembre: «Al palazzo sono rimasti, oltre a quanti già vi abitavano, i cardinali di Rouen, di San Severino, di Aragona e il vicecancelliere: che si sono sistemati tutti al palazzo superiore, dove soleva stare il duca Valentino» (Ivi, p. 423-424). Il tentativo di fuga da Roma di Cesare Borgia e il successivo rifugio «al palazzo presso San Pietro, dove è stato accolto nelle stanze del cardinale di Rouen» avviene il 15 ottobre.

[24] M. Pellegrini, *Ascanio Maria Sforza. La parabola politica di un cardinale-principe del rinascimento*, 2 voll., Roma 2002, II, p. 811.

[25] J. d'Auton, *Chroniques...* cit., t. III, p. 251.

[26] J. Burckardus, *Liber Notarum...* cit., p. 4

[27] Le campagne milanesi e genovesi sono minuziosamente descritte da Jean d'Auton, *Chroniques...* cit.

[28] La corte soggiorna diverse volte a Pavia nel castello; è indubbio che soprattutto l'architettura della Certosa abbia avuto un ruolo determinante per la diffusione della decorazione italianizzante nel primo rinascimento francese. Lo stesso cronista testimonia l'impressione che l'edificio dovette fare sul re e il suo seguito: «puys le lendemain s'en alla a Pavye, et pris son logis au chasteau, qui est une moult belle place, et forte; et la est le grant parc tout plain de bestes fauves. Et au dehors, et pres de la, est la Chartreuse, qui est ung des plus excellans et sumptueulx collieges de toute la chrestienité» (J. d'Auton, *Chroniques...* cit., t. III, p. 32).

[29] Ivi, p. 112: «Le cardinal d'Amboise, qui, en la duché de Millan, avoit general auctorité pour le roy, et qui ses choses avoit en recommandation affectueuse».

[30] Si veda L. G. Pelissier, *Documents sur l'ambassade siennoise envoyée à Milan en octobre 1499*, Siena 1896, pp. 3, 8-9, 20.

[31] Archivio di Stato di Modena, *Francia*, serie *Dispacci degli ambasciatori*, busta XVIII; si veda L. G. Pelissier, *Dépeches des Ambassadeurs de Ferrare à la cour de Charles VIII et Louis XII aux archives d'état de Modène*, Paris 1898. Si vedano inoltre le istruzioni date dalla repubblica fiorentina a Piero Soderini, inviato ambasciatore a Milano presso il cardinale, il 20 aprile 1500 (G. Canestrini, A. Desjardins, *Négociation...* cit., t. II, pp. 31-34).

[32] Il viaggio per Bourges è interrotto da un soggiorno di quasi due mesi a Lione, durante il quale vengono organizzati feste, tornei e combattimenti in onore dei prigionieri (J. d'Auton, *Chroniques...* cit., t. III, p. 284).

[33] P. Boccardo, *Andrea Doria e le arti. Committenza e mecenatismo a Genova nel Rinascimento*, Roma 1989, p. 15.

[34] Biblioteca Apostolica Vaticana, *Vat. lat.* 9255, ff. 32-33.

[35] J. d'Auton, *Chroniques...*, cit., t. II, p. 139. Si veda anche BNF, *Ms. Fr.* 2964, f. 89, con le istruzioni dettagliate per questa delicata missione diplomatica. D'Amboise lascia Lomello il 25 settembre 1501 e terminata l'ambasciata torna in Francia.

[36] Brescia 20 ottobre 1501, cit. in H. Courteault, *Documents pour servir à l'histoire de l'occupation française du royaume de Naples sous Louis XII*, Paris 1916, pp. 23-24.

[37] Ivi, pp. 25-27. In queste missive si parla della contea di Sarno, che il cardinale ha ricevuto in dono da Luigi XII, ma di cui ancora non erano state registrate le lettere patenti.

[38] Ivi, p. 31.

[39] F. Pommeraye, *Histoire de l'Eglise Cathedrale de Rouen, metropolitaine et primatiale de Normandie*, Rouen 1686, p. 646.

[40] La città di Asti appartiene alla famiglia Orléans dal 1387 ed è da considerarsi filo-francese. Si veda A. Preda, *Pour les français, contre les lombards: la «conquête» de Giovan Giorgio Alione* in J. Balsamo (a cura di), *Passer les monts. Français en Italie - l'Italie en France (1494-1525)*, Xe colloque de la Société française du Seizième Siècle, Paris 1998, pp. 197-212, p. 197.

[41] J. d'Auton, *Chroniques...* cit., t. III, pp. 23-28.

[42] Ivi, p. 34.

[43] Ivi, pp. 50-61. D'Auton riporta una descrizione breve ma indicativa dell'impressione che il portale dovette produrre agli occhi francesi: «devant celuy logys, estoit ung portal faict de toille, bien hault et sumptueusement ouvré a rontz pilliers bien arcellez, et tout faict a fueillage, selon la mode lombarde, tant magistrallement composé, que reallement sembloit estre de pierre de taille» (ivi, p. 61).

[44] L. T. Belgrano, *Il palazzo Fieschi in Via Lata*, in «Giornale linguistico di archeologia, storia e belle arti», XVI (1889), pp. 149-152; E. Celesia, *La congiura del conte Gianluigi Fieschi, memorie storiche del secolo XVI, cavate da documenti originali e inediti*, Genova 1864, pp. 81-

85; P. Boccardo, *Andrea Doria...* cit., pp. 12 e 19, ma lo stesso, a p. 19, parla anche di un soggiorno presso la villa di Lorenzo Cattaneo a Terralba.

[45] J. d'Auton, *Chroniques...* cit., t. III, p. 94.

[46] C. Monari, *Storia di Bologna*, Bologna 1862, p. 435-437. La presenza di Georges d'Amboise non è riportata né da d'Auton né da Paride Grassi (P. Grassi, *Le due spedizioni militari di Giulio II*, edizione moderna a cura di L. Frati, in «Documenti e studi della regia deputazione di Storia Patria per le province di Romagna», I, 1886). È però a seguito di questi avvenimenti che Giulio II nomina tre cardinali francesi, tutti familiari di Georges d'Amboise: Jean François de la Tremoïlle è figlio di sua sorella Margherita, René de Prie di sua sorella Maddalena, Louis d'Amboise è suo fratello. La creazione cardinalizia viene fatta a Bologna il 4 gennaio 1507, come annota nel suo diario il cerimoniere papale: «Ista die Papa creavit secrete Cardinales Franciae nonnullos» P. Grassi, *Le due spedizioni* cit., p. 133. Si veda anche D. Zanelli, *I papi a Bologna. Memorie storiche*, Roma 1857, p. 32.

[47] Sul palazzo apostolico di Bologna si vedano gli studi di H. Hubert, *Der Palazzo Comunale von Bologna: vom Palazzo della Biada zum Palatium Apostolicum*, Köln, Weimer, Wien, Böulau 1993; Idem, *Il palazzo comunale di Bologna: da granaio a palazzo papale*, in *Il luogo ed il ruolo della città di Bologna tra Europa continentale e mediterranea* (Atti del colloquio C.I.H.A. 1990), Bologna 1992, pp. 167-180; Idem, *La nascita e lo sviluppo architettonico del palazzo del Comune a Bologna fra potere comunale e potere papale*, in C. Bottino, (a cura di), *Il palazzo comunale di Bologna. Storia, architettura e restauri*, Bologna 1999, pp. 65-87.

[48] J. d'Auton, *Chroniques...* cit., t. IV, p. 239.

[49] Ivi, p. 308. Il cronista specifica che si è appositamente recato la mattina prima del banchetto al castello «pour en savoir mieulx au vray reciter».

[50] Ivi.

[51] Ivi, p. 312.

[52] Si tratta di François de Clermont-Lodève, altro nipote di Georges d'Amboise.

[53] J. d'Auton, *Chroniques...* cit., t. IV, p. 329.

[54] ASV, *Fondo Pio*, 15, ff. 117*v* - 149*v* e ASV, *Fondo Borghese*, serie I, 128, ff. 1-25, quest'ultimo in cattivo stato di conservazione. L'incontro con il legato e con i reali di Spagna è narrato anche nelle *Chroniques* di Jean d'Auton (t. IV, pp. 340-364) e nella *Entreveue de Louis XII, roy de France, et de Ferdinand, roy d'Arragon, de Naples et de Sicile, à Savonne, l'an 1507*, in «Archives curieuses de l'histoire de France depuis Louis XI jusqu'à Louis XVIII» série I (1835), 2, pp. 25-57. Valutazioni moderne degli aspetti politici e diplomatici dell'incontro si hanno in R. A. M. de Maulde la Clavière, *L'entrevue de Savone (1507)*, Paris 1890 e G. Filippi, *Il convegno in Savona tra Luigi XII e Ferdinando il cattolico*, Savona 1890.

[55] Il cardinale Pallavicino riporta che Amboise traduce tutte le ambasciate al re «quia Rex non intelligebat Latinum» (ASV, *Fondo Pio*, 15, f. 131*r*).

[56] Pandolfini ai Dieci, Milano, 12-15 agosto 1509 (G. Canestrini, A. Desjardins, *Négociations...* cit., t. II, pp. 405-409, in particolare p. 406).

[57] Nasi e Pandolfini ai Dieci, Milano, 30 aprile 1509 (ivi, pp. 310-311).

[58] Nasi e Pandolfini ai Dieci, Milano 2 maggio 1509 (ivi, pp. 312-313).

[59] Nasi e Pandolfini ai Dieci, Milano 7-8 maggio 1509 (ivi, pp. 316-317).

[60] Nasi e Pandolfini ai Dieci, Brescia 22 maggio 1509 (ivi, p. 339).

[61] Nasi e Pandolfini ai Dieci, Peschiera 1 giugno 1509 (ivi, p, 353).

[62] Nasi e Pandolfini ai Dieci, Peschiera 2 giugno 1509, (ivi, pp. 357-358).

[63] Nasi e Pandolfini ai Dieci, Peschiera 5 giugno 1509, (ivi, pp. 363-365).

[64] Nasi e Pandolfini ai Dieci, Brescia 20-21 giugno 1509, (ivi, p. 377).

[65] Nasi e Pandolfini ai Dieci, Cremona 24 giugno 1509, (ivi, pp. 380-382).

[66] «Sendo comparso ieri il legato a uno giardino di messer Gianjacomo de Triulcio, propinquo alla porta...» (Nasi e Pandolfini ai Dieci, Milano 1-2-luglio 1509, ivi, pp. 382-387). Gli ambasciatori lamentano che nonostante la città fosse stata ornata di archi trionfali e di allegorie delle città e dei castelli più famosi conquistati durante la breve campagna, l'entrata sia stata ordinaria e «tutte le inventioni loro sono sute imperfette» (ivi, p. 385).

[67] I diversi dispacci degli ambasciatori fiorentini riportano la malattia dal 10 luglio all'11 agosto. (Ivi, pp. 390-404).

[68] Nasi ai Dieci, Lione 25 agosto 1509 (ivi, p. 414).

[69] Blois, 16 settembre 1509, Nasi ai Dieci (ivi, p. 414).

[70] La descrizione dei funerali che Luigi XII ordina siano eseguiti per il cardinale misura l'importanza di Georges d'Amboise alla corte francese: «Le roy ayant eu nouvelle de sa mort à Colombiers prés de Lyon, où il estoit pour lors, témoigna par ses soûpirs & ses larmes combien il estimoit la perte de ce grand Ministre. Il commanda que ses funerailles fussent honorées de la presence des Princes & des plus grands Seigneurs de la Cour, & que le corps fust environné de ses Gardes. Il fit partir d'auprés de luy le Duc de Lorraine, & presque toute sa Cour avec luy, et les envoya à Lyon. Ils assisterent tous au Service, & aprés accompagnerent le corps tout le long de cette grande Ville...» (F. Pommeraye, *Histoire des Archevêques de Rouen*, Rouen 1667, p. 596). Dopo le esequie solenni a Lione, il corpo di Georges viene trasportato a Rouen dove gli vengono resi i massimi onori da tutta la cittadinanza – Pommeraye la definisce la terza entrata solenne del cardinale nella città – per essere poi sepolto nella cappella della Vergine, nella cattedrale, dove per suo volere testamentario viene edificata la sontuosa sepoltura a parete. Si tratta di esequie paragonabili a quelle dei principi del sangue.

[71] Con l'importante eccezione del fiorentino Girolamo Paciarotto (Jérôme Pacherot nei documenti francesi), che è giunto in Francia al seguito di Carlo VIII dopo la conquista di Napoli, e di Antonio di Giusto (Antoine Juste nei documennti francesi). Vedi *infra* cap. 5.

[72] Si vedano A. Chastel. M. Rosci, *Un "portrait" de Gaillon à Gaglianico*, in «Art de France», III (1963), pp. 103-113, e F. Gerard-Pipau, *Le mécénat de Charles d'Amboise. 1500-1511*, in «L'information d'histoire de l'art», 1972, 4, pp. 176-181, che ipotizza anche che il 'regista' delle entrate di Louis XII a Milano (24 maggio 1507 dopo la vittoria sulla rivolta di Genova del 25 aprile e 1 luglio 1509 dopo la vittoria del 14 maggio sui veneziani a Agnadello) sia proprio Leonardo, allora tra i familiari di Charles d'Amboise (*codex Atlanticus*, fol. 317r). Georges d'Amboise acquista nel 1505 un *Bacchus*, a lui venduto da Antonio Pallavicino, identificato con il *Jean-Baptiste* del Louvre di Leonardo. A Cristoforo Solari, Charles de Chaumont commissiona la cappella votiva a pianta centrale di Santa Maria alla Fontana a Milano, (Malaguzzi-Valeri, *La corte di Ludovico il Moro*, Milano 1913-23, t. II, pp. 284 ss. e F. Gerard-Pipau, *Le mécénat...* cit., p. 180). Sulla villa progettata da Leonardo per Charles d'Amboise si veda S. Frommel, *Leonardo et la villa de Charles d'Amboise*, in C. Pedretti (a cura di), *Léonard de Vinci et la France*, catalogo della mostra (Château du Clos Lucé, Parc Léonard da Vinci, 2009), Campi Bisenzio , pp. 113-120.

[73] I d'Amboise sono protagonisti tra la fine del '400 e l'inizio del '500 di una serie di realizzazioni architettoniche e commissioni artistiche: si vedano principalmente G. Souchal, *Le mécénat de la famille d'Amboise*, in «Bulletin de la société des Antiquaires de l'Ouest», XII (1976), pp. 485-526 e 567-612; A. Chastel, M. Rosci, *Un "portrait"...* cit.; L. Hautcoeur, *Histoire de l'architecture classique en France*, t. 1, *La première Renaissance*, Paris 1963, pp. 144-155; Bosseboeuf, *Le château de Chaumont dans l'histoire et dans les arts*, Tours 1906, pp. 175-215, 266-355.

[74] Il ruolo, finora solo ipotizzato di Georges d'Amboise, può essere finalmente chiarito grazie a una lettera di Alberto Pio da Carpi al marchese di Mantova, datata 6 luglio 1506: «Essendo andato il re a certi vilagi qua vicini, me ne andai cum monsignor legato a Chiaumon, dove lo edifica uno belo castelo a monsignor lo gran maestro» (A. Sabattini, *Alberto III Pio. Politica diplomazia e guerra del conte di Carpi. Corrispondenza con la corte di Mantova, 1506-1511*, Carpi 1994, p. 102). Sul castello si vedano F. Tesnier, *Le château de Chaumont*, in «Bulletin monumental», 1994, t. 152 - I, pp. 67-99; Idem, *Le château de Chaumont*, Paris 2003; F. Bardati, *Hommes du roi et princes de l'Église romaine...*cit., pp. 371-377.

[75] Altri edifici sono legati ai fratelli d'Amboise, tra cui diversi palazzi urbani, residenze vescovili, attualmente perduti. Una panoramica esaustiva e un'analisi dei legami rintracciabili tra le diverse imprese edilizie nonché tra alcune rappresentazioni iconografiche si trova in G. Souchal, *Le mécénat...*, cit., specialmente pp. 503-525 e 557-588.

[76] Archives Départementales de la Seine Maritime (d'ora in poi AD Seine Maritime), *G*, b. 1141, fasc. 1.

[77] «Premierement en Bailliage & Vicomté de Roüen, le Palais & *Manoir* Archepiscopal dudit Archevesché, joignant & prés de l'Eglise de Nostre-Dame de Roüen, avec toutes les Maisons contiguës & adherens d'iceluy...» ivi, p. 1.

[78] «Item, la Terre & Seigneurie de Desville audit Bailliage & Vicomté de Roüen, laquelle s'étend en la Paroisse dudit lieu de Desville, Maromme, Sotteville, & du Becquet, & même en la Paroisse des Ostieux qui est de la Vicomté du Pont de l'Arche, & en icelle Terre & Seigneurie de Desville ledit Archevesque a Court & Usage en Haute Justice moyenne & basse, un *Manoir* clos de mur ainsi qu'il se pourporte [...] Terres labourables, & non labourables, Bois qui ne doivent Tiers ne Danger [...] Riviere, Pescherie & Moulins. [...] Item, à cause d'icelle Terre & Seigneurie a une Grange close de mur & vingt-huit acres de Pré en la Paroisse de Sotteville prés Roüen» ivi, p. 2.

[79] «Item, en Bailliage de Roüen en la Ville, Terre & Seigneurie de Louviers, en ladite Vicomté du Pont de l'Arche, laquelle Seigneurie s'étend és Paroisses Nôtre-Dame & de S. Germaun de Louviers, du Val de Reüil & de Vauvray, & de S. Martin jouxte Louviers, & en icelle Ville, Terre & Seigneurie de Louviers, ledit Archevesque a haute, moyenne & basse Justice, Manoir qu'on appelle de present le Châtel, Terres, Moulins à Grain...» ivi, p. 3.

[80] «Item, auprés de ladite Ville, Terre & Seigneurie de Louviers, audit Bailliage de Roüen & Vicomté du Pont de l'Arche, ledit Archevesque tient un Fief-Noble nommé le Fief de Pinterville, auquel a un Manoir avec toutes les appartenances d'iceluy Fief. [...] Item, les Villes, Terres & Seigneuries de Douvrent & Dallihermont qui s'étendent és Paroisses de S. Nicolas, Nôtre-Dame, S. Jacques de Crodalle, de Sainte Agathe d'Allihermont, d'Arques, de Dompierre, Muliers, Engerville, Douvrent, Donvremerr, de Douvrendel Humesnil, de Martin-Eglise, & és parties d'environ assises audit Bailliage de Caux[...], & en icelles Villes, Terres & Seigneuries, ledit Archevesque a Court & Usage, haute, moyenne & basse Justice, & les prifits & émoluments d'icelle, Manoirs, terres, prez, bois....» ivi, pp. 5-6.

[81] «Item, le Château & Ville de Gaillon, la Tour & Ville des Noës, & toutes les appartenances d'iceux...» ivi, 7.

[82] «Item, la Ville, Terre & Seigneurie de Fresnes l'Archevesque, laquelle Terre s'étend és Paroisses d'Andely, Derquenchy & de la Fontaine, & ailleurs en Bailliage de Gisors, & à cause de ladite Terre & Seigneurie les Archevesques de Roüen ont haute Justice & Jurisdictio moyenne & basse, *Manoir*s, Terres, Bois...» ivi, p. 8.

[83] «Item, en ladite Paroisse d'Andely un Manoir, jouxte l'Eglise Collegial dudit lieu..» ivi, p. 9. In questa chiesa il cardinale potrebbe aver patrocinato alcuni lavori, poiché la sua arme è presente in una delle vetrate del transetto. Ringrazio Florian Meunier per questa segnalazione.

[84] «Item, en Bailliage & Vicomté de Gisors, un Fief-Noble assis en la Paroisse de Corny qui a Court & Usage en basse Jurisdiction & Justice, hommes & tenants, à cause duquel fief ledit Archevesque de Roüen a un Manoir, maisons, masures, terres labourables environ soixante acres»[a] ivi, p. 12.

[85] «Item, en la ville de Pontoise en Diocese & Archevesché de Roüen, un Hotel & Jardins clos de murs, & le lieu ainsi qu'il se pourporte assis en icelle ville de Pontoise, jouxte les murs de la Ville d'un côté, & d'autre côté la rüe appellé la ruë du Vicaire de Pontoise» ivi, pp. 12-13. Sull'hôtel arcivescovile di Pontoise si vedano J. Depoin, *La reconstruction de l'hôtel archi-épiscopal de Pontoise par le cardinal d'Estouteville*, Versailles 1897; M. Mollier, *Le cardinal Guillaume d'Estouteville et le Grand Vicariat de Pontoise*, Paris 1906.

[86] «Item, iceluy Archevesque tient un Hôtel & Manoir assis en la ville de Paris, d'un côté la ruelle des murs dudit Paris vers S. Germain des Prez, d'autre côté le sejour d'Orleans, d'un bout & côté la rüe de la porte S. Germain». ivi, p. 17.

[87] Si veda *infra*, cap. 8.

[88] F. Bardati, *Georges d'Amboise à Rouen: le palais de l'archevêché et sa galerie de marbre*, in «Congrès archéologique de France», *Rouen et Pays de Caux*, 2003 (2005), pp. 199-213;

Eadem, *Hommes du roi et princes de l'Église romaine*...cit., pp. 502-513.

[89] Ivi, pp. 380-383 e F. Bardati, *Cardinaux aux champs. Georges d'Amboise à Déville-lès-Rouen et Antoine Du Prat à Vanves*, in M. Chatenet (a cura di), *Maisons des champs dans l'Europe de la Renaissance*, Paris 2006, pp. 151-158.

[90] Uno studio approfondito sugli interventi urbani realizzati a Rouen nei secoli XV e XVI si deve a B. Gauthiez, *La logique de l'espace urbain. Formation et évolution: le cas de Rouen*, Thèse de doctorat, École des Hautes Études en Sciences Sociales, (relatore Jean Pierre Bardet), Paris 1991.

[91] Nel XV secolo, oltre alla figura del cardinale e arcivescovo Guillaume d'Estouteville che raggiungendo una posizione di prestigio a Roma è di per sé un importante veicolo di suggestioni italiane in tutti i campi, devono essere considerati i tre vescovi della famiglia Castiglione che occupano le sedi di Coutances, Evreux, Lisieux e Baieux (R. Herval, *Trois grands évêques italiens en Normandie au XVe siècle, Branda, Zeno e Giovanni Castiglioni*, in «Etudes normandes», XXXII (1959), pp. 185-195. Sull'ambiente umanistico creato intorno a questi personaggi si veda T. Foffano, *Umanisti italiani in Normandia nel secolo XV*, in «Rinascimento», XV (1964), 4, pp. 3-34). Ancora in Normandia nel XVI secolo vengono nominati vescovi Ludovico da Bagno e Ludovico Canossa: si vedano G. Mombello, *Dalla cattività avignonese alla calata di Carlo VIII: le tappe dell'influenza culturale italiana in Francia, risultati e prospettive*, in *Rapporti culturali ed economici fra Italia e Francia nei secoli dal XIV al XVI*, (Atti del convegno, Roma 1978), Roma 1979, pp. 158-205 e M. H. Smith, *Rouen-Gaillon: témoignages italiens sur la Normandie de Georges d'Amboise*, in B. Beck, P. Bouet, C. Etienne, I. Lettéron (a cura di), *L'Architecture de la Renaissance en Normandie*, Tome I, Caen 2003, pp. 41-58.

[92] B. Gauthiez, *La logique de l'espace...* cit., pp. 306-310.

[93] Bibliothèque Municipale de Rouen, *Inv. Reg.* A11, delibera del 4 novembre 1508, cit. in B. Gauthiez, *La logique de l'espace...* cit., p. 320.

[94] Ivi, p. 322. Dello stesso parere M. Smith, *Rouen – Gaillon...* cit. e F. Janin, *Georges d'Amboise...* cit., p. 158.

[95] Sulle fontane cittadine si veda N. Miller, *French Renaissance fountains*, New-York e London 1977, p. 65. Per l'analisi dei diversi interventi si veda B. Gauthiez, *La logique de l'e-space...* cit., pp. 316-320. Una lettura simbolica del ruolo avuto dalle fontane cittadine nelle rappresentazioni tenute durante l'entrata di Luigi XII nel 1508 è data da A. M. Lecoq, *"QVETI ET MVSIS HENRICI II. GALL. R." Sur la grotte de Meudon*, in M. Fumaroli, Ph. Salazar et E. Bury (a cura di), *Le loisir lettré à l'âge classique*, Genève 1996, pp. 93-114, p. 102; M. Smith, *Rouen – Gaillon...* cit.

[96] L'opera, conosciuta come *Livre des Fontaines* è conservata presso la Biblioteca Municipale di Rouen. Si tratta di una veduta a colori della città, di 1.37x0.62 mt., concepita come pianta sulla quale vengono ribaltati i piani dei prospetti. Il disegno riporta quindi abbastanza fedelmente tutti i tracciati viari di Rouen con i profili delle abitazioni e i percorsi delle condotte idriche, i mulini e le fontane.

[97] L. von Pastor, *Die Reise des Kardinals Luigi d'Aragona durch Deutschland, die Niederlande, Frankreich und Oberitalien, 1517-1518, beschriessen von Antonio de Beatis*, Fribourg im Breisgau, 1905, p. 126.

[98] L. Monga, *Un mercante di Milano in Europa: diario di viaggio del primo Cinquecento*, Milano 1985, pp. 66-67.

[99] F. Pommeraye, *Histoire des Archevesques de Rouen*, Rouen 1667, p. 586.

[100] C. de Beaurepaire, *Inventaire-sommaire...* cit., *Ville de Rouen*, t. 1, p. 90.

[101] AD Seine-Maritime, G 113, 1527-1528. La fontana in oggetto capta le acque dalla fonte di Carville. All'inizio di questo secolo erano ancora visibili le insegne del cardinale su diversi edifici collegati alla fonte Saint-Jacques (cfr. L.A. Jouen, Mgr Fuzet, *Comptes, dévis...* cit., pp. 447-448.

[102] C. de Beaurepaire, *Inventaire-sommaire...* cit., *Ville de Rouen*, t. 1, p. 88.

[103] «Au reste c'est particulierement à la liberalité d'un de ses plus insignes bienfaicteurs le

grand George d'Amboise que l'Eglise de Roüen doit cette merveilleuse piece, puisqu'il ne fut entrepris que sous l'esperance que son chapitre conceut qu'il seroit assez genereux pour fournir aux frais de ce dessein, qui fut comme le couronnement de tant de magnifiques dépenses qu'il avoit faites pour l'embellissement de son Eglise. Les fondemens en furent jettez le dixhuitième Juin 1508». (F. Pommeraye, *Histoire de l'Eglise Cathedrale de Rouen...* cit., p. 33). Circa la denominazione della campana, lo stesso autore ne riporta l'iscrizione: «Je suis nommée George d'Amboise/Qui bien trente six mille poise/ Et cil qui bien me pesera/Quarante mille y trouvera» (ivi, p. 49). La fama di questa campana è già notevole alla fine del Cinquecento, come attestano le parole di un altro storico della città, Charles de Bourgueville: «Il fist aussi en son Eglise de riches fondations pour avoir memoire desquelles, ceste grosse & armonieuse cloche fust faicte fondre par luy en nostre Dame dudit Rouen, que l'on appelle George d'Amboise en l'an 1501. Au mois d'Aoust, qui trente six mille poise: ie le croy plustost que d'estre si curieux de la faire descendre & peser.» (Ch. de Bourgueville, *Les recherches et antiquitez de la province de Neustrie, à présent duché de Normandie*, Caen 1588, p. 33). Si vedano anche L.A. Jouen, *Georges Ier d'Amboise. Archevêque de Rouen, Ministre de Louis XII. Discour de réception à l'Académie des sciences, belles-lettres et arts de Rouen*, Rouen 1914, p. 28 e G. Souchal, *Le mécénat...* cit., p. 283.

[104] De Beatis e l'anonimo milanese, citati in M. Smith, *Rouen – Gaillon...* cit.

[105] Ivi.

[106] P. Lesueur, *Etudes et documents sur le château de Blois. Le donjon. La poterne Saint-Martin. La chapelle Sainte-Costance. L'hôtel d'Amboise*, Blois 1930; A. Cosperec, *Blois: la forme d'une ville*, Paris, 1994, pp. 138-139; F. Bardati, *Hommes du roi et princes de l'Église romaine...* cit., pp. 358-360.

[107] G. Tubeuf, A. Mairie, *Monographie du château et de l'église de Vigny*, Paris 1902; A. Somers, N. Choublier-Grimbert, *Le château de Vigny*, in «Bulletin de l'Association des Amis du Vexin français», 1994, pp. 5-12; F. Bardati, *L'architettura francese di committenza cardinalizia...* cit., pp. 167-172, Eadem, *Hommes du roi et princes de l'Église romaine...* cit., pp. 558-562.

[108] Sul giardino e sul parco i veda F. Bardati, *"Loghi da spasso e da piacere": i giardini del cardinale Georges d'Amboise a Déville, Gaillon e Vigny*, in G. Venturi et F. Ceccarelli (a cura di), *Delizie in Villa: il giardino rinascimentale e i suoi committenti*, Firenze 2008, pp. 289-315 e *infra*, cap. 7.

[109] Si veda *infra* cap. 5.

Da *manoir* a residenza principesca: le tappe della costruzione del castello di Gaillon

La *châtellenie* di Gaillon, annessa alla contea di Evreux è documentata almeno dall'X secolo, con una fortezza ubicata su un'altura che dominava i villaggi di Gaillon, Sainte-Barbe e Aubevoie e permetteva il controllo della valle della Senna nel tratto tra Parigi e Rouen (figg. 15 e 13). A causa della sua posizione strategica essa fu teatro di aspri scontri tra i Plantageneti e la corona francese, fino alla stipula del trattato di Louviers (luglio 1196) firmato da Filippo Augusto e Riccardo Cuor di Leone, con il quale la fortezza veniva assegnata alla Francia[1].

Nel 1262 San Luigi donò all'arcivescovo di Rouen Eudes Rigaud[2] il *castrum et villam de Gallione*[3], che, con la signoria circostante, divenne proprietà dell'arcivescovado fino alla Rivoluzione francese. Importanti lavori di ricostruzione vengono iniziati da Eudes Rigaud nel 1269 e, successivamente diverse riparazioni vengono eseguite nel 1378 e nel 1409[4].

Nel 1424, in piena guerra dei Cent'anni, il castello tornò in mano agli inglesi che ordinarono la demolizione di tutte le forme difensive, pur lasciando agli arcivescovi la possibilità di alloggiarvi:

«Les sales, chambres et habitations, come d'icellui chastel, avec les huys, fenestres et ferremens demeurent en estat sans desmolir ne tolir pour la demeure et habitacion de nostre ame et féal conseiller l'archevesque de Rouen, pourvu que la grosse tour et les aultres tours, murailles, pons, portes et guérites soient abatues et les fossés comblez, jusqu'à plaine terre et que seullement l'habitacion demeure en forme et manière de maison plate sans deffense, en telle maniere que ennemies ne autres, pour nuyre au pays, n'y puisse avoir refuge ou retrait, car ainsi nous plaist il et voulons estre fait »[5].

In questa occasione vengono rase al suolo le torri e il circuito murario, le cui fondazioni verranno però conservate e riutilizzate nella fabbrica cinquecentesca. Come già per le residenze di Rouen e di Pontoise[6], le poche vestigia del castello vengono rilevate nel 1453 da Guillaume d'Estouteville, che tra il 1454 e il 1458, fa eseguire al *maçon* Jehan Quesnel alcuni lavori di riparazione all'antico *manoir* in rovina – presumibilmente la cosiddetta *Grant' Maison* che occupava il lato nord-orientale del castello (fig. 14, D-E)[7] – per poi decidere di affidare allo stesso *maçon* la costruzione, tra il 1458 e il 1463, di un *ostel neuf* (fig. 14, N), cioè di un nuovo corpo di fabbrica parallelo e posto a monte della *Grant' Maison*, e forse anche dello *châtelet* (fig. 14, G), ovvero il padiglione d'entrata, caratterizzato da una coppia di torrette fortificate (fig. 16)[8].

Il *logis neuf*, più tardi indicato nei conti come *Corps* o *Logis d'Estouteville*, è uno dei pochi elementi che, benché modificato, sussiste ancora. Servito da una scala *en vis* alloggiata in una torretta ottagonale addossata al fabbricato (fig. 17), esso ha uno spessore modesto e si sviluppava su due livelli, più le cantine e l'alto sottotetto. Gli ambienti interni erano consecutivi, senza corridoi o altri elementi di circolazione orizzontale, come in uso abitualmente in Francia.

Nonostante questi lavori il castello rimane un *manoir* abbastanza modesto e bisogna attendere l'avvento di Georges d'Amboise perché venga trasformato nella grandiosa dimora riportata dalle fonti; Robert de Croixmare, arcivescovo dal 1482 al 1493 preferiva abitare il maniero di Déville-lès-Rouen e non mostra particolare interesse per l'architettura.

La conservazione della maggior parte dei conti di costruzione, registrati in modo dettagliato almeno dal 1502 al 1509, unita alla inusuale quantità di altre fonti documentarie, quali immagini, inventari e descrizioni contemporanee[9], permette di seguire in modo abbastanza preciso l'evoluzione della fabbrica cinquecentesca per quel che riguarda sia la cronologia che il funzionamento del cantiere[10]. I conti di costruzione dettagliati anche se in parte lacunosi, fondamentali in questa fase dell'analisi, sono stati quasi integralmente pubblicati da Achille Deville nel 1850[11], mentre un sunto, tanto di questi documenti che di altri registri di conti relativi all'intero arcivescovado di Rouen, si trova nei ricchi inventari degli Archives Départementales de la Seine-Maritime[12].

Contrariamente a quanto sostenuto finora dalla storiografia, gli interventi di Georges d'Amboise non iniziano nel 1502, dopo la conquista di Genova e Milano, ma circa quattro anni prima, cioè nell'anno in cui Luigi d'Orléans sale al trono e l'arcivescovo di Rouen ottiene la dignità cardinalizia e diviene, di fatto, il ministro onnipotente del sovrano.

Infatti, se il cardinal d'Amboise dà inizialmente la precedenza alla costruzione del palazzo arcivescovile di Rouen e alla trasformazione del *manoir* di Déville in una piacevole residenza suburbana (tav. I), già nel corso del 1497-1498[13] vengono effettuati i primi pagamenti per lavori eseguiti a Gaillon, per un totale di 1296 *livre tournois*[14]. Questo slittamento rispetto alla cronologia presentata da Elisabeth Chirol si deve al fatto che la studiosa si è basata sulla monumentale pubblicazione di Achille Deville[15] che riporta solo i volumi in cui compaiono i conti specifici della fabbrica di Gaillon, separati dal resto della contabilità arcivescovile. Questi registri ci sono pervenuti solo a partire dal 1502 mentre per le annate precedenti si posseggono solo le somme totali: 1296 *livre tournois* nel 1497-1498; 1143 *livre tournois* nel 1498-1499; 3839 *livre tournois* nel 1500-1501[16]. Purtroppo mancano completamente le indicazioni relative al 1499-1500. Benché non si raggiungano in questi anni le cifre esorbitanti spese in seguito (tav. III), la somma di quasi 6.300 *livre tournois* documenta comunque un'attività non indifferente fino al 1502.

I lavori effettuati tra il 1498 e la fine del 1501 hanno riguardato la *Grant' Maison*, il corpo di fabbrica più antico, affacciato sulla valle della Senna (fig. 14, D), poiché i primi conti dettagliati dell'autunno 1502 mostrano che è già in atto la trasformazione di una delle torri, con tutta probabilità quella settentrionale, anche detta *tour de la Syrene*. Assieme a un gran numero di muratori, guidati dal *maître maçon* Guillaume Senault[17], intenti al taglio della pietra, sono al lavoro i carpentieri per la realizzazione delle centine per voltare la torre[18]. Poiché la maggior parte delle coperture è piana e lignea, è plausibile che si tratti della volta della cantina alloggiata alla base del torrione. Questo fa pensare che le preesistenze medievali siano state solo parzialmente riutilizzate.

Come dimostrato da Evelyne Thomas[19], il cantiere di Georges d'Amboise, almeno dal 1502, si è sviluppato su due fronti: da una parte la profonda ristrutturazione della *Grant' Maison*, dall'altra l'elevazione della *petite vis*, la scala a lumaca situata all'angolo nord della corte (fig. 14, F). La costruzione di questa *tour d'escalier* è contemporanea a quella della vicina *Tour de la Syrene*, nell'angolo settentrionale della *Grant' Maison*, in cui si trovano gli spazi più importanti dell'appartamento cardinalizio[20].

Nel 1502-1503 alcuni lavori di restauro sono stati effettuati sul portale d'accesso (fig. 14, G), nel quale si eseguono opere in legno nel sottotetto. Dal gennaio 1503, oltre ad avanzare i lavori della *petite vis* e della *Grant' maison*, per la quale, ultimate le *galeta* (camere nei sottotetti) si cominciano a costruire i camini in mattoni, si scava il fossato nord-orientale e lo si dota di un possente muro di contenimento[21]. Contemporaneamente si iniziano gli ingenti lavori al giardino e al parco, registrati su altri quaderni[22].

Dall'autunno 1504 si cominciano i lavori relativi a un nuovo portale (fig. 14, Q), che doveva collegare il castello con gli spazi retrostanti, in cui si stavano realizzando il giardino e il parco. Un disegno anonimo, a penna e acquarello, eseguito all'epoca delle demolizioni post rivoluzionarie (fig. 18a), mostra la volumetria imponente di questo portale con quattro torrette circolari agli angoli, la delicata decorazione delle due grandi finestre sovrapposte che marcano l'asse dell'edifico nel prospetto verso il giardino e, sulla sinistra, la *silhouette* svettante della *petite vis*, affiancata dalle vestigia del prospetto interno della *Grant' Maison*.

Un altro disegno contemporaneo, di Jean Lubin Vauzelle (fig. 18b), ne mostra il prospetto verso la *grande-cour* e l'innesto con l'edificio adiacente. I conti specificano chiaramente che questo secondo portale viene costruito in luogo di una delle torri medievali preesistenti, quella in cui inizialmente era prevista una cappella[23]. In questo stesso periodo inizia a prendere forma il corpo di fabbrica che sviluppandosi verso sud-ovest perpendicolarmente alla *Grant' maison*, congiunge questo elemento e il portale verso il giardino (fig. 14, L). Porticato al piano terra e chiuso per ospitare la biblioteca del cardinale al piano nobile, esso è identificabile con una delle *galerie* citate nelle descrizioni e negli inventari[24].

I cantieri del portale verso il giardino, della *petite vis* e della galleria nord-ovest sono strettamente connessi tra loro[25]. Contemporaneamente si lavora alla cappella (fig. 14, E), ricavata nell'antica torre orientale, si cominciano le rifiniture degli ambienti ricavati nella *tour de la Syrène* e nel primo piano della *Grant' Maison*[26]. Senza dubbio in questa fase si tratta della cappella inferiore, parzialmente ancora conservata, la cui pianta è visibile nelle incisioni di Jacques Androuet Du Cerceau (fig. 2). I conti, in cui si parla sempre genericamente di 'chapelle', non permettono di cogliere il momento del passaggio al cantiere della cappella superiore.

Dal gennaio 1505 tutti i corpi di fabbrica fin qui citati sono in stato avanzato di costruzione e si comincia l'edificazione della scala principale (fig. 14, C), la *grande vis*, situata anch'essa in una torre ottagonale, addossata alla facciata su corte della *Grant' Maison* in corrispondenza con l'ingresso della cappella. Con la stessa organizzazione adottata per il lato opposto, da questa scala parte una seconda galleria[27] (fig. 14, H), che congiunge la *Grant' Maison* con il *Logis Estouteville* (fig. 14, N) creando uno spazio regolare, pressoché quadrato che costituisce la *grande-cour*, la corte principale che caratterizza i castelli francesi di questo periodo. La nuova galleria, che prenderà più tardi il nome di *galerie de Gênes*, di fatto divide in due parti lo spazio irregolare che dall'epoca di Guillaume d'Estouteville fluttuava tra la *Grant' Maison,* lo *châtelet* e il *logis E-stouteville*: a nord-ovest la *grande-cour*, su cui affacciano gli appartamenti e gli spazi di ricezione e a sud-est l'*avant-cour* o *basse-cour*, destinata ai servizi (fig. 14, R, S), che di fatto assorbe le irregolarità geometriche della pianta d'insieme, dovute alle asperità collinari del sito.

Al mese di marzo data la visita del *maître maçon* Colin Byart, attivo nei cantieri delle fabbriche reali, incaricato da Georges d'Amboise di un parere per gli edifici in costruzione a Gaillon e Rouen[28].

Dal 1506, in concomitanza con la fine dei lavori nel palazzo di Rouen compaiono nel cantiere di Gaillon i *maître maçon* Pierre Fain e Pierre Delorme[29]. Quest'ultimo è incaricato, dall'autunno 1506, dell'edificazione di un nuovo corpo di fabbrica (fig. 14, M) *d'entre la vieille maison et le portal de devers le jardin*[30]. Si tratta cioè del corpo che chiude a ovest il perimetro del castello tra il vecchio corpo di Guillaume d'Estouteville e il nuovo portale verso il giardino: in questo modo la *grande-cour* è quasi completamente circondata da edifici.

L'arrivo dei due *maître maçon* di Rouen, già impiegati nel cantiere del palazzo arcivescovile dal cardinale, non comporta il licenziamento dei capomastri al lavoro almeno dal 1502[31]: non è dunque plausibile parlare di un cambio stilistico, da *tourangeau* a *normand*, in questa data, dovuto all'avvicendamento di diverse maestranze, come proposto da Elisabeth Chirol[32].

Nel corso del biennio 1505-1507 tutti i settori precedentemente citati sono in costruzione, con diversi stati di avanzamento e affidati spesso a squadre distinte di muratori: il blocco della *Grant' Maison* con le scale nord (*grande vis*) e sud (*petite vis*) e le due cappelle sovrapposte; le due gallerie parallele nord-ovest e sud-est; il portale verso il giardino e il nuovo corpo di fabbrica affidato a Pierre Delorme. Contemporaneamente si procede con le varie strutture del parco e si realizzano, tra il febbraio e il settembre 1507, nuovi imponenti fossati, con relativi muri a scarpa di contenimento, sotto la direzione di Guillaume Mainville[33].

Manca una parte dei conti relativa al 1507, anno durante il quale con molta probabilità è stata terminata la costruzione della *petite vis*[34].

La galleria nord-ovest (fig. 14, L) è quasi ultimata nel gennaio 1508, quando si pagano i relativi lavori di carpenteria a Denis Fremievre e la copertura in ardesia a Jehan le Moine[35].

Nel 1508 i lavori subiscono una forte accelerazione[36], certamente in previsione della visita reale effettuata nel mese di settembre ma anche poiché, essendo ultimati i lavori nel palazzo di Rouen e probabilmente anche nell'hôtel di Blois e nel castello di Vigny, il cardinale può concentrare tutte le risorse economiche e di maestranza a Gaillon.

Si lavora febbrilmente per ultimare i cantieri aperti: Delorme interviene sul portale del giardino, Martin des Perroiz è incaricato della carpenteria relativa alla cappella, alla *grande vis*, alla galleria sud-est e alle cucine. Ancora Pierre Delorme è incaricato di restaurare il vecchio corpo Estouteville[37], dove fa abbattere la vecchia copertura per soprelevare di un piano l'edificio, portandolo all'altezza delle nuove costruzioni e rendendo quindi maggiormente omogenea la corte[38] mentre il *maçon* Guillaume Mainville costruisce una nuova cucina (fig. 14, P), situata tra il portale del giardino e il corpo nuovo edificato da Delorme[39]. Tutti gli edifici che bordano la *grande-cour* sono praticamente ultimati, poiché Jehan le Moine sigla i contratti per quasi tutte le coperture nel mese di gennaio[40].

Ancora all'inizio dell'anno i *maître maçon* Pierre Fain, Guillaume Senault e Jehan Fouquet sottoscrivono un contratto per l'edificazione di altre nuove cucine (fig. 14, S), collocate sul lato orientale della *basse-cour*, da terminare entro il primo novembre successivo: l'edificio si situa tra lo *châtelet* e il volume delle cappelle sovrapposte[41].

La grande loggia della *Grant' Maison,* aperta verso la vallata della Senna e coperta a terrazza che caratterizza la maggior parte delle vedute del castello, viene dotata di pilastri in marmo, completi di basi e capitelli in pietra di Vernon, tra gennaio e aprile 1508. La messa in opera è affidata al *maçon* Toussaint Delorme, che riceve gli ultimi pagamenti nel mese di settembre[42]. Alla stessa galleria e alla terrazza soprastante sono destinate le *anticquailles* messe in opera da Michelle Loir[43].

Contemporaneamente si rifiniscono gli interni della *Grant' Maison* le cui pareti sono foderate di legno intarsiato a opera dei *menuisier* Nicolas Castille e Richard Guerpe, ovvero Riccardo da Carpi[44]. Nicols Castille si occupa anche del mobilio del nuovo corpo edificato da Pierre Delorme mentre il pittore di Rouen Jehan Barbe, che già aveva decorato le finestre del palazzo arcivescovile, comincia a lavorare alle vetrate, tanto della cappella che della *Grant' Maison*[45]. Un altro ebanista, Richard le Marié, è pagato per aver fatto «à la taille d'anticque six coulombes, servans au revestement de la cheminée et des croisée de la chambre de la tour», ovvero la stanza del cardinale, situata al piano nobile nella *tour de la Syrene*[46]. Per 'coulombes' è molto probabile che si debbano intere 'colonnes': gli elementi del linguaggio classico sono estranei al vocabolario corrente francese e ancora nella metà del Cinquecento le trascrizioni fonetiche di sostantivi desunti dall'italiano comportano errori di questo tipo[47]. Colonnette lignee dovevano quindi ornare il camino e tutte le finestre della *chambre de monseigneur*, che ha un soffitto a cassettoni, assoluta novità in Francia, dorati da Jehan Testefort[48].

Ancora al gennaio 1508 data il primo pagamento per il trasporto di tre statue in marmo scolpite a Milano e rappresentanti il re, il cardinal-legato e il *grant maistre*, ovvero Charles de Chaumont[49]. Sempre dall'Italia arriva nel maggio 1508 una fontana commissionata a Genova dal cardinale all'atelier di Pace Gagini e Antonio della Porta e trasportata fino a Gaillon da Bertrand de Meynal, *Genevoiz*[50].

I lavori di rifinitura continuano con la doratura di pilastrini in rame ma anche di scrittoi per la biblioteca (ognuno recante un cartiglio, tre dei quali dedicati a Nerone, Annibale e Agrippa), la realizzazione di 42 medaglioni con soggetti antichi e di diverse statue per il giardino, tra cui un mostro e una Melusina[51]. Tra gli scultori fa la sua comparsa Antonio di Giusto di Michele, fiorentino, la cui carriera si svolge prevalentemente in Francia sotto il nome di Antoine Juste. Tra maggio e agosto 1508 si pavimentano tutti gli ambienti della *Grant' Maison*, delle gallerie e del *corps Delorme* e, da luglio, anche la *grande-cour* riceve una pavimentazione lapidea[52]. Quest'ultimo dettaglio è molto importante, poiché abitualmente la *grande-cour* è uno spazio aperto sterrato, a meno di un eventuale stretto camminamento perimetrale, poiché raggiungibile a cavallo. La scelta di pavimentare l'intera corte si distacca dall'usanza francese e costituisce un preciso riferimento ai cortili italiani, nonostante a Gaillon le dimensioni siano molto maggiori.

La definizione monumentale della *grande-cour* prende corpo con la realizzazione, a opera del fiorentino Jérôme Pacherot[53], di un portale ligneo in forma di 'arc triumphant' al centro della galleria sud-est (fig. 14, A), che permette il passaggio dalla *basse-cour* alla *grande-cour*. Su questa struttura effimera viene montato il bassorilievo bronzeo modellato da Antoine Juste, rappresentante la presa di Genova del 1507[54].

Senza dubbio al fine di ospitare al meglio la corte al seguito di Luigi XII e Anna di Bretagna, nel *corps Delorme* si moltiplicano gli spazi interni, con la creazione di piccoli tramezzi in legno riempiti di mattoni che isolano spazi rettangolari all'interno delle *chambre* e «qui serviront de garderobe»[55].

Tra le rifiniture della *Grant' Maison* spiccano quelle relative alle tappezzerie per le camere dell'appartamento cardinalizio[56] – che dovrà ospitare il re di Francia – e al *cabinet de la librarie de Monseigneur*, che viene ammobiliato in concomitanza con l'arrivo della corte[57].

Subito dopo la visita reale, nel mese di ottobre, si prosegue con le ric-chissime rifiniture del *cabinet de monseigneur*, che Pierre le Plastrier è incaricato di «paindre et dorer [...] de fin or et azur et autres couleurs»[58].

In questa fase, proporzionalmente all'aumento di interventi decora-tivi, cresce anche il numero di italiani coinvolti, tra i quali Antoine Juste e Andrea Solario, solo per citare i più conosciuti[59]. Ancora a tre italia-ni, Jérôme Pacherot, Jean de Chersalle e Bertrand de Meynal, si deve l'esecuzione della struttura architettonica dell'altare della cappella su-periore (fig. 19), la cui pala è affidata al cesello dell'anziano ma ancora attivo Michel Colombe. Andrea Solario, allievo di Leonardo, è pagato per gli affreschi che ne ornano le pareti[60]. Mentre Pacherot mette in opera la fontana di Gagini e Della Porta, posta al centro della *grande-cour*, ed esegue numerosi lavori di scultura, contribuendo in modo essenziale alla definizione del carattere 'all'antica' della *grande-cour*, sot-tolineato da tutti i visitatori[61].

Nonostante l'enorme sforzo molte parti sono ancora incomplete in occasione della visita reale nel settembre 1508 e per tutto il 1509 si ter-minano i lavori e si effettuano pagamenti residui per l'annata prece-dente. In particolare l'interno della cappella superiore riceve la maggior parte della decorazione durante tutto il 1509: alcune statue (*ymages*) commissionate a Antoine Juste e soprattutto il bassorilievo di Michel Colombe rappresentante San Giorgio, destinato a ornare l'altare mag-giore, vengono eseguiti a partire dal 1509[62]. Il piano nobile della galleria nord-ovest viene dorato da Lienard de Feschal e Jehan Testefort, en-trambi italiani, nel mese di maggio[63]. I soffitti a cassettoni del piano ter-ra della stessa galleria vengono dorati anch'essi nel 1509, tra marzo e set-tembre[64]. Anche la grande statua di rame rappresentante san Giorgio, il patrono del cardinale, viene posta in opera sulla sommità della *grande vis* dopo la visita reale[65]. Tra i lavori iniziati in prossimità della visita e conclusi l'anno successivo c'è anche la realizzazione del *jeu de paume* (fig. 14, B), affidato a Pierre Delorme. Questo spazio dedicato al gioco preferito dalla corte era situato all'interno del fossato, tra la *tour de la Syrene* e il portale verso il giardino[66]. L'ingresso, chiuso da un grande portone è visibile in tutte le vedute principali del castello.

Sempre dopo la visita reale vengono fatti ingenti lavori allo *châtelet* e, soprattutto, l'arco trionfale ligneo eseguito da Pacherot viene sosti-tuito da una versione lapidea, affidata a una squadra francese guidata da Pierre Fain, che prende il nome di *porte de Gênes*[67].

Ancora Pierre Delorme, tra maggio e agosto 1509, è incaricato di «faire et tailler à l'anticque et à la mode françoise» le strutture di sostegno per montare i medaglioni eseguiti da «messire Paguenin», cioè Guido Mazzoni, per la loggia verso la Senna[68]. Oltre a diverse forniture di mobilio degli appartamenti secondari, a ottobre 1509, in chiusura di conto, devono ancora essere terminate diverse coperture e l'edificio delle nuove cucine nella *basse-cour*.

Nel corso del 1510 la registrazione dei conti si interrompe con la morte del cardinale. Il nipote, Georges II d'Amboise, nominato alla sede di Rouen alla morte dello zio, finirà i lavori tra il 1510 e il 1518 e dedicherà i propri sforzi alla manutenzione delle numerose dimore arcivescovili, che non avevano ricevuto alcun tipo di trattamento durante l'episcopato del cardinal-legato. Importanti lavori di ampliamento, relativi soprattutto agli spazi esterni vengono realizzati durante il lungo episcopato del cardinale Charles de Bourbon (1550-1590), completati con la costruzione di una Certosa in direzione di Aubevoie[69].

Nel corso dei secoli XVII e XVIII Gaillon resta la residenza prediletta degli arcivescovi di Rouen, che restaurano le costruzioni volute da Georges d'Amboise e completano le sistemazioni esterne dell'epoca di Charles de Bourbon. Incarnazione del potere del clero francese, il castello è sequestrato dai rivoluzionari e poi acquistato dal cittadino Darcy che, sistematicamente, ne demolisce gli elementi scolpiti per metterli sul mercato[70]. In questo frangente l'azione di Alexandre Lenoir si dimostrò fondamentale per recuperare parte di questo materiale di spoglio e concentrarlo al Louvre e all'Hôtel de Cluny, in vista della realizzazione del progetto del Musée des Monuments Français.

Riacquistato dallo Stato per decreto napoleonico del 3 gennaio 1812, Gaillon viene trasformato in casa di detenzione centrale per i nuovi dipartimenti di Eure, Somme, Seine-Inférieure, Orne ed Eure-et-Loire[71]. Un rilievo planimetrico dell'architetto Louis Ambroise Dubut (1769-1846), datato 1811, mostra lo stato delle strutture precedente alla costruzione dei nuovi edifici del penitenziario: sono ancora in piedi i muri della *Grant' Maison*, le due scale, lo *châtelet*, il portale verso il giardino e alcuni edifici di servizio nella *basse-cour*. Imponenti strutture di sostegno del terrapieno del giardino sul lato sud-est sono ancora visibili. La *porte de Gênes* e alcuni elementi architettonici (finestre, parte dei portici del piano terreno delle gallerie), che fanno parte di ciò che Lenoir aveva potuto salvare, vengono invece rimontati all'interno del cortile dell'École des Beaux-Arts secondo un progetto dell'architetto Felix Duban[72].

Una volta dismesso il penitenziario, e a seguito di un lungo periodo di abbandono, lo Stato francese ha deciso una vasta campagna di restauro, iniziata negli anni 1980 rimontando *in situ* la *porte de Gênes*, alcuni portici e ripulendo le poche strutture non distrutte nel corso dell'ottocento. Una nuova campagna di restauro è attualmente in corso; il materiale scultoreo recuperato da diversi magazzini parigini resta per il momento stoccato in una delle fabbriche di Dubut.

NOTE

[1] E. Chirol, *Un premier foyer de Renaissance en France: le château de Gaillon*, Paris-Rouen 1952, pp. 17-18.

[2] Archives Départementales de la Seine Maritime (d'ora in poi AD Seine Maritime), *G* 853: *Eschange du chasteau de Gaillon fait par le roy saint Louis, avec les archevesques de Rouen*, cit. in Ch de Beaurepaire, *Inventaire-sommaire des Archives Départementales de la Seine-Inférieure*, Série G, Paris 1868, t. 1, p. 198. Si veda anche E. Chirol, *Un premier foyer...* cit., p. 20.

[3] AD Seine-Maritime, *G* 1018.

[4] E. Chirol, *Un premier foyer...* cit., p. 20.

[5] AD Seine-Maritime, *G* 8787 e Paris, Bibliothèque Nationale de France (d'ora in poi BNF), *Nouv. acq. franç.* 6190, cit. in A. Deville, *Comptes de dépense de dépenses de la construction du château de Gaillon*, Paris 1850, p. XI e E. Chirol, *Un premier foyer...* cit., pp. 21-22.

[6] Si veda *supra*, cap. 1.

[7] Si rifanno piattabande, finestre, scalini al piano terra, si ricostruiscono il secondo piano e la copertura.

[8] E. Chirol, *Un premier foyer...* cit., pp. 31-34.

[9] Si veda *infra*, Antologia di fonti.

[10] Si veda *infra*, cap. 6.

[11] A. Deville, *Comptes de dépenses...* cit.

[12] Ch. de Beaurepaire, *Inventaire-sommaire...* cit.

[13] La registrazione delle entrate e delle uscite inizia quasi sempre nel giorno di Saint-Michel, il 29 settembre e termina l'anno successivo, il 28 settembre. Il grosso dei conti di questa annata cade quindi nel 1498. Si consideri inoltre che, fino al 1563, l'anno ufficiale iniziava con la domenica di Pasqua ed era di conseguenza variabile di anno in anno. Per questo motivo nelle registrazioni relative ai mesi di marzo e aprile si trova la menzione *avant Pacques* o *après Pacques*. Fino ai registri del 1502 però non si ha alcuna specifica relativa alle date dei pagamenti.

[14] AD Seine-Maritime, *G* 84.

[15] A. Deville, *Comptes de dépenses...* cit.

[16] AD Seine-Maritime, *G*, rispettivamente buste 85, 86 e 87.

[17] Guillaume Senault figura tra i *maçon* attivi nel castello di Amboise sotto la guida di Colin Byart (Ch. de Grandmaison, *Comptes de construction du château d'Amboise*, (1495-1496), Paris 1912, p. 26).

[18] AD Seine-Maritime, *G* 2031.

[19] E. Thomas, *Gaillon: la chronologie de la construction*, in B. Beck, P. Bouet, C. Etienne, I. Lettéron (a cura di), *L'architecture de la Renaissance en Normandie*, Caen 2003, t. I, pp. 153-162. L'analisi della Thomas chiarisce i numerosi interrogativi lasciati aperti dalla Chirol ed è del tutto condivisibile.

[20] Si veda *infra*, capitoli 3 e 4.

[21] A. Deville, *Comptes de dépenses...* cit., pp. 12-34.

[22] Si veda *infra*, cap. 7.

[23] «Pour rompre la tour pour asoir le portail à aller au parc» A. Deville, *Comptes de dépenses*... cit., p. 108. Sulle disposizioni iniziali del progetto e sulle successive modifiche si veda *infra*, cap. 3.

[24] Sulla *galerie*, spazio dotato di funzioni proprie e non di mera circolazione da una parte all'altra dell'edificio, si veda J. Guillaume, *La galerie dans le château français: place et fonction*, in «Revue de l'art», 1993, pp. 32-42.

[25] E. Thomas, *Gaillon: la chronologie...* cit.

[26] A. Deville, *Comptes de dépenses...* cit., pp. 107-116.

[27] Ivi, p. 119-132.

[28] Ivi, p 124.

[29] Ivi, pp. 186-188.

[30] Ivi, pp. 191-205.

[31] Per quanto riguarda gli anni precedenti non sono indicati i nomi delle maestranze ma è probabile che le squadre dei fornitori e dei muratori siano le stesse di quelle documentate dal 1502.

[32] E. Thomas, *Gaillon: la chronologie...* cit.

[33] A. Deville, *Comptes de dépenses...* cit., pp. 206-221.

[34] Si veda anche E. Thomas, *Gaillon: la chronologie...* cit.

[35] A. Deville, *Comptes de dépenses...* cit., p. 272.

[36] Si vedano l'impennata delle spese (tav. III) e le conseguenze sull'organizzazione del cantiere (*infra*, cap. 6).

[37] A. Deville, *Comptes de dépenses...*, cit., p. 258.

[38] «Pour dessambler, oster et de rompre les chevrons de trois lucarnes et le feste d'une vitz, le tout au vielz corps d'ostel que repare à present Pierre De Lorme, en forme que ledit de Lorme y puisse faire et asseoir la maçonnerie qu'il est tenu faire [...] ladicte maçonnerie faicte, de refaire et asseoir de charpenterie lesd. lucarnes et vix ci-dessus declarées» (Ivi, p. 318).

[39] Ivi, pp. 270-271.

[40] Ivi, p. 272.

[41] Ivi, p. 319. È probabile che queste cucine non siano ancora ultimate alla venuta del re e della corte e che in quest'occasione si sia utilizzata la piccola cucina edificata da Guillaume de Mainville, per la quale nella stessa data si firma il contratto per le capriate del tetto.

[42] «Pour asseoir tous les piliers en marbre et à chacun piller basse et chapiteau de pierre de Vernon au long du costé de la grant maison de devers la garenne» (Ivi, pp. 269-270). Attualmente i pilastri sono in pietra, forse a causa dei restauri effettuati tra il 1624 e il 1629 (E. Chirol, *Un premier foyer...* cit., p. 79).

[43] A. Deville, *Comptes de dépenses...* cit., p. 274.

[44] Ivi, p. 261. Come ipotizzato anche da Elena Svalduz è estremamente probabile che la presenza di maestranze carpigiane a Gaillon, come anche quella del pittore Gian Francesco Donelli da Carpi attivo nelle volte della cattedrale di Albi su commissione di Louis d'Amboise, sia dovuta ai rapporti intercorsi tra Georges d'Amboise e Alberto III Pio (E. Svalduz, *Da castello a "città". Carpi e Alberto Pio (1472-1530)*, Roma 2001, pp. 108-109), che peraltro è spesso presente nel cantiere di Gaillon in questo periodo e ne avrebbe commissionato un disegno da inviare al marchese di Mantova (si veda *infra*, Antologia di fonti, 2). Su Gian Francesco Donelli e gli altri emiliani presenti ad Albi si vedano J.-L. Biget, *La cathédrale d'Albi. Architecture, sculpture, peinture*, Albi 1981; A. Medea, *Arte italiana alla corte di Francesco I (1515-1547)*, Milano 1932, p. 109.

[45] A. Deville, *Comptes de dépenses...* cit., pp. 262-266. Tutte le descrizioni cinquecentesche si soffermano sul fatto che le finestre sono dipinte.

[46] Ivi, p. 278.

[47] Si veda *infra* cap. 6.

[48] A. Deville, *Comptes de dépenses...* cit., p. 279.

[49] Ivi, pp. 286-287.

[50] Ivi, p. 303. Sulle vicende inerenti questa fontana e la confusione generata nel secolo XVII da una falsa iscrizione che la identificava con un dono veneziano si veda M. Smith, *Rouen - Gaillon: témoignages italiens sur la Normandie de Georges d'Amboise*, in B. Beck, P. Bouet, C. Etienne, I. Lettéron (a cura di), *L'architecture de la Renaissance en Normandie*, Caen 2003, t. I, pp. 41-58. Il contenuto dell'iscrizione è riportato nel *Mercure de Gaillon* del 1644, che elogia le bellezze del castello: «a cardinale de Estotevilla hoc primo Castri vestibulo solide munitus; a legato de Ambasia, Ludovici XII munificentiâ Regiâ ex rebellantis Genuae tributo, superba aedificiorum mole per iuga montis ductus atque extructus, stupendo fonte marmoreo ex venetorum munere illustratus, templis, donariis, ac Sanctarum reliquiis non minus magnifice quam religiose ornatus» (*Le Mercure de Gaillon ou recueil des Pieces curieuses, tant Hierarchiques que Politiques,* A Gaillon de l'Imprimerie du Chasteau Archiépiscopal, MDCXXXXIV, XXII, f. 121v, Biblioteca Apostolica Vaticana, *Stampati Chigi*, IV.2181).

[51] A. Deville, *Comptes de dépenses...* cit., pp. 306-311. La statua della Melusina potrebbe essere la sirena posta in cima all'omonima torre e visibile nell'incisione di Du Cerceau, ma potrebbe anche essere la statua di Melusina che risulta ornare una fontana del parco del castello di Vigny nel 1660 (si veda *infra*, cap. 7).

[52] A. Deville, *Comptes de dépenses...* cit., pp. 324-326.

[53] Su Jérôme Pacherot si veda *infra*, cap. 5.

[54] A. Deville, *Comptes de dépenses...* cit., p. 358 e 434-436. La doratura dell' «histoire de la bataille de Gennes» è fatta da Jehan Fanart (ivi, p. 343).

[55] Ivi, p. 333.

[56] È utile notare che ritornano gli stessi riferimenti utilizzati tanto nell'inventario del 1508 -contemporaneo ai lavori - che in quello del 1550, trattandosi di 'cuir doré' e 'velours vert' (ivi, pp. 335 e 341). Altro particolare interessante è che anche nei conti viene specificatamente menzionata la *chambre de parement*, situata tra la sala e la *chambre* (ivi, p. 341). Sul ruolo di questo ambiente nella distribuzione di Gaillon e sul suo significato si veda *infra*, cap. 4.

[57] A. Deville, *Comptes de dépenses...* cit., p. 332.

[58] Ivi, p. 378. Le rifiniture di questo spazio sono concluse l'anno successivo quando vengono incastonate nel legno perle e pietre preziose fatte venire da Milano (ivi, p. 420).

[59] Ivi, p. 343.

[60] Ivi, pp. 358-363.

[61] Si veda *infra*, cap. 5.

[62] A. Deville, *Comptes de dépenses*, cit., pp. 419-420.

[63] Ivi, p. 357.

[64] Ivi, p. 379.

[65] Ivi, pp. 403-404.

[66] Ivi, pp. 379-380, 404-405. Il dato è confermato dalla descrizione del mercante milanese, che visita il castello nel 1518: «In el fosso dil palazo di Galion li he uno bellissimo giocho di balla, facto a postta in tal loco, perché al verno he caldo et alla estate he frescho, perché il sole non li può» (L. Monga, *Un mercante di Milano in Europa: diario di un viaggio del primo Cinquecento*, Milano 1985, p. 65).

[67] Per i dettagli relativi alle esecuzioni dei diversi portali del castello e le loro cronologie incrociate si veda *infra*, cap. 5.

[68] A. Deville, *Comptes de dépenses...* cit., p. 405. Paguenin è identificabile con Guido Mazzoni, autore tra le altre cose del monumento funerario di Carlo VIII.

[69] Si veda *infra*, cap. 8.

[70] E. Chirol, *Un premier foyer...* cit., pp. 86-87.

[71] Ivi, p. 88.

[72] D. van Zanten, *Felix Duban and the Building of the Ecole des Beaux-Arts, 1832-1840*, in «The Journal of the Society of Architectural Historians», 37 (1978), 3, pp. 161-174. Attualmente, dopo i restauri degli anni Ottanta, la porta è stata nuovamente rimontata a Gaillon, nella posizione presumibilmente occupata in origine.

Progetto e realizzazione:
ipotesi per le ragioni di una trasformazione

La cronologia dei lavori effettuati nel castello di Gaillon ha messo in evidenza un cambiamento, databile alla fine del 1503, negli obiettivi del cardinale d'Amboise riguardo le disposizioni d'insieme, la decorazione e le funzioni da affidare a questa residenza[1].

La data coincide con il ritorno dal primo e unico soggiorno del committente nella Città Eterna, durante il quale egli ha potuto familiarizzare con le realizzazioni architettoniche romane della fine del Quattrocento e con il *mode de vie* dei cardinali e dell'élite romana.

Nel mese trascorso a Roma egli ha alloggiato nel palazzo Borgia poi Sforza, in Vaticano e in palazzo della Rovere in Borgo, ma certamente ha anche visitato almeno i palazzi di Venezia e della Cancelleria[2].

In questo lasso di tempo i riferimenti rinascimentali lombardi già presenti nelle residenze del cardinale, densi di decorazione scultorea e per questo particolarmente adatti a essere integrati nella ricerca architettonica contemporanea francese, si arricchiscono di nuove sfumature all'antica e si integrano con altri fattori, inerenti in primo luogo la distribuzione degli ambienti e la loro funzione nell'appartamento cardinalizio.

Come diretta conseguenza, dopo il 1503 nei due principali cantieri commissionati da d'Amboise, Rouen e Gaillon, alle influenze lombarde si affiancano elementi all'antica e ornamenti tipici del Quattrocento toscano[3]. A Rouen l'eco dell'esperienza romana emerge nell'aggiunta di un nuovo segmento del palazzo, articolato intorno a un giardino quadrato. A Gaillon, dove l'area a disposizione è irregolare e vincolata da preesistenze, il progetto iniziale viene trasformato lavorando soprattutto su una diversa organizzazione degli spazi aperti.

La *"pianta di Poitiers"*: un progetto francese con sfumature lombarde per il castello di Gaillon

Questo processo è particolarmente evidente confrontando un disegno relativo alla pianta d'insieme del castello (fig. 22) con la restituzione dell'edificio realizzato (fig. 23)[4].

Il disegno, soprannominato "pianta di Poitiers" in virtù della città in cui è conservato, fu ritrovato nel 1952 da René Crozet negli Archives Départementales de la Vienne[5]. Crozet ne dette immediata pubblicazione nel *Bulletin Monumental* senza datarlo né metterlo in relazione con alcun edificio specifico, ma corredandolo di una dettagliata legenda, trascritta dal documento stesso[6]. Questo infatti, oltre a costituire uno dei rari esempi di disegno architettonico dell'epoca giunto ai nostri giorni, è quotato in piedi francesi e in tutti gli ambienti, da quelli di servizio a quelli di ricezione, è indicato il nome della stanza o la funzione che vi era prevista. Grazie a queste informazioni è possibile quindi ricostruire quali erano, a cavallo tra i due secoli, gli ambienti necessari a una grande dimora nobiliare, le loro dimensioni e il tipo di dislocazione auspicata nell'organizzazione generale.

Al di là degli ambienti di ricezione e dei numerosi appartamenti, è comodo avere un «jardin de mesnage pour servir à la cuisine», ma anche che in una grande dimora ci siano due *boullangerie*, una piccola per la pasticceria e una grande per il pane, adiacente alla stanza del panettiere. Esistono le latrine e sono organizzate in modo che l'evacuazione non disturbi i piani sottostanti (al piano terra si trovano «lieu vuidde [vuoti n.d.r.] pour les retraictz haultez»). La lavanderia (*maison pour faire les bues*) è situata accanto a una scala che permette di raggiungere il fossato con l'acqua e alla «chambre pour la lingère pour garder le linge» una volta finito il bucato. La *Bouteillerie* e la cucina sono vicino alle scale che scendono alle cantine, a una piccola corte di servizio, ai *garde-manger* per le vettovaglie e gli utensili, ma anche al «lieu pour mectre bois et charbon» e alle stanze dei cucinieri[7].

Fu Elisabeth Chirol, che proprio nel 1952 aveva pubblicato la sua monografia sul castello, a riconoscere nell'edificio alcuni elementi che permettevano di metterlo in relazione con Gaillon[8]. La studiosa riconobbe in particolare il corpo di fabbrica principale, la *Grant' Maison* (fig. 22, nn. 15, 17, 18), lo *châtelet* e la coincidenza nell'ubicazione delle torri, benché nella pianta di Poitiers esse presentassero un profilo quadrangolare. Chirol propose la mano di un architetto italiano, probabilmente dell'Italia settentrionale, come autore di questo disegno, ma tanto la grafia quanto lo stile di alcuni dettagli (come i profili degli invasi delle bucature) lasciano pensare a una mano francese. Il tipo di scrittura è databile a cavallo tra la fine del XV e l'inizio del XVI secolo, cioè in concomitanza con l'inizio della campagna di trasformazione dell'edificio su commissione di Georges d'Amboise.

Circa la funzione di questo disegno, la questione è capire se si trattava di un rilievo della fortezza medievale effettuato in vista di questi lavori ovvero di un progetto fatto dopo l'elezione di Georges d'Amboise alla cattedra di Rouen. Diversi elementi portano a propendere per un disegno di progetto, eseguito sulla base di alcuni vincoli esistenti, grossolanamente rilevati: lo *chatelet* fortificato che fungeva d'ingresso all'insieme (fig. 14, G), la posizione delle torri (con molta probabilità i resti delle fortificazioni demolite nel 1424 dagli Inglesi), il corpo di fabbrica costruito dal cardinale Guillaume d'Estouteville tra il 1458 e il 1463 (fig. 14, N) e le mura principali della *Grant' Maison* (fig. 14, D). Queste strutture appaiono chiaramente nella pianta di Poitiers: lo *châtelet* distintamente riconoscibile per le torrette addossate agli angoli e l'ubicazione all'estremità sud-orientale della pianta, il *logis Estouteville* nei numeri da 5 a 9, la *Grant' Maison* in quelli da 15 a 20.

Tuttavia sarebbe difficile attribuire a un castello medievale altri elementi che compaiono su questo disegno, tanto le loro disposizioni appaiono innovatrici rispetto alle realizzazioni francesi dell'inizio del XVI secolo: le torri dal profilo quadrangolare e, soprattutto, le scale ad anima.

Infatti, nonostante qualche esempio, come il castello di L'Isle Savary à Clion-sur-Indre[9] e il *donjon* di Loches (in cui fu imprigionato e morì Ludovico il Moro), le torri quadrate sono rarissime nella tradizione francese. Invece questo elemento sembra interessare molto Georges d'Amboise: nella fabbrica di Rouen le due torri (Saint-Romain e Notre-Dame) presentano entrambe una pianta quadrangolare e sono coperte a terrazza (fig. 20)[10]. Durante i numerosi soggiorni in Lombardia, in particolare nella contea di Lomellina donatagli da Luigi XII, il cardinale aveva potuto apprezzare queste forme, quasi sempre presenti nelle residenze in cui aveva alloggiato in molteplici occasioni, come i castelli ducali di Pavia e Vigevano, quelli di Scaldasole (fig. 21) e di Lomello, in cui abitò per mesi, o ancora La Sforzesca, la villa-fattoria costruita dagli Sforza alla fine del XV secolo.

Le scale ad anima, che in Francia si diffondono solo nel corso del decennio 1510-1520 (Josselin, Bury, Azay-le-Rideau e Nantouillet)[11], fanno ugualmente parte del patrimonio del primo Rinascimento italiano. Nei luoghi in cui Georges d'Amboise ha alloggiato in Italia la circolazione verticale è garantita quasi esclusivamente da questo tipo di scala, che peraltro si ritrova nell'hôtel *particulier* che il cardinale fa costruire a Blois (fig. 6)[12]. L'uso di queste quattro scale 'esotiche' sarebbe però restato confinato a parti marginali dell'edifico: due servono ambienti di servizio e appartamenti posti nella *avant-cour* ai lati dello *châtelet*, una occupa l'intero spessore della galleria nord-ovest, l'ultima collega il giardino privato e un alloggio realizzato in un padiglione prospiciente la cappella. L'appartamento cardinalizio, comprensivo degli ambienti di ricezione, è servito da una tradizionale *grande vis*.

La « pianta di Poitiers » sembra quindi un progetto francese che tradisce, come aveva notato la Chirol, qualche traccia di cultura lombarda. Molto probabilmente si tratta di un caso tipico di questo periodo, in cui un *deviseur de bâtiment* (un incaricato di seguire il progetto, con una discreta capacità di disegnare ma che non è un architetto) disegna una pianta di massima seguendo le intenzioni molto precise del committente, che in questo caso desiderava dotare di qualche elemento innovativo uno dei castelli più importanti dei suoi ricchi possedimenti arcivescovili, restando tuttavia nei limiti della tradizione tipologica[13].

Georges d'Amboise immagina di conservare le strutture esistenti e, nello stesso tempo, proporre una vaga regolarizzazione della pianta, che, nonostante le asperità del sito[14] si avvicina al rettangolo e presenta tre cortili quasi quadrati, di dimensioni e funzioni diverse. Questo interesse per una disposizione simmetrica e regolare – all'epoca per lo più estranea alla cultura francese – è certamente stimolata dalla conoscenza delle residenze viscontee e sforzesche ma, senza dubbio, risente anche del fatto che un altro importante esponente della nobiltà, spesso in competizione con Georges d'Amboise, il maresciallo di Gié Pierre de Rohan (1451-1513), negli stessi anni sta realizzando il castello del Verger (distrutto), che per la prima volta in Francia presenta un impianto rettangolare impostato su un asse di simmetria.

Nel progetto di Poitiers *Monseigneur le légat* si è dotato di un appartamento abbastanza esteso che, grazie a una lunga terrazza, gode di uno splendido panorama sulla valle della Senna (fig. 24). La *suite* all'interno della *Grant' Maison* prevede una *grande salle*, una *chambre de parement*, una *chambre*, una *garde-robe*, un *cabinet* e un oratorio. Gli ultimi tre ambienti, di carattere molto privato, sono ingegnosamente ricavati all'interno della torre settentrionale Una galleria parte dalla seconda camera per condurre a una cappella di pianta rettangolare, realizzata sfruttando una delle torri angolari, all'estremità occidentale[15].

Se la maggior parte degli ambienti (la sala, la camera, la guardaroba e il *cabinet*) si trova anche in altri edifici quattrocenteschi, la presenza della *chambre de parement* (indicata in questo modo nel documento) introduce un riferimento diretto alla distribuzione papale avignonese e a quella reale francese del XIV secolo, non privo di valenze simboliche[16]. Questo ambiente è infatti restato nella distribuzione dei palazzi papali dei secoli XV-XVI ma è scomparso da quella dei re di Francia nel corso del tumultuoso Quattrocento[17].

Escludendo l'ambito reale, tuttavia, alcuni esempi di *chambre de parement* si trovano in Francia nel XV secolo, in Anjou, in Borgogna e in Normandia[18] e, forse, pur in mancanza di riscontri documentari, si può supporre che le lunghe serie di ambienti che componevano gli appartamenti nobiliari di Châteaudun e del Verger e quella, di dimensioni più ridotte, commissionata all'hôtel de Cluny da Jacques, uno dei fratelli maggiori di Georges d'Amboise, comportassero una *chambre de parement*. Al di fuori delle residenze papali, ambienti con una simile funzione sono documentati in Italia, a Napoli, alla fine del XV secolo, nelle residenze aragonesi[19]. La *chambre de parement*, è attestata anche presso gli arcivescovi di Rouen nel XIV secolo, nel *manoir* di Déville-lès-Rouen[20] ma sembra essere stata omessa nelle costruzioni del secolo seguente, in particolare in quelle commissionate da Guillaume d'Estouteville. Georges d'Amboise rivitalizza questa tradizione poiché ritroviamo la *chambre de parement* sia nel palazzo di Rouen che a Gaillon.

L'edificio realizzato

Rispetto alla pianta di Poitiers il castello effettivamente costruito mostra molte differenze (fig. 25). Il perimetro quasi rettangolare è abbandonato per una forma più irregolare, che segue a nord-est il profilo della collina, terminando nello sperone su cui sorge lo *châtelet*. Le torri hanno perso il profilo quadrangolare, le scale ad anima sono scomparse e la circolazione verticale è interamente assicurata da una serie di *vis*.

Il perimetro irregolare comprende a sud-est la *avant-cour*, preceduta dallo *chatelet* (fig. 14, G) e separata dalla *grande-cour* grazie a una galleria (fig. 14, H), ornata nel centro dalla imponente *porte de Gênes* (fig. 14, A). Il castello vero e proprio è composto di quattro corpi di fabbrica di uguale altezza (fig. 14, D, L, M-N, H), che formano una corte quadrangolare ma non perfettamente regolare, nel cui centro si erge la fontana a bacini di marmo sovrapposti eseguita da Pace Gagini e Antonio della Porta (fig. 26). Nell'angolo orientale della corte si trova la scala d'onore a lumaca, la *grande vis* (fig. 14, C), che dà accesso alla cappella (fig. 14, E), al *logis* principale (fig. 14, D) e alla galleria retrostante (fig. 14, H). Un'altra scala è situata all'angolo settentrionale (fig. 14, F) per servire ancora il *logis* e la galleria nord-ovest (fig. 14, L). Alle estremità delle due gallerie la parte orientale dell'edificio è costituita dal portale verso il giardino (fig. 14, Q), dalla cucina di Mainville (fig. 14, P), dal vecchio *logis Estouteville* (fig. 14, N) e dal nuovo corpo di fabbrica, edificato da Pierre Delorme (fig. 14, M). I lati della *avant-cour* sono chiusi dalle nuove cucine (fig. 14, S) e da edifici di servizio (fig. 14, R).

Per quel che riguarda l'appartamento cardinalizio ci sono alcuni cambiamenti (fig. 24). Il cardinale mantiene l'ubicazione nella *Grant' Maison* e la *suite* di sala, camera dei paramenti, camera, guardaroba (che assume quasi sempre il nome di *chambre de Monseigneur*) e studiolo, ma perde l'oratorio privato[21] e rinuncia a collocare la cappella al termine della galleria (uno spazio privato) per darle una posizione eminentemente pubblica, accanto alla *grande salle* e direttamente accessibile dalla *grande vis*: una soluzione che rimanda alla distribuzione avignonese e a quella dei palazzi romani. Forma e dimensioni della cappella sono anch'essi modificati: si tratta di due cappelle sovrapposte, di cui quella del piano nobile presenta una pianta cruciforme.

Una galleria parte ancora dall'appartamento cardinalizio ma conduce a un appartamento situato al primo piano del portale verso il giardino. Rispetto alla cappella della pianta di Poitiers, almeno teoricamente alloggiata in una torre, il portale è leggermente slittato a nord-est. La chiara menzione dei resti di una torre da demolire per la costruzione di questo corpo di fabbrica («pour rompre la tour pour assoir le portail à aller au parc»)[22] e i resti archeologici ritrovati durante la recente campagna di restauro, confermano la torre medievale in questa posizione e costituiscono una ulteriore prova del fatto che la pianta di Poitiers non sia un accurato rilievo ma un progetto di massima, eseguito da un *deviseur de bâtiment*. La modifica di maggiore entità è però data dalla presenza della *galerie de Gênes* (fig. 14, H), che taglia in due il grande spazio della corte medievale per realizzare una *grande-cour* quasi quadrata[23].

Quando e perché sono stati decisi questi cambiamenti rispetto al progetto? Diverse considerazioni possono essere avanzate.

Per ciò che riguarda il perimetro esterno si direbbe che la pianta di

Poitiers tenga in poco conto le irregolarità orografiche, mentre l'edificio realizzato segue il profilo della collina. Forse la pianta è stata redatta non *in situ*, riportando sul disegno appunti e schizzi precedentemente presi, mal calcolando (o ridisegnando) distanze e direzioni dei corpi di fabbrica già esistenti. Malgrado per il giardino superiore sia stato spianato un pezzo del monte[24], il cardinale ha evidentemente deciso di non intraprendere lavori di tale entità con i relativi terrazzamenti per tutta l'area del castello, poiché essi avrebbero richiesto costi e tempi eccessivi, rallentando enormemente un cantiere che invece si vuol fare avanzare molto velocemente. Per gli stessi motivi si è senza dubbio preferito sfruttare le fondamenta delle torri medievali demolite dagli Inglesi nel 1424, mantenendo il profilo circolare piuttosto che terminarne la demolizione per poi rifondare le nuovi torri quadrate.

È più difficile spiegare la rinuncia alle scale ad anima. Benché Jean Guillaume sottolinei che circa un decennio più tardi l'adozione di questa nuova forma ha comportato un cambiamento non solo stilistico ma anche tecnologico e distributivo, a Blois, dove tuttavia il cantiere è decisamente più piccolo che a Gaillon, ne è stata realizzata una precedentemente il 1506. Non è possibile immaginare che i *maître maçon* non adusi a questa tipologia abbiano potuto imporre il loro parere sconvolgendo il progetto o che siano sopravvenute difficoltà tecniche impossibili da risolvere a fronte della volontà e delle risorse economiche del cardinal d'Amboise. Non si possono neanche addurre spiegazioni di tipo sociale, legate al cerimoniale, poiché proprio per questo motivo nella pianta di Poitiers l'accesso alla *grande salle* era garantito da una scala elicoidale, rispettando la tradizione.

Nel progetto, tre delle quattro scale ad anima dovevano servire appartamenti per gli ospiti o ambienti di servizio e probabilmente non sarebbe valsa la pena imporre tecnologie inusuali e costose ai muratori per ambienti secondari. Per quel che riguarda la scala della galleria, bisogna ammettere che essa è assi mal progettata rispetto alla sua funzione, poiché in quella posizione avrebbe consentito un collegamento diretto tra il portico (spazio pubblico) e la galleria dell'appartamento cardinalizio: uno spazio privato per eccellenza, che tale deve restare.

La *petite vis* realizzata al posto di questa scala, fuori opera, è svincolata dalla galleria, e risponde meglio alle esigenze distributive. Inoltre con l'orientamento delle rampe parallelo ai muri longitudinali della galleria, la scala avrebbe occupato tutto lo spessore del corpo di fabbrica, interrompendo l'unità spaziale di questo ambiente e bloccando il passaggio da una parte all'altra. Problemi, anche questi, ovviati mantenendo una tradizionale scala elicoidale. Infine, le scale del progetto, da realizzare in opera e quindi non visibili chiaramente dall'esterno, non avrebbero permesso l'immediata comprensione della gerarchia degli spazi interni, condizione essenziale per le costruzioni francesi dell'epoca.

Le modifiche inerenti la corte indicano invece l'influenza di edifici ammirati a Roma, la cui spazialità differiva da quella fino a quel momento presente alla mente del cardinale, legata alla tradizione francese e parzialmente confermata dalle grandi realizzazioni lombarde, dove la geometria non gioca ancora un ruolo fondamentale. Che la pianta di Gaillon nel suo insieme e, nonostante le gallerie, la *grande-cour* non siano regolari sembra non disturbare l'occhio di Jacopo Probo nel 1510 ma Antonio de Beatis, pochi anni più tardi, sottolinea che il castello del Verger, costruito in pianura, senza vincoli orografici o presistenze, essendo perfettamente rettangolare è meglio «inteso»[25].

L'interesse per Roma e per le sue moderne residenze cardinalizie riflette non solo una generale avidità di Georges d'Amboise per le novità architettoniche ma anche, e soprattutto, la volontà di affidare all'architettura un ruolo retorico, rappresentativo dello *status* politico e religioso del committente, membro anche lui del Sacro collegio, vera eminenza grigia del regno di Luigi XII e legato *a latere* di Francia e di Avignone. Lo spostamento della cappella dalla fine dell'appartamento privato all'innesto tra la *grande salle* e la *grande vis* segnala un ruolo eminentemente pubblico di questo spazio, confermato anche dalle aumentate dimensioni rispetto al progetto. I commenti dei visitatori italiani della prima metà del Cinquecento confermano l'attenzione per questo aspetto, poiché concordano sul fatto che la cappella è di dimensioni convenienti rispetto all'ampiezza e alle ambizioni della dimora.

Non è da escludere che ci fosse la volontà di fondare una Collegiale dipendente da Evreux, perché nell'ottobre 1504 il sito viene visitato da tre canonici della diocesi[26].

Il lusso della decorazione della cappella superiore[27] così come gli affreschi che rappresentavano l'intera famiglia d'Amboise che la adornavano, mostrano chiaramente la volontà del cardinale di glorificare la propria carriera politica e quella dei suoi fratelli e sorelle, tutti arrivati alle vette più alte della gerarchia ecclesiastica o alleati con le grandi famiglie di Francia, nonostante la caduta in disgrazia del padre nel 1465[28]. Inoltre la collocazione in prossimità della sala rispecchia le indicazioni del *De Cardinalatu* di Paolo Cortesi e la disposizione che si ritrova in molti palazzi cardinalizi romani, oltre che ad Avignone[29].

Dunque, *volens nolens*, Georges d'Amboise adotta a Gaillon anche disposizioni papali e cardinalizie.

La distribuzione dell'appartamento sfrutta soprattutto i muri preesistenti e di conseguenza non cambia dal progetto al costruito (fig. 24) se non per il diverso uso della torre e la diversa collocazione del *cabinet*. Una soluzione simile, completa di cappella e oratorio privati, è usata anche nel palazzo di Rouen (fig. 9).

La costruzione della *galerie de Gênes* con il suo magnifico portale (fig. 27) regolarizza lo spazio della corte e insieme a una serie di interventi decorativi di chiaro indirizzo antichizzante mette in scena un percorso cerimoniale, che allude all'iconografia imperiale ed è da mettere in relazione con la competizione scatenatasi tra Georges d'Amboise e Giulio II dopo il conclave del 1503[30]. Non a caso la costruzione di questo nuovo corpo di fabbrica, assolutamente non previsto nella pianta di Poitiers, inizia proprio alla fine del 1503, a seguito dello sfortunato soggiorno romano dell'arcivescovo di Rouen.

A fronte di queste considerazioni la pianta di Poitiers deve essere considerata un progetto di massima, disegnato tenendo conto delle preesistenze in un lasso di tempo compreso tra la nomina di Georges d'Amboise alla sede di Rouen (1494) e il 1502, data in cui, grazie alla registrazione dettagliata delle spese, sappiamo che i lavori della *Grant' Maison* sono già avanzati. Se l'idea di modificare il profilo delle torri deve essere stata abbandonata quasi subito e, in ogni caso, all'inizio del lavori tra il 1497 e il 1498, quella delle scale ad anima può essere stata modificata al più tardi nel 1503, quando si comincia l'edificazione della *petite vis*.

Invece la costruzione della cappella inferiore è documentata per la prima volta nell'ottobre 1504, relativamente alle centine delle volte, così come la distruzione dell'antica torre occidentale per l'edificazione del portale verso il giardino[31]. È quindi possibile ipotizzare che il cambio di collocazione del corpo di fabbrica della cappella sia posteriore al soggiorno romano del 1503. Senza dubbio dopo agli avvenimenti romani deve datare inoltre la scelta di costruire la nuova galleria con la monumentale *porte de Gênes*, seguita da un rifacimento dell'impaginato architettonico dei fronti esterno e interno dello *châtelet*, che imprimono un carattere principesco alla dimora. Non a caso, sempre dopo il 1503, Georges d'Amboise fa modificare in modo altrettanto significativo il progetto del palazzo di Rouen, trasformando anche lì una grande corte irregolare in un insieme di corti quadrate o rettangolari gerarchicamente connesse tra loro e inserendo espliciti riferimento all'Antico nella decorazione scultorea[32].

Dalla pianta di Poitiers al castello realizzato assistiamo quindi al passaggio da un progetto che, tenendo in poco conto le difficoltà dovute all'orografia del sito, presenta alcune innovazioni ma lascia al contempo largo spazio alla funzionalità e alle disposizioni tradizionali, a un edificio reale in cui si abbandonano proprio quegli elementi innovativi in cambio di una maggiore rapidità di esecuzione, prediligendo altri interventi che modificano la spazialità della corte e la fruibilità di alcuni spazi, con l'obiettivo di creare una residenza principesca, comparabile con le più recenti realizzazioni italiane.

NOTE

[1] Alcune di queste riflessioni sono state presentate in F. Bardati, *Le château de Gaillon: du projet de Poitiers à l'édifice réalisé sous Georges Ier d'Amboise*, in T. Berrada (a cura di), *Du dessein à l'exécution. Architectes et commanditaires: cas particulier, du XVIe au XXe siècle*, Atti della giornata di studio (Parigi 2004), Paris 2006, pp. 18-33.

[2] Il primo è stato il quartier generale di Carlo VIII durante la prima campagna d'Italia e per la sua centralità non può essere sfuggito a Georges d'Amboise. Parimenti è difficile immaginare che Raffaele Riario, che a Rouen ha visto personalmente i lavori commissionati dal cardinale, non abbia proposto al francese di visitare lo stupefacente cantiere del suo palazzo romano. Sul soggiorno di Georges d'Amboise a Roma si veda *supra*, cap. 1.

[3] Sull'evoluzione del progetto del palazzo arcivescovile di Rouen si veda F. Bardati, *Georges d'Amboise à Rouen: le palais de l'archevêché et sa galerie de marbre*, in «Congrès archéologique de France», *Rouen et Pays de Caux*, 2003 (2005), pp. 199-213.

[4] Per i criteri scientifici adottati nel restituire le piante del piano terra e del piano nobile del castello di Gaillon si veda F. Bardati, *L'architettura francese di committenza cardinalizia nella prima metà del Cinquecento: i cardinali protagonisti delle guerre d'Italia*, tesi di Dottorato in Storia dell'architettura, Università di Roma "La Sapienza" e Université François Rabelais di Tours, Centre des Études Supérieures de la Renaissance, 2002, relatori A. Bruschi e J. Guillaume, pp. 135-140.

[5] Archives Départementales de la Vienne, *Carton 37*, pièce 8.

[6] R. Crozet, *Un plan de la fin du Moyen Age*, in «Bulletin monumental», 1952, pp. 119-124

[7] Ivi, pp. 121-124.

[8] E. Chirol, *Nouvelles recherches sur un plan de château de la fin du Moyen Age. Projet pour le château de Gaillon*, in «Bulletin monumental», 1958, pp. 185-195.

[9] J.-M. Pérouse de Montclos, a cura di, *Architectures en Région Centre. Val de Loire, Beauce, Sologne, Berry, Touraine*, Paris 1988 (collana *Le guide du patrimoine*), pp. 389-390.

[10] Si vedano A. Jouen, Mgr. Fuzet, *Comptes du manoir archiépiscopal de Rouen*, Paris 1908; F. Bardati, *Georges d'Amboise à Rouen... cit.*, e Eadem, *Le palais archiépiscopal de Rouen*, in B. Beck, P. Bonet, C. Etienne, I Létteron (a cura di), *L'Architecture de la Renaissance en Normandie*, II, Caen 2003, pp. 121-126.

[11] J. Guillaume, *L'escalier dans l'architecture française de la première moitié du XVIe siècle*, in *L'escalier dans l'architecture de la Renaissance*, Atti del convegno (Tours 1979), Paris 1985 (collana *De Architectura*), pp. 27-47, in particolare pp. 31-33.

[12] Per una sintesi su questo edificio, perduto, si veda F. Bardati, *Hommes du roi et princes de l'Église romaine: la réception des modèles italiens dans le mécénat des cardinaux français (1495-1560)*, Thèse pour l'Habilitation à diriger des recherches, Paris, École Pratique des Hautes Études, 2008, pp. 358-360, con bibliografia.

[13] Le visite documentate di diversi *maître maçon* (che non sono attivi nel cantiere, ma che vi intervengono come esperti per un consulto) fanno supporre che questo tipo di pianta, che aveva come obiettivo di fissare le linee generali del progetto, l'ubicazione dei corpi di fabbrica, la loro funzione e la loro forma, fosse destinata a essere completata, o modificata nel dettaglio in corso d'opera.

[14] Costruito su una collina, il castello segue nel suo perimetro verso valle il profilo altimetrico naturale. Ingenti sforzi economici e tecnici per appianare il sito vengono concentrati nell'area del giardino (si veda *infra*, cap. 7).

[15] La localizzazione della cappella in fondo alla galleria ha diversi precedenti, come al Plessis-Bourré o al Verger, ma il suo inserimento in una torre dal profilo quadrangolare prefigura realizzazioni più tarde, come quella del castello di Ecouen.

[16] Si veda *infra*, cap. 4.

[17] Sull'evoluzione della distribuzione reale dal XV alla fine del XVI secolo si veda M. Chatenet, *La Cour de France au XVIᵉ siècle. Vie sociale et architecture*, Paris 2002. Sulla distribuzione di Avignone si veda B. Schimmelpfennig, «*Ad maiorem pape gloriam*». *La fonction des pièces dans le palais des Papes d'Avignon*, in J. Guillaume (a cura di), *Architecture et vie sociale. L'organisation intérieure des grandes demeures à la fin du Moyen Age et à la Renaissance*, Atti del convegno (Tours, juin 1988) Paris 1994 (collana *De Architectura*), pp. 25-46; sulla distribuzione reale francese nel XIV secolo si veda: M. Whiteley, *Royal and Ducal Palaces in France in the Fourteenth and Fifteenth Centuries*, ivi, pp. 47-63; Eadem, *Le Louvre de Charles V. Dispositions et fonctions d'une résidence royale*, in «Revue de l'art», 1992, 97, pp. 60-71; Eadem, *Les pièces privées de l'appartement du roi au château de Vincennes*, in «Bulletin monumental», 1990, pp. 83-85.

[18] Y. Le Pogam, *Sources textuelles pour l'étude de la distribution dans les châteaux normands*, in «Histoire de l'art», (1998), 42-43, pp. 59-65, menziona (p. 60) "deux éléments principaux du noyau résidentiel, constamment cités par les textes, la chambre de parement et la chambre de retrait".

[19] Per esempio la «cammara de paramento» di castel Capuano dove nel 1488 si eseguivano alcuni lavori (G. Ceci, *Nuovi documenti su Giuliano da Maiano ed altri artisti*, in «Archivio Storico per le Province Napoletane», XXIX (1904), pp. 784-792).

[20] Documento datato 1390, Rouen, Archives Départementale de la Seine-Maritime, *G* 348, f. 45*r*, cit. in P. Le Verdier, *Le manoir des archevêques de Rouen à Déville*, in «Bulletin de la société d'histoire de la Normandie», XIV (1925-1930), pp. 20-37.

[21] Il passaggio dalla torre quadrata a quella circolare rende più difficile lo sfruttamento dello spazio interno: nell'edificio realizzato, nella Tour de la Syrène si situa la camera di Georges d'Amboise, sostituendo la guardaroba e il cabinet, che viene spostato nello spazio di collegamento tra la torre, la *Grant' Maison*, la galleria nord-ovest e la *petite vis* (fig. 24).

[22] A. Deville, *Comptes de dépense de dépenses de la construction du château de Gaillon*, Paris 1850, p. 108.

[23] È l'orientamento del corpo di fabbrica di Guillaume d'Estouteville che genera l'andamento obliquo del lato sud-ovest ed è probabilmente a causa di questo elemento, non esattamente rilevato e disegnato in direzione meno angolata rispetto alla *Grant' Maison*, che nella pianta di Poitiers la torre della cappella finisce nell'angolo rispetto al portale verso il giardino dell'edificio costruito.

[24] Si veda *infra*, cap. 7.

[25] Si veda Antologia di fonti, 4.

[26] A. Deville, *Comptes de depense...* cit., p. 110. Nella descrizione di Francesco Gregorii di Terni della visita del cardinale Alessandro de' Medici (5-7 febbraio 1597), si legge che ogni giorno 12 canonici celebravano gli offici: « dove giornalmente si celebrano li divini offitii,

essendovi un clero da 12 canonici» (Paris, Bibliothèque Nationale de France, *Ms. ital.* 662, cit. in M.H. Smith, *Rouen - Gaillon: témoignages italiens sur la Normandie de Georges d'Amboise*, in B. Beck, P. Bouet, C. Etienne, I. Lettéron [a cura di], *L'architecture de la Renaissance en Normandie...* cit., I, pp. 41-58).

[27] F.-M.-A. Blanquart, *La chapelle de Gaillon et les fresques d'Andrea Solario*, Evreux 1899; G. Huard, *La chapelle haute du château de Gaillon*, in «Bulletin de la Société de l'histoire de l'art français», 1926, pp. 21-31; J.-J. Marquet de Vasselot, *Les boiseries de Gaillon au Musée de Cluny*, in «Bulletin monumental», 1927, pp. 321-369; W. E. Suida, *Andrea Solario in the Light of Newly Discovered Works*, in «The Art Quartely», III (1945), 1, pp. 16-23; F. Bardati, M. Chatenet, E. Thomas, *Le château de Gaillon*, in B. Beck, P. Bouet, C. Etienne, I. Lettéron (a cura di), *L'architecture de la Renaissance en Normandie...* cit., II, pp. 28-29; X. Pagazani, *La chapelle de Gaillon: architecture*, in *L'art des frères d'Amboise: les chapelles de l'hôtel de Cluny et du château de Gaillon*, catalogo della mostra (Parigi-Ecouen, ottobre 2007/gennaio 2008), Parigi 2007, pp. 68-81, la cui restituzione planimetrica tuttavia non sembra compatibile né con i dati documentari né, soprattutto, con le strutture della cappella bassa, per motivi statici.

[28] Si veda *supra*, cap. 1.

[29] P. Cortesi, *De Cardinalatu*, Castro Cortesio, Symeon Nicholaus Nardus, 1510; edizione moderna e traduzione inglese a cura di K. Weil-Garris, J.F. d'Amico, *The Renaissance Cardinal's Ideal Palace: A Chapter from Cortesi's De Cardinalatu*, in H. Millon (a cura di), *Studies in Italian Art and Architecture 15th through 18th Centuries*, Roma 1980, pp. 45-123. Per un confronto tra le indicazioni di Cortesi e le abitudini francesi si veda F. Bardati, *Hommes du roi et princes de l'Église romaine...*, cit., pp. 73-97.

[30] Per l'analisi dettagliata del percorso cerimoniale e del suo significato si veda *infra*, cap. 5.

[31] A. Deville, *Comptes de depense...* cit., pp. 108-110.

[32] F. Bardati, *Georges d'Amboise à Rouen...* cit.

Tra nobiltà francese e corte papale:
modelli per le residenze di Georges d'Amboise

Come si è avuto modo di osservare, di ritorno dal soggiorno romano del 1503 Georges d'Amboise era senza dubbio profondamente amareggiato per le dinamiche con cui si erano svolti i conclavi di Pio III e Giulio II, deluso per il tradimento dei cardinali dai quali si era vanamente aspettato il pieno appoggio per l'elezione al soglio pontificio[1]. Anche sul fronte interno lo smacco subito a Roma poteva diventare pericoloso: il prestigio dell'arcivescovo di Rouen, beffato da Giuliano della Rovere e da Ascanio Sforza a cui aveva riservato sempre un trattamento di riguardo[2], poteva essere messo in discussione. D'altra parte la rapida ascesa che egli aveva avuto grazie al favore di Luigi XII aveva causato la perdita di potere di altri personaggi, vicini al precedente sovrano, primo fra tutti il cardinale Guillaume Briçonnet, che, peraltro, non si era recato a Roma per i conclavi del 1503, facendo quindi mancare il suo appoggio al candidato di Francia[3]. D'altra parte, l'astro di Briçonnet, che aveva velocemente brillato accanto a Carlo VIII, era stato rapidamente offuscato dalla figura onnipresente di Georges d'Amboise: a meno di un anno dalla morte di Carlo, infatti, Ludovico Sforza scriveva al duca di Ferrara «San Malo[4], quale stà con molto poco credito in corte. Monsignore di Roano[5] è el tutto»[6].

Con la carica di legato *a latere*, tuttavia, Georges d'Amboise era il rappresentante della persona del pontefice, il capo supremo della chiesa francese, e su questo ruolo egli decide di impostare la costruzione della propria immagine di potenza politica incontrastata (e incontrastabile) in patria. La rivalità nei confronti del suo vecchio alleato, sopita solo superficialmente per far buon viso a cattivo gioco, si trasforma in una sottile ma continua opposizione politica, la cui pericolosità non sfugge a Giulio II: come riporta un ambasciatore veneziano «Il papa vuol essere il signore e maestro del giuoco del mondo [...]] teme di

Francia per Roano, il quale certo sarà papa, per i voti che poi avrà, se non farà altri cardinali italiani»[7]. Ma la politica messa in atto da Georges d'Amboise si estende anche alla costruzione dell'immagine del principe della chiesa romana, il cui prestigio si compone con il dosato equilibrio tra potere e *magnificentia*. Se il lusso ostentato a Gaillon per la ricchezza della decorazione e dei materiali, per l'entità di mezzi, tecniche e maestranze utilizzate, per la velocità del cantiere, per la modernità delle forme e delle disposizioni, hanno come obiettivo in primo luogo il rafforzamento della propria immagine in patria, la politica di adozione programmatica dell'iconografia imperiale è da mettere in stretta relazione con la sua competizione personale con Giulio II[8].

In questo contesto i modelli di riferimento per l'organizzazione funzionale del castello di Gaillon e per la distribuzione dell'appartamento cardinalizio assumono particolare rilievo, poiché mostrano chiaramente come Georges d'Amboise giochi su due livelli, uno interno e uno esterno.

Se dopo il 1503 le disposizioni d'insieme tanto di Rouen che di Gaillon vengono modificate accogliendo una serie di suggestioni romane, in entrambe le residenze l'appartamento cardinalizio – definito planimetricamente prima del soggiorno romano – adotta una distribuzione poco diffusa nella Francia contemporanea ma che affonda le sue radici in quella papale e reale del XIV secolo: dalla prima derivano tanto il palazzo Vaticano che le grandi residenze cardinalizie del Quattrocento, dalla seconda l'organizzazione dei castelli ducali francesi del XV secolo, luoghi rappresentativi del potere decentrato a causa della guerra dei Cent'anni e delle difficoltà politiche interne.

L'appartamento del legato a latere

La distribuzione del palazzo dei papi ad Avignone, in riferimento alla planimetria raggiunta nell'ultima fase delle trasformazioni, tra il 1352 e il 1404[9], costituisce anche un importante modello, per l'influenza esercitata nel corso dei secoli XV-XVI su quella dei palazzi Vaticani.

Gli elementi principali dell'impianto planimetrico si stabiliscono grazie ai lavori voluti da Giovanni XXII (1316-1334), Benedetto XII (1334-1342) e Clemente VI (1342-1352), con la definizione progressiva degli spazi privati del pontefice, di quelli di apparato e dell'organizzazione della circolazione tra i diversi ambienti. La localizzazione della camera del papa nella torre meridionale è attestata già sotto Giovanni XXII, ma è solo sotto il suo successore che si determina l'allineamento delle sale d'apparato con l'appartamento papale, tramite la costruzione del corpo di fabbrica che ospita al piano nobile la camera dei paramenti (fig. 28).

Contemporaneamente vengono ampliati gli spazi privati con la costruzione di una torre con lo studio del papa raggiungibile dalla camera dei paramenti. Quest'ultimo ambiente si configura come un elemento cruciale della distribuzione e ricopre diverse funzioni. Verso ovest si poteva raggiungere il *tinellum parvum*, refettorio provvisto di *coquina secreta*, e la *capella secreta*, costruita al di sopra del portale d'ingresso. Verso nord la camera dei paramenti dava accesso direttamente al *tinellum magnum*, la grande sala di ricezione conclusa da un *dressatorium* a nord e su cui affacciava la cappella superiore (*capella parva*). Al piano inferiore un'altra cappella (*capella concistori*) dava sulla sala del Concistoro[10]. La *capella magna*, dedicata a San Giovanni, in cui si celebravano le grandi messe, era di dimensioni molto maggiori e situata a nord[11].

La camera dei paramenti aveva un significato importante nel cerimoniale liturgico (il papa e i suoi assistenti vi indossavano gli abiti prima delle celebrazioni) ma al suo interno si svolgevano diverse funzioni.

Secondo gli studi di Schimmelpfennig, all'estremità sud si trovava il trono pontificio, coperto da un padiglione arricchito da tendaggi di seta verde. Il resto della sala ospitava tavoli, panche, una *console* e un grande candelabro in ferro, mobilio che lascia supporre anche l'uso di refettorio. Lo studioso afferma che dopo il 1352 vi si celebravano le messe durante i concistori, si svolgevano alcune mansioni amministrative, come la firma dei contratti, e, data la prossimità con la camera del papa, si tenevano le udienze private importanti[12]. In pratica la gerarchia della distribuzione secondo il cerimoniale papale era messa in opera: da nord a sud, si passava dagli ambienti destinati alle grandi ricezioni (*tinellum magnum* e *consistorium*), a quelli per gli ospiti selezionati (*camera paramenti*) fino alla *camera pape*, per gli ospiti più degni.

Il pontificato di Clemente VI vede la moltiplicazione degli spazi privati del pontefice, con la costruzione di un'altra torre addossata alla facciata sud di quella del papa e contenente su cinque livelli sovrapposti, partendo dal basso, i bagni, due piani di guardaroba (*gardarauba*), un nuovo *studium*, situato allo stesso piano della *camera pape* e a essa collegato tramite un passaggio ricavato nello spessore murario, una nuova *capella secreta*, raggiungibile dallo studio sottostante con una piccola scala a chiocciola. Nella seconda metà del XIV secolo viene costruita a sud della torre papale la nuova *capella magna*, dedicata a san Pietro, ormai direttamente collegata con l'appartamento pontificio.

Alcuni similitudini e, soprattutto, la presenza della camera dei paramenti caratterizzano la distribuzione reale francese della seconda metà del XIV secolo, lasciando aperta l'ipotesi di uno scambio di modelli sia nell'ambito cerimoniale che in quello distributivo tra il potere laico e quello religioso, facilitato dalla presenza dei pontefici ad Avignone.

Divenuto re di Francia nel 1364, Charles V[13] spostò la residenza reale a Parigi dal *palais* de la Cité all'antico *château* del Louvre, costruito da Filippo Augusto, che venne trasformato da Raymond du Temple in una sontuosa dimora organizzata intorno a una corte centrale quadrata[14]. Una netta divisione tra ambienti pubblici e privati venne determinata dalla localizzazione della *grande chapelle* e degli ambienti pubblici al piano terra nei lati sud e ovest, dell'appartamento della regina al primo piano nell'ala nord e di quello del re al secondo piano della stessa ala.

Gli studi di Mary Whiteley hanno portato all'individuazione di sei ambienti principali allineati che compongono l'appartamento del re, ognuno con una funzione specifica nel cerimoniale reale:

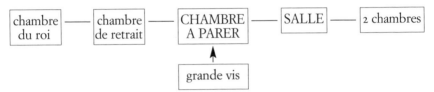

La scala d'onore (*grande vis*)[15] dava direttamente nella *chambre à parer*, che assume funzioni simili a quelle della camera dei paramenti di Avignone ma in una declinazione laica. Da questo ambiente centrale si accedeva da un lato alla sala e dall'altro ad due ulteriori ambienti di ricezione: la *chambre de retrait* e la *chambre du roi*. Al di là della sala si trovavano due stanze per il riposo notturno del re, quindi effettivamente private.

La *chambre à parer* costituiva il centro della vita di corte: conteneva un grande letto d'apparato a baldacchino ed era il luogo in cui si discutevano i più importanti affari di stato e si svolgevano gli incontri con gli ambasciatori o i regnanti stranieri. La *chambre de retrait* era un'estensione della camera dei paramenti, dove ci si ritirava per colloqui più privati o con il *conseil du roi*. Ancora meno persone erano ammesse nella *chambre du roi*, che manteneva dunque ancora una funzione pubblica di ricezione, benché molto filtrata. La natura pubblica di questi spazi richiedeva come compensazione una serie di ambienti minori, veramente privati, destinati allo svago, allo studio e al riposo. Nel Louvre, nella torre situata oltre la *chambre du roi*, si trovava la biblioteca, mentre nel *donjon* del castello di Vincennes, l'appartamento reale era situato al secondo piano e prevedeva questi spazi (una cappella con oratorio, un *retrait*, un *estude* in cui venivano conservati libri e preziosi, una latrina e forse una guardaroba) situati nelle torrette aggettanti agli angoli del corpo principale[16]. Dal punto di vista delle funzioni, le soluzioni avignonesi non differiscono molto da quelle cercate da Charles V ed è probabile che il palazzo papale abbia costituito un modello di riferimento per le residenze reali, nonostante le diversità dovute ai distinti cerimoniali.

A cavallo tra XIV e XV secolo la situazione politica francese determina un forte decentramento del potere nei ducati, le cui residenze principali vengono trasformate secondo il modello proposto da Charles V, come si riscontra nel castello di Saumur o nei palazzi di Poitiers e Bourges[17]. Alcuni castelli di minori dimensioni omettono la *chambre de retrait*, ma il grosso della distribuzione è molto simile, anche se la funzione di alcune stanze varia con il tempo.

La presenza di luoghi privati per lo svago e il riposo aumenta sensibilmente nella residenza del re Renato (1437-1480) ad Angers, che conserva ancora un ambiente denominato *salle de parement*[18].

A questi riferimenti che rappresentano il passato nazionale rispetto al quale si vuole stabilire una continuità, bisogna aggiungere i modelli residenziali che Georges d'Amboise ha conosciuto e ammirato a Roma.

Gli edifici di cui si riscontra l'influenza a Gaillon, ma anche a Rouen, sono soprattutto i palazzi di Venezia[19], Borgia (Sforza-Cesarini)[20], Domenico della Rovere a Scossacavalli[21] e il Vaticano: tutti luoghi in cui il cardinale ha risieduto nell'autunno 1503 a eccezione del palazzo dei Barbo, con molta probabilità visitato perché particolarmente vivo nell'immaginario francese avendovi Carlo VIII stabilito il suo quartier generale.

Per lo *status* dei loro committenti e per i loro rispettivi legami con diversi pontefici, tutti gli edifici citati riflettono l'immagine del *mode de vie* papale. Benché per la presenza di torri angolari, merlature, finestre crociate, cortili incompleti, ordini ancora di fantasia e parsimoniosi riferimenti all'antichità classica, questi edifici possano essere definiti arcaici rispetto ai palazzi di Raffaele Riario o di Adriano Castellesi, entrambi ancora in costruzione nel 1503, essi erano comunque tra i più considerati dell'epoca ed è comprensibile che Georges d'Amboise ne abbia ammirato le disposizioni e abbia voluto citarli nelle sue residenze. Tutto quello che, subito dopo la partenza definitiva del cardinale francese da Roma, sarebbe stato rivoluzionato da Bramante, ancora alla fine del 1503 doveva sembrare al cardinale di Rouen moderno e compatibile con il contesto francese così come con le proprie ambizioni di auto-rappresentazione. Inoltre, la circolazione, la successione degli ambienti, la loro funzione e la loro decorazione sono gli elementi essenziali che avvicinano il *mode de vie* dei cardinali a quello del pontefice e sembra che a questo proposito Georges d'Amboise abbia avuto le idee molto chiare.

Se si escludono la collocazione della cappella e l'assenza dell'oratorio privato, le distribuzioni adottate a Gaillon e a Rouen sono impostate con le stesse priorità.

Nel palazzo arcivescovile, in cui Georges d'Amboise interviene con la costruzione di un corpo di fabbrica *ex novo*, l'appartamento cardinalizio si compone di una lunga sequenza di ambienti in cui, a partire dalla grande sala nell'ala d'Estouteville, si succedono una sala di piccole dimensioni ma ampiamente aperta al pubblico[22], la «chambre des parements», così indicata dalle fonti, una camera, una guardaroba, una cappella dotata di oratorio e, probabilmente, un *cabinet*, ricavato all'interno di una piccola torretta aggettante sulla rue Saint-Romain[23] (fig. 24). Accessibile unicamente dalla «chambre de Monseigneur» o dalla guardaroba, la cappella riccamente ammobiliata e decorata da molti quadri, era di uso strettamente privato. Lo stesso si dica per il sistema di gallerie che partivano dalla camera o dalla guardaroba, conformemente all'uso francese, e per il giardino, accessibile solo grazie a una piccola scala a chiocciola situata dietro la guardaroba o alle scale dei padiglioni Saint-Romain e Notre-Dame, a loro volta praticabili solo passando per il sistema di gallerie (fig. 9). Il mobilio del ricco appartamento ricavato all'interno di questo secondo padiglione interamente rivestito in legno, tra cui un camino interamente dorato, «vingt-une pieces de tocques d'or»[24] e un letto dorato simile a quello della «chambre de Monseigneur»[25], indica un uso non comune. Raggiungibile solo dall'appartamento d'apparato di Georges d'Amboise tramite il sistema di gallerie, esso non poteva essere riservato agli ospiti: si trattava molto probabilmente di un alloggio di uso esclusivamente privato del cardinale, affacciato sulle bellezze e la tranquillità di un giardino 'segreto', secondo uno schema che ricorda quello messo in atto dal cardinale Marco Barbo con il piccolo appartamento del palazzetto di Venezia.

Nel primo progetto per Gaillon (figg. 22 e 24)[26] la *grande vis* dà direttamente sulla *grande salle*, seguita da una «chambre à parer», una camera, una «garde robbe», un «estudde» e un «oratoire» nella torre quadrata a nord e una latrina nella torretta all'angolo tra questa e la camera. Da questo ambiente parte una galleria (fig. 22, n. 13) che conduce alla cappella privata dotata di oratorio (fig. 22, n. 11) e a un padiglione servito con una scala ad anima e affacciato su un giardino, isolato dal resto della corte grazie a un muro (fig. 22, nn. 10 e 12).

Anche l'appartamento del cardinale nella *Grant'Maison* affaccia su un giardino con una fontana (fig. 22, nn. 14 e 16).

Nell'edifico realizzato le disposizioni sono praticamente le stesse, fatta eccezione per la torre nord che, mantenendo il profilo circolare, ospita solo un ambiente, e per la localizzazione della cappella, avvicinata alla sala e alla scala d'onore (fig. 24).

Un inventario del castello redatto nel 1508, dopo la visita della corte a Gaillon e Rouen, indica che dalla «grande salle haulte» si passava nella «chambre de parement»[27], poi nella «chambre du bout après lad. chambre de pare[ment]», ornata di tappezzerie di «veloux vert» (come ad Avignone e in molti palazzi romani), poi nella «chambre de la tour faicte de manuiserie» e nel «cabinet de la chambre de veloux vert»[28]. Dall'altro lato, tra la sala e la cappella c'era un'altra stanza riccamente ammobiliata e tappezzata di «cuyr doré».

L'inventario del 1550, redatto alla morte di Georges II d'Amboise, il nipote del cardinale preposto alla guida della diocesi di Rouen a seguito dello zio, conferma questa distribuzione: la «chambre appellée la chambre de cuir doré prez de la chapelle», precede la «grant salle haulte», seguita dalla « chambre de pare[ment] prez lad salle haulte» poi dalla «chambre appellée la chambre de velours vert estant prez lad. chambre de pare[ment]». La camera nella torre assume il ruolo di «garderobbe de la chambre vert», con il «cabinet de lad. chambre de velours vert» e il «cabinet doré estant prez de la chambre vert»[29], da cui si accedeva alla «librairie de Monseigneur» situata nella galleria nord-ouest[30]. Questo «cabinet doré», assente nel primo inventario, è senza alcun dubbio il «cabinet de la librairie de monseigneur», citato nei conti di costruzione e ornato da pietre preziose portate dall'Italia[31], ovvero il « gabionetto, o vero studiolo, lavorato d'oro con gioie de bon mercato ma di grande vista et bellezza, dove sonno grande quantità de libri scritti a penna in carta bona et coperti de veluto et d'oro» descritto da Jacopo Probo[32].

Il lusso della decorazione architettonica, delle tappezzerie, degli arazzi della *Grant' Maison* non sfugge al corrispondente di Isabelle d'Este:

«In capo de la bella logia se retrova la sala principale, alla quale la grandeza con l'alteza ben corresponde, con ciminiere grande et magnifice, silicata de petra cocta et il celo suffitato alla italiana, messo ad oro con vaghi et richi lavori, et le fenestre de vedro historiate [...] Seguita poi una ben proportionata camera col cielo d'oro a similitudine de quello de la sala, con le fenestre de vedro simile, coperta de velluto verde con le arme del legato et il lecto de panni d'oro et con molti altri panni rachamati. Da questa se va in un'altra bellissima camera dentro lo turrione, tutta da capo a pedi fodrata de legno lavorato de picole figure»[34].

Questo ultimo ambiente è identificabile con la «chambre de mons. que Me Richart a fait dedens la tour»[34].

Al posto della cappella di progetto si trova il padiglione del portale verso il parco (fig. 25). Come il *cabinet doré* e la biblioteca, la camera situata al piano nobile di questo corpo di fabbrica offriva una vista meravigliosa verso il giardino, descritto con entusiasmo da tutti i visitatori italiani[35]. Dotata di due *cabinet*, la «première chambre du portail sur le jardin» è ornata da sei arazzi «à chasseurs de Louvyns», un «lict de camp» con pilastri dorati e tappezzerie ugualmente dorate, in seta, taffetas e velluto e altri ricchi pezzi di mobilio. La ricchezza degli ornamenti segnala un uso particolare, e considerando che nel primo progetto qui era previsto un padiglione con giardino e scala indipendenti, si può ipotizzare che, come a Rouen, anche a Gaillon Georges d'Amboise si sia voluto dotare di un secondo appartamento, privato, situato lontano dai rumorosi e sempre affollati ambienti di ricezione e reso ancora più piacevole dalla vista sui giardini. Un secondo appartamento si rivela molto utile nel caso di visite reali, poiché il padrone di casa deve sempre cedere al sovrano l'appartamento migliore della residenza, quindi, almeno in questo periodo quello ufficiale d'apparato[36]. Anche Georges d'Amboise non sfugge a questa regola e infatti Jacopo Probo ci informa che nell'appartamento della *Grant' Maison* alloggia Luigi XII[37]. È quindi comprensibile che l'ambizioso cardinale abbia provveduto a creare una soluzione che gli permettesse di alloggiare degnamente e comodamente in entrambe le residenze in cui avrebbe potuto ricevere la visita di sua maestà.

A esclusione di questa soluzione (che per l'uso della galleria come elemento di collegamento tra appartamento cardinalizio d'apparato e alloggio privato imperniato sulla vista dei giardini riflette il modello di palazzo Venezia ma, benché in piccolo, potrebbe richiamare le realizzazioni bramantesche per il Belvedere) la lunga distribuzione dalla sala agli ambienti privati ricorda tanto le residenze ducali francesi del XV secolo quanto, e soprattutto, i palazzi romani che il cardinale ha conosciuto nel soggiorno romano del 1503.

La localizzazione della cappella vicino alla sala deriva da Avignone, ma segue anche le indicazioni di Paolo Cortesi nel *De Cardinalatu*[38], trattato pubblicato alla fine della campagna di costruzione di Gaillon, ma basato su quanto l'autore aveva visto prima di lasciare la Città Eterna nel 1503[39]. Che questo importante testo dedicato alla classe politica emergente nella cultura italiana del Cinquecento fosse in corso di redazione era poi noto almeno dal 1506[40]. Se quindi è ovvio che Georges d'Amboise non lo ha mai potuto leggere, è però possibile che egli fosse al corrente, come tanti altri cardinali, del progetto in corso e delle sue finalità[41]. Benché egli faccia riferimento più agli esempi concreti conosciuti a Roma che non alle indicazioni di Cortesi, probabilmente l'esistenza di un progetto editoriale consacrato al principe della chiesa nella sua qualità di figura centrale nella politica e nella cultura del primo Cinquecento, può averlo confermato nella volontà di allinearsi con questa classe sociale. Secondo un progetto di ri-legittimazione messo in atto dall'intera famiglia d'Amboise, la decorazione dipinta della cappella rappresentava i fratelli e sorelle del cardinale[42], ma questa glorificazione andava di pari passo con gli omaggi resi al sovrano e alla famiglia reale, creando un legame anche con la tradizione italiana della rappresentazione degli uomini illustri[43]. Una sorta di trittico statuario rappresentava Luigi XII, il cardinale e Charles de Chaumont-d'Amboise, mentre, come scrive Jacopo Probo, la loggia del piano terreno affacciata sulla Senna era ornata dalle effigi della famiglia reale:

«Da basso dal lato de fuora è un'altra loggia coperta, simile a l'altra di sopra, in la quale sono reposte alcune statue de terra cocta de naturale, dove è il re alla man destra et il re Carlo, et alla sinistra la nobile regina et appresso monsignore legato, il duca et madama di Borbone et molti altri»[44].

Disposizioni d'insieme e caratteri generali: la compatibilità dei modelli romani rispetto ai cantieri in corso

Più in generale, la presenza delle torri merlate a Rouen e nel primo progetto di Gaillon, l'organizzazione razionale delle corti e dei giardini, l'abbondanza di portici in entrambe le residenze, la camera del cardinale situata nella torre, mostrano che nelle sue dimore principali Georges d'Amboise non esita ad appropriarsi di situazioni formali e funzionali viste a Roma, nei palazzi più significativi della città di fine Quattrocento. Altri elementi, come i pilastri ottagoni con basi ornate da foglie d'acqua, i capitelli che sviluppano fantasiosamente temi vegetali e animali sullo schema del capitello corinzio, gli archi e le volte che nascono direttamente sui capitelli, hanno senza dubbio rappresentato agli occhi del cardinale la conferma di un dialogo possibile tra le residenze cardinalizie e papali e la ricerca architettonica francese contemporanea.

Il carattere addizionale dei palazzi Vaticani ha probabilmente tranquillizzato Georges d'Amboise sulle modifiche da apportare a Gaillon e a Rouen una volta rientrato da Roma. Le logge dei cortili romani – solo due, parallele nel palazzo di Domenico della Rovere; incomplete nel palazzo Borgia abitato da Ascanio Sforza e a palazzo Venezia – possono averlo indotto a credere che avrebbe potuto regolarizzare la grande corte di Gaillon grazie a due gallerie parallele porticate al piano terra e migliorare la circolazione della *Grant' Maison* addossando una loggia alle strutture medievali. La terrazza del piano nobile, racchiusa tra due torri e aperta sul paesaggio, ricorda una situazione simile nel castello di Amboise ma anche la villa del Belvedere di Innocenzo VIII[45], che il cardinale ha certamente visitato nei giorni in cui ha soggiornato nei palazzi Vaticani. Peraltro la localizzazione degli ambienti principali non nel corpo di fabbrica abbastanza recente di Guillaume d'Estouteville ma nell'antica *Grant' Maison*, da ricostruire quasi totalmente, si deve di certo anche alla volontà di dotare le sale di ricezione di un affaccio sul paesaggio, in questo caso la ricca vallata della Senna che mostra i territori appartenenti all'arcivescovo di Rouen[46]. Una simile scelta riecheggia sia le indicazioni di Pietro de Crescenzi nel *Liber ruralium commodorum* –testo conosciuto e tradotto in Francia dal XIV secolo– che le raccomandazioni di Alberti, secondo il quale le sale per le udienze e per i banchetti devono essere dislocate nei luoghi più prestigiosi, riconoscibili per la posizione elevata, che consente di contemplare il mare, le colline o un vasto territorio[47].

In Vaticano Georges d'Amboise non ha avuto il tempo di vedere i grandi progetti di Bramante per Giulio II, ma senza dubbio si è tenuto costantemente informato sulle azioni del pontefice, sia tramite gli ambasciatori francesi a Roma sia grazie alle notizie portate in Francia da diplomatici e ospiti stranieri, come Alberto III Pio, spesso al fianco del cardinale negli anni centrali della campagna costruttiva di Gaillon.

Il carattere fortemente architettonico del giardino superiore[48], con la sua galleria lapidea che costituisce una novità rispetto a Blois, potrebbe essere stata ispirata dai racconti delle grandi gallerie romane in costruzione. Se il modello principale per l'organizzazione *cour*/giardino del palazzo di Rouen è il palazzo di Venezia[49], nel palazzo di Ascanio Sforza il giardino e il cortile sono separati da una galleria porticata al piano terra[50], mentre in quello di Domenico della Rovere c'è solo un semplice muro, come quello che, sempre a Rouen, divide le due corti.

Qui si potrebbe ipotizzare che Georges d'Amboise abbia puntato a una sintesi tra i palazzi romani visitati, compatibili, grazie al profilo quadrato delle torri angolari[51], con gli esempi lombardi che avevano ispirato inizialmente il progetto.

Ancora a Rouen la presenza di una sala di grandi dimensioni nel corpo di fabbrica di Guillaume d'Estouteville permette al cardinale di disporre di due sale successive, di dimensioni decrescenti, e ottenere una distribuzione molto simile a quella di palazzo Venezia, con sala, salotto, camera dei paramenti, camera, guardaroba e gabinetto. Nella Cancelleria vecchia, nel 1484, quando il palazzo era ancora abitato da Roderigo Borgia, la sala era seguita da un *salocto*, ammobiliato sia con una credenza che con un letto d'apparato coperto con un padiglione: si trattava con tutta probabilità di una camera dei paramenti, dove il letto aveva una funzione solo rappresentativa. Questo *salocto* era seguito da due ambienti, entrambi con un letto a baldacchino. L'ultima stanza «molto più ornata de le predicte con un altro lecto coperto de broccato d'oro»[52], era senza dubbio la camera del cardinale Borgia, poi di Ascanio Sforza. Nel palazzo della Rovere, pur con l'inusuale rotazione di 90° dell'orientamento della sala, si ottiene ugualmente la successione *salasalocto*, seguita da due camere e da ambienti più piccoli ricavati nella torre[53]. Ancora da questo palazzo potrebbe provenire l'idea di decorare il giardino di Rouen con bassorilievi del ciclo dei mesi, rappresentanti i lavori campestri, le divinità mitologiche e i segni dello zodiaco[54].

A questa serie di riferimenti romani bisogna aggiungere il ricorso massiccio, dopo il 1506, ad artisti italiani che, sul cantiere di Gaillon o nelle proprie botteghe a Genova o a Milano, lavorano per Georges d'Amboise, nonché la volontà di utilizzare il marmo di Carrara, a Rouen e a Gaillon, mostrando sia in Francia che in Italia che il cardinale apprezza l'arte e i materiali italiani, ma soprattutto possiede i mezzi per servirsene a proprio piacimento.

Legato *a latere*, come un papa in Francia Georges d'Amboise gestisce la vita politica e spirituale del suo popolo, ricalcando i suoi passi su quelli di Giulio II e, come quest'ultimo, associando all'immagine del principe della chiesa quello del mecenate, nella cui visione l'architettura occupa un posto fondamentale per veicolare i messaggi di auto-rappresentazione. I commenti entusiastici dei visitatori italiani a Gaillon, lontani dall'essere turbati per la copresenza di *Flamboyant* e Rinascimento, sottolineano l'immagine di *magnificentia* data dalle residenze del cardinale: dopo aver lodato le bellezze di Gaillon, Alberto III Pio scrive al marchese di Mantova che «ancora qua in Rohano sua signoria ha facto giardino ed hedificii bellissimi, che ben dimostra in tute le cose ch'el fa la sua excellente magnanimità»[55]. Riguardo Gaillon, Bonaventura Mosti dichiara che il castello è «il più bello et superbo luoco sia in tuta la Franza... il signor Alberto [Pio] il fa ponere in disegno ad uno pictore per mandare a Vostra Excellentia»[56] mentre Jacopo Probo lo presenta a Isabella d'Este in questi termini:

> «il sapientissimo cardinale de Ambosa fa edificare il bel palatio in forma di castello (...) de tanto magisterio et richeza che non solo in Franza, ma per aventura in tutto il corno de l'Europa, il più magnifico et superbo a pena se potria retrovare»[57].

NOTE

[1] Si veda *supra*, cap. 1.

[2] A Rouen, per esempio, accompagnano Georges d'Amboise durante le celebrazioni, essendo loro riservato il posto d'onore, a destra del cardinale: «le Dimanche ensuivant, il assista aux Vespres avec deux autres Cardinaux, l'un Raphaël du titre de S. George [*Raffaele Riario*], Cardinal & Camerier Apostolique, l'autre le Cardinal Ascagne, Vice-Chancelier, tous trois revêtus de leurs habits de Cardinaux. Ledit Seigneur Archevesque & Légat Apostolique les ayant fait seoir au côté droit en haut, où l'on avoit orné leurs chaires de grands tapis de soye & de carreaux, & luy ayant pris seance au bas» (F. Pommeraye, *Histoire de l'Eglise Cathedrale de Rouen, metropolitaine et primatiale de Normandie*, Rouen 1686, p. 646).

[3] Su Guillaume Briçonnet si veda B. Chevalier, *Guillaume Briçonnet (v. 1445-1514). Un cardinal-ministre au début de la Renaissance*, Presses Universitaires de Rennes, 2005.

[4] Briçonnet era anche vescovo di Saint Malo, nome con cui molto spesso è designato.

[5] Si legga Rouen, dunque Georges d'Amboise.

[6] Archivio di Stato di Modena, *Cancelleria ducale. Avvisi e notizie dall'estero*, cit. in L.G. Pelissier, *Trois relations sur la situation de la France en 1498 et 1499 envoyées par Ludovic Sforza au duc de Ferrare*, Montpellier 1894, p. 9.

[7] Relazione di D. Trevisano (1510), in E. Albèri, *Le relazioni degli ambasciatori veneti al Senato durante il secolo decimosesto*, Firenze 1839-1855, II, cap. III, p. 34).

[8] Si veda *infra*, cap. 5.

[9] Dato il taglio strettamente legato alla distribuzione che caratterizza questo *excursus* su Avignone, ci si riferisce in particolare allo studio di B. Schimmelpfennig, «*Ad maiorem pape gloriam*». *La fonction des pièces dans le palais des Papes d'Avignon*, in J. Guillaume (a cura di), *Architecture et vie sociale. L'organisation intérieure des grandes demeures à la fin du Moyen Age et à la Renaissance*, Atti del convegno (Tours, giugno 1988), Paris 1994 (collana *De Architectura*), pp. 25-46, cui si rimanda per ulteriori approfondimenti bibliografici. Per il cerimoniale papale si vedano M. Dykmans, *Le céremonial papal de la fin du Moyen Âge à la Renaissance*, t. II e IV, Bruxelles-Rome 1983-1985 e N. Zacour, *Papal Regulation of Cardinal's Households in the Fourteenth Century*, in «Speculum», (1975) 50, pp. 434-455.

[10] B. Schimmelpfennig, «*Ad maiorem pape gloriam*»... cit., pp. 30-37.

[11] Si definiscono in tal modo diversi spazi per la celebrazione, da quelli privati (*capela secreta*) a quelli progressivamente più pubblici (*capella parva* e *capella concistorii*) fino all'equivalente delle chiese stazionali romane riscontrabile nella *capella magna*.

[12] B. Schimmelpfennig, «*Ad maiorem pape gloriam*»... cit., p. 34.

[13] Per non confondere Carlo V di Francia (1338-80) con l'imperatore Carlo V Asburgo (1500-1558), si mantiene qui l'ortografia francese.

[14] Si vedano M. Whiteley, *Le Louvre de Charles V. Dispositions et fonctions d'une résidence royale*, in «Revue de l'art», (1992) 97, pp. 60-71 e Eadem, *Royal and Ducal Palaces in France in the Fourteenth and Fifteenth Centuries*, in J. Guillaume (a cura di), *Architecture et vie sociale...* cit., pp. 47-63, in particolare pp. 49-52.

[15] Sul ruolo cerimoniale della *grande vis* si veda M. Whiteley, *Deux escaliers royaux du XIVe siècle: "les grands degrez" du Palais de la Cité et "la grande viz" du Louvre*, in «Bulletin monumental», (1989) 147, pp. 133-142

[16] M. Whiteley, *Les pièces privées de l'appartement du roi au château de Vincennes*, in «Bulletin monumental», 1990, pp. 83-85.

[17] M. Whiteley, *Royal and Ducal Palaces...* cit., pp. 53-55.

[18] Ivi, pp. 54-55.

[19] Per una sintesi su questo edificio e un quadro sull'architettura romana del Quattrocento si vedano C.L. Frommel, *Roma*, in F.P. Fiore (a cura di), *Storia dell'architettura italiana. Il Quattrocento*, Milano 1998, pp. 374-433; A. Bruschi, *L'architettura a Roma negli ultimi anni del pontificato di Alessandro VI Borgia (1492-1503) e l'edilizia del primo Cinquecento*, in A. Bruschi (a cura di), *Storia dell'architettura italiana. Il primo Cinquecento*, Milano 2002, pp. 34-75; P. Tomei, *L'architettura a Roma nel Quattrocento*, Roma 1942; T. Magnuson, *Studies in Roman Quattrocento architecture*, Stockholm 1958.

[20] C.L. Frommel, *Il palazzo Sforza Cesarini nel Rinascimento*, in L. Calabrese (a cura di), *Palazzo Sforza Cesarini*, Roma 2008, pp. 23-44.

[21] M.G. Aurigemma, A. Cavallaro, *Il Palazzo di Domenico della Rovere in Borgo*, Roma 1999; M.G. Aurigemma, *Il palazzo di Domenico della Rovere in Borgo: novità documentarie*, in S. Colonna (a cura di), *Roma nella svolta tra Quattro e Cinquecento*, Roma 2004, pp. 281-296.

[22] Che potrebbe avere la funzione del *saloto* italiano e che in Francia nel corso del Cinquecento assume il nome di *salette*.

[23] F. Bardati, *Georges d'Amboise à Rouen: le palais de l'archevêché et sa galerie de marbre*, in «Congrès archéologique de France», *Rouen et Pays de Caux*, 2003 (2005), pp. 199-213.

[24] In un inventario non datato ma precedente la morte di Georges d'Amboise: «XXI pieces de tocques d'or qui servent à la première chambre du pavillon Nostre Dame, avec une coultepoincte de taffetaz jaulne et ung ciel de damas jaulne où y a ung soleil au milleu» (A. Deville, *Comptes de dépense de dépenses de la construction du château de Gaillon*, Paris 1850, p. 488); in un inventario del 1508: «vingt-une piece de tocque d'or qui servent à la

chambre dorée du pavillon Nostre Dame, avec une coultre pointe de tafetas jaulne et ung ciel de damas jaulne ou il y a ung soleil au meillieu, avec la couchette de taffetas jaulne doublée de sarge vert; sur lesquelles pieces y a quatre ymaiges de sainct Jehan et quatre armaries de monseigneur faictes de broderie» (ivi, p. 541). Il *tocque* era un tipo di stoffa molto ricca, di solito tessuta con fili d'argento (E. Huguet, *Dictionnaire de la langue française du XVIe siècle*, Paris 1967, t. VII, p. 257).

[25] «Y a en la chambre de monseigneur ung lict de camp doré, ung aultre semblable en la chambre du pavillon Nostre-Dame» (A. Deville, *Comptes de dépenses...* cit., p. 546). Questi letti sono stati dorati dal pittore Pierre de Valence nel 1503 (A. Jouen, Mgr. Fuzet, *Comptes du manoir archiépiscopal de Rouen*, Paris 1908, p. 420). Al secondo piano del padiglione invece le tappezzerie erano d'argento e recavano le insegne del cardinale (A. Deville, *Comtes de dépenses...* cit., pp. 487 et 541); anche il *lit de camp* doveva essere di valore perché si sottolinea che «Toutes les aultres couches et couchettes sont de façon commune, sans toile» (ivi, p. 546).

[26] Si veda *supra* cap. 3.

[27] Archives Départementales de la Seine-Maritime (d'ora in poi AD Seine-Maritime), *G* 866, f. 10*v*.

[28] AD Seine-Maritime, G 866, ff. 11*r*-11*v*.

[29] AD Seine-Maritime, G 868, ff. 4*r*-7*r*.

[30] La biblioteca è quindi uno spazio privato, accessibile dalla camera, come prescritto da Alberti (*De Re Aedificatoria*, libro V, capo 17).

[31] A. Deville, *Comptes des dépenses...* cit., pp. 332 e 378.

[32] Lettera di Jacopo Probo a Isabelle d'Este, 1510 (R. Weiss, *The castle of Gaillon in 1509-1510*, in «Journal of the Warburg and Courtauld Institutes», 1953, pp. 1-12, p. 9. Si veda Antologia di fonti, 3).

[33] Ivi.

[34] A. Deville, *Comptes de dépenses...* cit., p. 278. M. Richart è il *menuisier* Riccardo da Carpi.

[35] Si veda *infra*, cap. 7.

[36] Si veda M. Chatenet, *La cour de France au XVIe siècle. Vie sociale et architecture*, Paris 2002, in particolare il capitolo *Le roi chez ses sujets*, pp. 258-296.

[37] R. Weiss, *The castle of Gaillon...* cit., p. 7. Si veda Antologia di fonti, 3.

[38] P. Cortesi, *De Cardinalatu*, Castro Cortesio, Symeon Nicholaus Nardus, 1510; edizione moderna e traduzione inglese a cura di K. Weil-Garris, J.F. d'Amico, *The Renaissance Cardinal's Ideal Palace: A Chapter from Cortesi's De Cardinalatu*, in H. Millon (a cura di), *Studies in Italian Art and Architecture 15th through 18th Centuries*, Roma 1980, pp. 45-123.

[39] Ivi, p. 66.

[40] Ivi.

[41] Tanto più che uno degli ispiratori di Cortesi era stato proprio Ascanio Sforza (Ivi, p. 49, nota 11).

[42] Si veda *supra*, cap. 3.

[43] C. Cieri Via, *"Galaria sive loggia": modelli storici e funzionali fra collezionismo e ricerca*, saggio introduttivo all'edizione italiana di W. Prinz, *Galleria: storia e tipologia di uno spazio architettonico*, trad. e ed. it. a cura di C. Cieri Via, Modena 1988.

[44] R. Weiss, *The castle of Gaillon...* cit., p. 10. Si veda Antologia di fonti, 3.

[45] Parallelo proposto da J. Guillaume, *Château, jardin, paysage en France du XVe au XVIIIe siècle*, in «Revue de l'art», (1999) 124, pp. 13-32.

[46] La bellezza del panorama non sfugge ai visitatori di Gaillon: « Da questa logia se vede la nobile rivera de Sena e intorno cinque o sey leghe le possessione dil legato con garane, sive conigliere in nostra lingua, columbare, peschiere et altri luochi delicati e molli, per modo che la vista non potria esser più bella et delectevole » (R. Weiss, *The castle of Gaillon...* cit., p. 9. Si veda Antologia di fonti, 3).

[47] L. B. Alberti, *De Re Aedificatoria,* libro V, capo 2.

[48] Si veda *infra*, cap. 7.

[49] F. Bardati, *Georges d'Amboise à Rouen...* cit.

[50] C. L. Frommel, *Il palazzo Sforza Cesarini nel Rinascimento...* cit.

[51] La presenza delle torri quadrate è documentata nella medaglia di fondazione del cardinale Barbo; nel palazzo Borgia erano previste due torri, probabili anche nel palazzo di Domenico della Rovere.

[52] Lettera di Ascanio Sforza a suo fratello Ludovico, Roma, 22 ottobre 1484, pubblicata in L. von Pastor, *Storia dei papi dalla fine del Medioevo*, Roma 1958, vol. III, p. 130.

[53] Archivio di Stato di Roma, *SS. Annunziata*, 920, *Libro delle piante di tutte le case,* cc. 53*v*-54*r*. Nella pianta rilevata nel 1563, la prima stanza è detta *anticamera*, ma è assai poco probabile che un tale appellativo fosse in uso nel 1480, alla costruzione del palazzo. Esso riflette piuttosto l'utilizzazione dei successivi abitanti del palazzo, in particolar modo i cardinali Salviati e du Bellay.

[54] Sulla decorazione del palazzo Domenico della Rovere si veda A. Cavallaro, *Pinturicchio a Roma: il soffitto dei Semidei nel palazzo di Domenico della Rovere*, in «Storia dell'arte», (1987) 60, pp. 155-170; Eadem, *Draghi, mostri e semidei, una rivisitazione fiabesca dell'Antico nel soffitto pinturicchiesco del palazzo di Domenico della Rovere*, in S. Danesi Squarzina (a cura di), *Roma, centro ideale della cultura dell'Antico nei secoli XV e XVI: da Martino V al Sacco di Roma 1417 - 1527*, Milano 1989, pp. 143-159.

[55] Alberto III Pio a Francesco Gonzaga, 1507, in A. Sabattini, *Alberto III Pio. Politica, diplomazia e guerra del conte di Carpi. Corrispondenza con la corte di Mantova*, Carpi 1994, pp. 165-166.

[56] Bonaventura Mosti al duca di Ferrara, 24 settembre 1508, in M. Smith, *Rouen - Gaillon: témoignages italiens sur la Normandie de Georges d'Amboise*, in B. Beck, P. Bouet, C. Etienne, I. Lettéron (a cura di), *L'architecture de la Renaissance en Normandie*, Caen 2003, t. I, pp. 41-58, p. 49. Si veda Antologia di fonti, 2.

[57] R. Weiss, *The castle of Gaillon...* cit., p. 7. Si veda Antologia di fonti, 3.

L'Antico a Gaillon

Le citazioni dall'Antico e il ricorso all'iconografia imperiale erano alcuni degli elementi che facevano di Gaillon un edificio innovativo rispetto all'architettura francese contemporanea[1]. L'interesse per l'antichità iniziava in quegli stessi anni a diffondersi in Francia: il maresciallo di Gié aveva ornato il castello del Verger con alcuni medaglioni di fattura lombarda, sul modello di quelli della Certosa di Pavia[2], e lo stesso Georges d'Amboise aveva fatto venire marmi genovesi per il palazzo di Rouen e suggerito per il castello di Meillant l'impiego di medaglioni rappresentanti gli imperatori romani.

Ma si trattava di elementi usati in modo puntuale per il loro valore decorativo, senza rispondere a un programma d'insieme. Le modifiche apportate al progetto di Gaillon dopo il soggiorno romano del 1503[3], al contrario, includono un percorso cerimoniale che andava dallo *châtelet* alla *grande-cour*, scandito trionfalmente da motivi riferiti all'iconografia imperiale. La seconda parte del percorso, dalla corte alla *grande salle* e alla cappella, era invece affidata alla dinamicità e alla leggerezza della scultura *flamboyant*.

Se alle nuove disposizioni d'insieme si lavora già dal 1504, la definizione dell'apparato decorativo avviene a ridosso della visita reale, quattro anni più tardi[4]. In realtà, quando Luigi XII e la corte di Francia arrivarono a Gaillon nel settembre 1508, i grandi lavori non erano ancora conclusi ma la forte accelerazione impressa al cantiere negli ultimi mesi aveva consentito di accogliere degnamente il sovrano. L'evento permetteva di celebrare la recente resa della città di Genova e Georges d'Amboise, grande regista della politica francese, colse l'occasione per rendere omaggio al suo re vittorioso, pur mantenendo per se stesso la paternità del successo diplomatico.

I portali di Gaillon, un arc triumphant *e uno scultore fiesolano:*
Girolamo (Jérôme) Pacherot[5]

Nella messa a punto del percorso cerimoniale, concepito come un'entrata solenne dopo una vittoria, i portali giocano evidentemente un ruolo fondamentale. A Gaillon ve ne erano tre, tutti in restauro o in costruzione nel 1508: lo *châtelet* (fig. 16), la cui precedente struttura viene nuovamente definita dal punto di vista decorativo; la *porte de Gênes* (fig. 27)[6] che dalla *basse-cour* immetteva nella successiva *grande-cour*; il portale posteriore (fig. 18), verso il parco e il giardino. Quest'ultimo è andato completamente distrutto all'epoca della Rivoluzione, mentre gli altri due si sono parzialmente conservati e costituiscono le vestigia formali più interessanti del complesso monumentale. Entrambi i portali superstiti sono caratterizzati dalla presenza di due arcate sovrapposte e inquadrate dall'ordine architettonico: si tratta di una soluzione nuova in Francia nel primo decennio del Cinquecento, per la quale la critica storiografica non ha esitato a cercare il modello oltralpe. François Gebelin, in particolare, ipotizza che essa sia ripresa dall'arco di Castelnuovo a Napoli, realizzato su commissione di Alfonso il Magnanimo tra il 1453 e il 1457 (fig. 29)[7]. Lo studioso propone anche di rintracciare in un perduto arco trionfale ligneo, realizzato nel 1508 a Gaillon dallo scalpellino italiano Girolamo (o Jérôme) Pacherot, il tramite tra l'arco napoletano e i portali francesi, i cui esecutori materiali sono tutti maestri di muro locali, che lavorano sotto la direzione del *maître-maçon* Pierre Fain[8]. Una diretta ispirazione a modelli italiani, rintracciati nell'arco aragonese e nella facciata dei Torricini del palazzo ducale di Urbino[9], è espressa invece senza riserve da Jean-Pierre Babelon, che però non approfondisce la natura della dipendenza dei portali di Gaillon rispetto a questi modelli, né tanto meno riprende l'ipotesi di un possibile ruolo giocato dall'italiano Pacherot[10]. Alla luce delle recenti ricerche sull'arco di Castelnuovo[11], è possibile valutare l'eventuale influenza della composizione napoletana sui portali francesi, verificando il ruolo dello scalpellino Pacherot quale vettore di trasmissione del modello.

I portali di Gaillon presentano molte differenze nella realizzazione dei dettagli scultorei e nelle proporzioni d'insieme rispetto all'arco di Castelnuovo ma la disposizione di due arcate sovrapposte, inquadrate dall'ordine architettonico e separate da un rilievo scultoreo – basso nello *châtelet*, assimilabile dimensionalmente a un attico nella *porte de Gênes* – lega indiscutibilmente queste due costruzioni al modello napoletano.

Accanto alla somiglianza compositiva è possibile rintracciare altre analogie, nella collocazione e nella funzione. Priva di proporzioni e maldestramente eseguita rispetto ai canoni classicisti [12], la sequenza dei portali di Gaillon ripropone infatti una situazione simile a quella verificatasi a Castelnuovo: due diaframmi scolpiti, monumentali, disposti l'uno di seguito all'altro, chiamati a nobilitare e modernizzare un impianto difensivo preesistente [13], caratterizzato da due imponenti torri a Napoli e da due più modeste torrette a Gaillon.

Con una situazione non dissimile da quella napoletana, dove all'arco di Alfonso segue l'arco di Ferrante, che finalmente immette nella corte del castello [14], a Gaillon allo *châtelet*, seguono la *avant-cour* e la *porte de Gênes*, che introduce nella *grande-cour*. Lo stesso motivo delle arcate sovrapposte si ripete, con poche differenze, su due elementi successivi di un unico percorso cerimoniale, come a Napoli.

La documentazione non aiuta a chiarire la cronologia delle differenti fabbriche, poiché il termine usato sia per i due fronti dello *châtelet* che per la *porte de Gênes* è sempre quello di 'portail' [15]. È possibile isolare alcune date senza tuttavia poter identificare in modo univoco gli oggetti menzionati: il 30 settembre 1508 alcuni operai sono pagati per lavori al «portail de devers la basse court» [16]; il 9 dicembre dello stesso anno Pierre Fain e i suoi collaboratori ricevono il primo pagamento per il «portail qui clost la cour du chasteau» [17] e il 29 settembre 1509 la stessa *équipe* di maestri di muro conclude il lavoro relativo alla «maçonnerie du portail qui clost la port de Gennes», percependo un totale di 650 livres tournois [18]. Solo l'ultima annotazione permette di identificare con certezza la *porte de Gênes*. L'esecuzione da parte di maestranze francesi guidate da Pierre Fain è fuori di dubbio, per entrambi i portali, ma tanto lo *châtelet* che la *porte de Gênes* presentano caratteristiche compositive e formali lontane da quanto realizzato finora in Francia e nello stesso cantiere di Gaillon, facendo avanzare qualche dubbio sul fatto che Fain possa averne ideato il disegno in modo del tutto autonomo.

Nello *châtelet* l'uso di una grande apertura arcuata, di per sé, non rappresenta una novità: si tratta della tradizionale *porte cochère*, che permette a carri e cavalli di accedere al castello. E neanche la presenza di una nicchia al di sopra dell'entrata – legata all'alloggiamento dei macchinari del ponte levatoio – può essere considerata da sola un'innovazione, poiché già nell'hôtel Jacques Coeur a Bourges, a metà Quattrocento, si trova una soluzione simile, reiterata a cavallo tra la fine del XV e l'inizio del XVI secolo a Blois, al Verger, alla Roche-du-Maine [19].

Come già notato da Gebelin la nuova concezione di Gaillon è dovuta alla combinazione di più fattori: la scomparsa di elementi tardogotici; la sovrapposizione di due arcate inquadrate da una serie di semicolonne scanalate o paraste decorate a candelabre; la presenza di capitelli di fantasia (fig. 32) e gruppi di modanature delicatamente scolpite, che alludono alle parti di una trabeazione. Il sistema 'ordine+arco' che caratterizza la campata centrale determina un modulo in altezza che viene esteso all'intera facciata dello *châtelet*, tramite paraste poste ai lati delle alte finestre crociate in sostituzione dei pilastrini *flamboyant*, impiegati in altre parti del castello[20]. Le aperture delle torri e i due alti lucernai vengono sormontate da frontoni curvilinei (fig. 30), ornati da conchiglie e da tondi laterali, un motivo di origine toscana ma presente anche a Castelnuovo, destinato ad avere immensa fortuna in Francia.

L'arcata superiore, cieca (fig. 31), ospitava le statue di Georges d'Amboise e di Luigi XII[21], in piedi, con dettagli di abbigliamento simili a quelli dei busti eseguiti a Milano e posizionati nel prospetto su corte della *Grant'Maison*[22]. La presenza di un gruppo scultoreo rafforza la similitudine con i modelli napoletani dell'arco di Castelnuovo e del portale di Ferrante, che presenta una nicchia superiore concepita proprio per alloggiare l'urna con il cuore di Alfonso, ma anche con il discusso disegno Boymans[23], che mostra nel registro superiore una statua equestre al centro di un'esedra semicircolare[24]. L'impaginato del fronte esterno dello *châtelet* si ripete senza variazioni compositive all'interno, verso la *avant-cour* (fig. 33), benché Elisabeth Chirol, rilevi una minore accuratezza nell'esecuzione dei dettagli scultorei[25].

Un carattere più propriamente trionfale caratterizza la *porte de Gênes* (fig. 27) nonostante la presenza degli archi ribassati[26]. Rispetto ai portali dello *châtelet* qui i sostegni verticali sono più evidenziati: le semicolonne scanalate che inquadrano l'arcata del piano terra poggiano su piedestalli scolpiti e sono raddoppiate lateralmente da paraste ornate da candelabre (*pilastre dosseret*). L'attico che un tempo ospitava il bassorilievo raffigurante la battaglia di Genova e che ancora separa i due fornici, è affiancato da basse paraste anch'esse raddoppiate (fig. 36). L'assenza di vere trabeazioni nel registro inferiore e l'andamento sporgente delle modanature in corrispondenza delle paraste, ad alludere ai capitelli, sottolineano la ancora poco matura comprensione del sistema dell'ordine architettonico, ma il tema dell'attico trionfale è interpretato in modo convincente. L'arcata superiore (fig. 34) è nuovamente inquadrata da paraste e conclusa da una trabeazione sporgente. Benché non si tratti di trabeazioni complete, i gruppi di modanature che separano il fornice inferiore dall'attico e quest'ultimo dall'arco superiore aggettano in corrispondenza dei sostegni verticali, con un motivo dichiaratamente trionfale. Entrambe le arcate, i cui intradossi sono scolpiti a lacunari fregiati da rosette (fig. 35), poggiano su piedritti ornati da candelabre e dotati di imposte modanate. La resa dell'ordine architettonico è ancora fantasiosa, poiché quello che sembra assimilabile a un fregio scolpito è racchiuso tra due insiemi di modanature riconducibili entrambi a cornici, espungendo l'architrave dalla trabeazione. Dal punto di vista decorativo, come già notato da Elisabeth Chirol, la componente scultorea mostra diverse assonanze con il repertorio usato da Jérôme Pacherot nell'altare della cappella superiore del castello, un'opera documentata, in cui l'artista italiano realizza l'intelaiatura architettonica per il bassorilievo di *San Giorgio e il drago*, scolpito da Michel Colombe (fig. 19)[27].

A imprimere un significato trionfale alla porta concorreva certamente anche la decorazione dell'attico, che ospitava il rilievo bronzeo della battaglia di Genova, modellato dal fiorentino Antoine Juste e dorato da Jehan Fanart[28], perduto durante le devastazioni rivoluzionarie. Un'idea delle fattezze di questo rilievo si può avere osservando l'operato dello stesso Antoine Juste nel basamento della tomba di Luigi XII e Anna di Bretagna a Saint-Denis in cui egli affronta, con il marmo, lo stesso soggetto (fig. 37). A Gaillon, evocando la battaglia di Genova, si volevano celebrare al contempo il trionfo militare del re di Francia e un importante successo politico del cardinal d'Amboise, suo primo ministro: la collocazione nell'attico della *porte de Gênes* era quindi senza dubbio appropriata allo scopo.

Le sculture della porta sono estremamente raffinate, come già notava Jacopo Probo: «La porta principale è de marmora, de mano de bon maestro lavorata, et di sopra è sculpito la historia quando il grande re di Franza debellò Genua, messa ad oro con figure picole tutte de naturale»[29]. A ricordare il ruolo politico fondamentale giocato nelle vicende genovesi, nel fornice superiore molto probabilmente troneggiava lo stemma di Georges d'Amboise sormontato dal cappello cardinalizio (fig. 38)[30], una soluzione che sembra rimandare direttamente allo stemma di Alfonso concluso dalla corona reale, alloggiato nello sfondo del nicchione superiore dell'arco napoletano.

Oltre alle arcate sovrapposte e all'alto rilievo che illustra un trionfo (quello all'antica di Alfonso d'Aragona a Napoli), ci sono altri elementi che la porta di Gaillon ha in comune con l'arco di Castelnuovo, come l'uso delle colonne scanalate, ancora non diffuso in Francia[31], la voluta

che si sovrappone in chiave alla ghiera dell'arco o il trattamento scultoreo dei pilastri addossati su cui impostano entrambe le arcate. Il monumento partenopeo infatti è ricco di quegli ornamenti quattrocenteschi
che divengono di grande attualità in Francia ai primi del Cinquecento,
grazie alla presenza di scultori toscani.

Non è invece derivata dall'arco di Alfonso l'idea di ribattere lateralmente a parete tutti i sostegni verticali dando luogo a paraste, anch'esse
finemente scolpite. Questi elementi non compaiono né in quegli archi
trionfali antichi che adottano le semicolonne, (di Augusto a Rimini e a
Susa, di Tito a Roma, di Traiano a Benevento), né in quello di Pola, né
in quelli provenzali. Non si sono trovati modelli diretti neanche nei portali quattrocenteschi italiani[32]. Questa soluzione, inconsueta per i portali ma presente nella tipologia delle tombe monumentali, potrebbe trovare spiegazione nell'eventuale presenza nel cantiere di Gaillon di uno
scultore/scalpellino formatosi in Italia su questo tipo di monumenti, ma
il fatto che tutti gli elementi verticali della *porte de Gênes* siano ribattu-
ti lateralmente sembra indicare soprattutto la precisa volontà di ampliare il campo decorativo e aumentare il distacco tra l'inserto rinascimentale e il resto del corpo di fabbrica della *galerie de Gênes* caratterizzata
da un impaginato e da una decorazione ancora fortemente *flamboyant*[33].

Se un qualche rapporto tra i portali di Gaillon e l'arco di Castelnuovo
sembra dunque accertato, restano però da approfondire le modalità di
questa migrazione formale da Napoli alla Normandia nel 1508: tramite
la circolazione di disegni, taccuini, descrizioni? O grazie alla trasmissione diretta del modello napoletano grazie alla presenza di un artista che
abbia potuto conoscere personalmente l'arco alfonsino? Come già messo in evidenza da Gebelin proprio in questa fase dei lavori si intensifi-
ca la presenza – diretta o indiretta – di artisti italiani nel cantiere. Almeno dal 1506 Pace Gagini e Antonio della Porta eseguono a Genova opere in marmo per le fabbriche del cardinal d'Amboise, tra le quali spicca la superba fontana destinata alla corte di Gaillon[34]. Antoine Juste
realizza il rilievo della battaglia di Genova e altre opere di scultura, tra
cui un ritratto del cardinale e il magnifico collegio apostolico destinato
alla cappella superiore[35]. Nei primi mesi del 1508 Riccardo da Carpi si
occupa della decorazione dei soffitti cassettonati degli appartamenti,
che riceveranno le lodi dei visitatori italiani[36] e nel gennaio dello stesso
anno erano arrivate da Milano tre statue, rappresentanti Georges d'Amboise, Luigi XII e Charles de Chaumont[37]. Pochi mesi più tardi, i conti
citano il pittore milanese Andrea Solario, allievo di Leonardo, attivo per

conto del cardinale, per il quale realizzerà gli affreschi della cappella superiore del castello[38] e una *Natività* per la cappella del palazzo arcivescovile di Rouen[39]. Nell'aprile del 1509 Guido Mazzoni riceve l'ultimo pagamento per i medaglioni scolpiti che decoravano la terrazza superiore della *Grant' Maison*[40].

A questo nutrito gruppo di italiani si aggiunge, a partire dal 1 aprile 1508[41], Jérôme Pacherot, o Passerot, uno degli artisti toscani che avevano seguito Carlo VIII in Francia nel 1495[42], proposto da Gebelin come l'ispiratore sia della *porte de Gênes* sia dei fronti dello *châtelet*. Jérôme Pacherot è identificabile con il *Jeronimo scarpellino de Fesulis* che intorno al 1500 lavora nell'*atelier* dello scultore Michel Colombe, citato in documenti fiorentini[43]: si è trasferito da Amboise a Tours dal 1503[44], entrando in stretto contatto con gli artisti attivi nei cantiere nella valle della Loira, tra cui anche Antoine Juste[45]. È lui che mantiene i rapporti tra il cardinale e l'anziano Michel Colombe, occupandosi del trasporto del suo bassorilievo del *San Giorgio e il drago*, destinato all'altare della cappella superiore del castello[46]. Nei mesi di luglio e agosto 1508 Pacherot compie diversi lavori, non chiaramente specificati, inerenti la *grande-cour* e un *portail neuf*[47], ma, artista completo, modella anche sei rosette in rame, da applicare alla fontana di Gagini e Della Porta[48]. Da ottobre alla fine di dicembre dello stesso anno, affiancato da Bertrand de Meynal e Jean Chersalle – anch'essi italiani –, egli lavora alla pala d'altare che deve ospitare il bassorilievo di Michel Colombe[49]. Ai primi del novembre 1508 Pacherot è pagato per aver realizzato un *arc triumphant* in legno[50]. François Gebelin non ha dubbi sul fatto che quest'opera, di cui non resta alcuna traccia, sia il motivo ispiratore dell'articolazione e della decorazione dello *châtelet* e della *porte de Gênes*[51].

Alla base della posizione di Gebelin è l'ipotesi che Pacherot possa aver conosciuto direttamente il modello napoletano durante un soggiorno a Napoli, prima di intraprendere l'avventura francese al seguito di Carlo VIII. La lista degli artisti e operai italiani al servizio del re nel castello di Amboise dal 1497, non permette di affermare con certezza che essi provenissero tutti da Napoli[52], ma altri documenti, relativi al viaggio e al mantenimento di questi artisti, sembrano confermare questa ipotesi[53].

Pacherot (o Passerot) non compare nelle *Cedole di Tesoreria* napoletane per gli anni subito precedenti l'arrivo di Carlo VIII a Napoli[54]. Egli è però riconoscibile nel fiesolano *mastro Paciarocto*, per conto del quale, il 3 gennaio 1493, lo scalpellino Domenico de Felice fa quietanza per alcune somme ricevute, obbligandosi a scomputarle in opere da farsi nella cavallerizza della villa di Poggio Reale[55]. Il nome Pacherot, la cui grafia francese "ch", anche nel Cinquecento, indica il suono "sc", corrisponde senz'altro meglio a quello di "Paciarocto" che non a quelli di "Pacchia" o "Pacchiarotti" generalmente proposti dalla critica[56]. Peraltro, in alcuni documenti francesi, il cognome assume le forme "Passerot"[57] e "Pascherot"[58], denunciando diverse trasformazioni di spirantizzazione o fricativizzazione della consonante palatale.

La presenza napoletana di Pacherot in data 3 gennaio 1493 è compatibile con la successiva partenza da Napoli nell'autunno 1495 al servizio di Carlo VIII. Nel 1493 *mastro Paciarocto* agisce in società con Domenico di Felice, Ziactino Benozzi e Francesco di Filippo, tutti originari della zona compresa tra Fiesole e Settignano, zona da cui proviene anche Pacherot, ed essi si accingono a compiere lavori a Poggio Reale, la villa costruita per Alfonso II, per la quale fin dagli inizi del soggiorno napoletano Carlo VIII non nasconde la sua predilezione e ove si reca quasi quotidianamente[59] descrivendone le meraviglie al cognato Pierre de Bourbon[60]. Il contatto tra Pacherot e il re di Francia potrebbe essere addirittura avvenuto proprio a Poggio Reale o, comunque, sulla base della presenza del fiesolano sul cantiere della villa.

Se Pacherot ha soggiornato e lavorato a Napoli, e quindi ha potuto conoscere direttamente l'arco alfonsino, è dunque plausibile che, nell'ottobre 1508, nella realizzazione dell'arco di trionfo ligneo di Gaillon egli si sia ispirato massicciamente al modello napoletano. Resta però aperta la questione già posta da Gebelin relativa alla funzione di questo *arc triumphant*. Non è da escludere che Pacherot abbia effettuato un modello ligneo, in scala ridotta, riferito a un oggetto da costruirsi: si trattava di una prassi consolidata nel Rinascimento e attuata anche in Francia, dove accanto ai *portrait* o *patron*[61], cioè i disegni, si eseguivano anche *patron enlevez de boys*, come attestato, tra gli altri, dal modello per il castello di Chambord fatto da Domenico da Cortona, il legnaiolo toscano partito anche lui con Pacherot e destinato a divenire architetto di Francesco I[62]. Purtroppo i documenti non permettono di quantificare il legname fornito e quindi di determinare le dimensioni dell'arco costruito dallo scalpellino fiesolano, poiché il fornitore, Robinet Adam, è pagato in un'unica soluzione per il legname consegnato per le cucine il 23 settembre 1508 e per quello precedentemente portato per l'*arc triumphant*[63].

Un'altra possibilità è che l'arco pagato a Pacherot fosse in scala 1:1 e che abbia decorato il castello per una qualche festa: il successo dell'oggetto potrebbe poi aver indotto i maestri di muro francesi a riprenderne l'articolazione generale nella *porte de Gênes* e nello *châtelet*. Potrebbe cioè trattarsi di un'architettura effimera destinata a un evento particolare, ciò che implicherebbe anche una precisa volontà di auto-rappresentazione da parte del committente.

La concomitanza con la visita di Luigi XII e Anna di Bretagna nelle proprietà del cardinale, prima a Gaillon e quindi a Rouen, induce evidentemente a mettere in relazione l'arco di Pacherot con questo importante evento, facendo optare per l'ipotesi di un'architettura effimera[64]: il 20 settembre 1508 il re di Francia arriva a Gaillon, dove il cardinale ed il suo seguito lo attendono già da qualche tempo[65], e resta ospite con tutta la corte fino al 24, per poi recarsi a Rouen dove soggiornerà dal 28 settembre al 25 ottobre[66]. Nonostante la forte accelerazione impressa ai lavori nell'arco di tutto il 1508, il re dovette arrivare nel sontuoso castello ancora in costruzione. Buona parte degli edifici della *avant-cour* ancora non erano stati realizzati, tanto che il diplomatico Bonaventura Mosti in una lettera scritta al duca di Ferrara il 24 settembre 1508, a visita reale ultimata, non individua nello *châtelet* l'entrata del castello ma nell'accesso alla *grande-cour*, già ornato dal rilievo di Antoine Juste: «sopra la porta de la intrata vi è de bronzo la impresa, exercito et intrata fece il christianissimo signor re a Zenoa»[67]. Ma, come attestano i conti, in particolare proprio questo accesso non poteva ancora essere dotato della monumentale *porte de Gênes*, poiché la sua costruzione inizia solo nel dicembre successivo alla visita reale[68]. Infatti Pierre Fain e la sua squadra vengono pagati per la costruzione di questa porta in quattro rate, per un totale di 650 *livre tournois*, come da contratto, a partire dal 9 dicembre 1508 e a seguire il 24 dicembre successivo, il 31 marzo 1509 e in ultimo il 29 settembre dello stesso anno. Il testo del primo pagamento recita «Pierre Fain et ses companions [...] ont fait marché de faire [...] le portail qui clost la court du chasteau»[69], dunque il capomastro e i suoi aiuti sono in procinto di fare il lavoro.

Cosa ha visto allora Bonaventura Mosti? Quale struttura sorreggeva il rilievo della battaglia di Genova? Forse proprio l'effimero *arc triumphant* di Pacherot, che potrebbe avere avuto un ruolo preminente nell'allestimento temporaneo del castello per questa occasione, in modo non dissimile dall'utilizzazione dell'arco effimero cui farebbe riferimento il disegno Boymans per la venuta a Castelnuovo dell'imperatore Federico III, secondo l'ipotesi di Rosanna Di Battista[70]. L'arco ligneo, opportunamente dipinto a imitare la calcarea pietra bianca di Vernon o il marmo, potrebbe aver segnato una tappa fondamentale nel percorso simbolico e cerimoniale di accesso alla *grande-cour* servendo al contempo da sostegno al rilievo della battaglia di Genova di Antoine Juste.

Ma, perché questa ipotesi sia plausibile, è necessario che esso fosse terminato al momento della visita reale.

I conti di costruzione del castello permettono di seguire piuttosto dettagliatamente i lavori effettuati da Pacherot tra agosto e dicembre 1508, prima e dopo il soggiorno di Luigi XII. Per l'arco ligneo egli riceve il 5 novembre 1508 il compenso di sedici giornate per lavori già eseguiti, permettendo di stabilire una data *ante quem* per l'inizio di tali lavori al 21 ottobre precedente, anche se, trattandosi di un pagamento forfettario, non è detto che si trattasse di quindici giorni consecutivi. Questa data risulta tuttavia già in ritardo rispetto alla visita reale, soprattutto se si considera che il cardinal d'Amboise comincia a preoccuparsi della preparazione per la ricezione di Luigi XII già dal mese di agosto[71]. Ma come è già stato fatto notare da Evelyne Thomas e Marc Hamilton Smith la registrazione dei conti di Gaillon deve essere accuratamente analizzata[72]: se i pagamenti a cadenza settimanale sono contestuali rispetto ai lavori in fase di esecuzione, non sempre quelli singoli, a *forfait*, indicano l'effettiva fine della prestazione, anzi in diverse occasioni essi sono corrisposti con notevole ritardo rispetto al termine dei lavori[73]. È necessario quindi cercare di ripercorrere nel dettaglio l'attività di Pacherot nella seconda metà del 1508, ricordando che il legname per la costruzione dell'arco è arrivato sul cantiere precedentemente al 23 settembre 1508, come dimostra il citato pagamento a Robinet Adam.

Da un confronto tra le date dei pagamenti e il numero di giornate pagate a Pacherot (Tavole IV-V) si evince che l'intero mese di agosto è stato dedicato continuativamente a lavori nella *grande-cour* e agli *appuy* del nuovo portale[74]. Nel mese di settembre invece si registrano solo due pagamenti a saldo per lavori già eseguiti, mentre dal 27 settembre al 23 dicembre tutti i giorni lavorativi sono coperti e chiaramente dedicati all'altare della cappella superiore: 44 giorni lavorativi pagati continuativamente tra il 23 ottobre e 23 dicembre e almeno altri 20 giorni lavorativi e un rimborso dei materiali per le sculture della cappella (20 libre pagate il 13 ottobre)[75]. L'unico momento in cui Pacherot dispone di sedici giorni lavorativi per dedicarsi alla realizzazione dell'arco ligneo è tra il 28 agosto e il 19 settembre, cioè subito prima della visita reale.

I giorni che vanno dal saldo del 19 settembre a quello del 27 dello stesso mese coincidono con la visita di Luigi XII (20-24 settembre) e con i successivi giorni di pulizia dopo il passaggio della corte: certamente il cantiere è stato interrotto, e Pacherot, come molti altri, ha approfittato per farsi pagare il saldo di alcuni dei lavori arretrati alla chiusura e alla riapertura del cantiere. È plausibile che a causa dell'impressionante mole di lavori effettuati subito prima l'arrivo di Luigi XII i soldi in cassa alla momentanea chiusura del cantiere il 19 settembre non siano bastati a saldare tutti i contratti e che Pacherot si sia accontentato di ricevere subito il saldo per i lavori dell'*appuy*, poi quello per il trasporto della tavola di marmo a Orleans e Tours il 27 settembre e infine quello per l'arco ligneo il 5 novembre successivo.

Inoltre il pagamento di 6 *livre tournois* relative a sedici giorni lavorativi, che Pacherot ottiene per questo arco di tempo, corrisponde al salario giornaliero di 7 soldi e 6 denari, che egli percepiva per il suo mestiere di scalpellino su marmo al servizio di Carlo VIII. Questo implica da una parte che non è possibile sovrapporre i giorni di lavoro relativi all'arco con quelli di altre opere, dall'altra che l'arco ligneo doveva comportare un importante lavoro di scultura e non è quindi riducibile a un intreccio di ramoscelli e foglie, come ipotizzato da Pierre Lesueur[76].

D'altra parte non solo la *grande-cour* necessitava di un'entrata monumentale degna del sovrano, ma anche l'importante affermazione francese a Genova doveva essere celebrata dal cardinal d'Amboise[77]. Non è quindi inverosimile supporre che l'*arc triumphant* ligneo di Pacherot abbia costituito la struttura di sostegno al rilievo di Antoine Juste.

L'ipotesi che l'arco effimero costruito da Pacherot sia servito come modello per la successiva realizzazione della *porte de Gênes*, è altrettanto plausibile: in occasione dei preparativi per la venuta della coppia reale, lo scalpellino fiesolano, memore dell'esperienza napoletana, avrebbe realizzato una struttura trionfale atta a celebrare le recenti vittorie di Luigi XII a Genova e al contempo a sottolineare i riferimenti antichizzanti imperiali, cari a Georges d'Amboise dopo il soggiorno romano del 1503[78]. A fronte del successo dell'opera, la squadra francese di Pierre Fain ne avrebbe dato immediatamente dopo una versione lapidea, cosa che spiegherebbe l'impiego dello stesso repertorio formale di Pacherot, come già evidenziato dalla Chirol (figg. 39-40 e 42-43)[79].

Una corte all'antica

La *porte de Gênes* dava trionfalmente accesso alla *grande-cour*, concepita come uno spazio regolare, pavimentato, circondato su tre lati da portici[80], il cui centro era marcato dalla fontana in marmo eseguita dalla bottega di Pace Gagini (fig. 26). Di questo spazio magnifico, che tutti i visitatori italiani assimilano a un cortile di palazzo, quasi nulla è sopravvissuto alla Rivoluzione e alla successiva trasformazione del castello in carcere (fig. 44), ma molte descrizioni e diverse fonti grafiche permettono di restituirne le disposizioni d'insieme e il programma iconografico. Du Cerceau, nella seconda metà del secolo, lamenta una costruzione *moderne* e infatti gli stipiti delle finestre sono ornati da cuspidi, le modanature sono tardogotiche, i parapetti che proteggono il camminamento alla base delle coperture sono traforati e si basano sul gioco di fiamme e controfiamme che caratterizza l'architettura francese della fine del Quattrocento. L'elogio che Jacopo Probo fa della scala d'onore esemplifica questa esuberanza scultorea, che, pur allontanandosi completamente dagli ornamenti all'antica, ancora nella prima metà del Cinquecento affascina i visitatori stranieri: «quella che è in man dextra a l'intrare che conduce alla capella et alle camere principale, è tutta di preta lavorata dentro et fuora et trasforata con lavorari tanti subtili et zentili che non se faria meglio d'argento o oro, che a vederli pare cosa stupenda»[81].

Se la *grande vis*, le finestre e le parti alte delle quattro ali conservavano l'estetica *flamboyant* i riferimenti all'Antico si manifestavano nella decorazione scolpita e nella loggia addossata alla *Grant' Maison* per migliorarne la circolazione (figg. 45 e 47). Nella lettera del 1508 Bonaventura Mosti si limita a segnalare che intorno alla corte ci sono colonne e «altre cose excellentissime havute in Italia et poste qui»[82], ma Jacopo Probo dscrive con maggior dovizia la natura di queste cose

«Et in ogni lato d'esso cortile son messe teste de imperatori romani pur di marmoro ben lavorate [...] In el quadro de la prima porta gli è sculpito tutto il triumpho de Iulio Cesare, ne la forma ch'el famoso Mantinia lo depinse, de non troppo grande figura ma ben et con bona gratia intagliato»[83].

La descrizione leggermente più tarda di Antonio de Beatis non menziona gli imperatori romani ma precisa che i bassorilievi sul modello antico erano correlati alle bucature (fig. 46)[84], mentre un anonimo mercante milanese parla di imperatori e di altri «capitaines» dell'antichità: « et li sono figure de li imperatori et altri gran capitani romani et greci et de altri paesi sculpitti de dicte prede et bellissime»[85].

Il numero di medaglioni di soggetto antico e quello delle *tabulæ ansatæ* che recavano iscritti i relativi nomi non è precisato. I conti di costruzione menzionano consegne scaglionate in diverse fasi del cantiere[86].

In ogni caso vi era una serie di dodici imperatori romani più altri capitani del passato, secondo la moda già diffusa in Italia nel Quattrocento (fig. 49). Tanto la descrizione di Jacopo Probo che una anonima del XVIII secolo precisano che i medaglioni erano collocati solo su tre lati della corte, mentre il quarto presentava un fregio continuo:

> «Dans l'intérieur de la cour du château, il faut remarquer une frise qui règne sur toute la longueur de la face où est la porte d'entrée, où on a représenté un triomphe. Dans la frise qui règne sur les trois autres côtés, on a placé des médaillons antiques de têtes d'empereurs romains en marbre blanc, et sur la face du bâtiment à droite en entrant, au-dessus de cette frise, le buste en bas-relief saillant du roy Louis XII, du cardinal d'Amboise et de son neveu Grand Maître de France»[87].

Alle spalle della *porte de Gênes*, quindi, la facciata della galleria era ornata da un fregio continuo: senza dubbio quello menzionato anche da Jacopo Probo, che scolpiva nel marmo i celebri *Trionfi* di Mantegna, forse l'artista italiano più amato dal cardinal d'Amboise, a cui, tramite Francesco Gonzaga, aveva commissionato un San Giovanni Battista in cui il cardinale doveva figurare come donatore[88]. Sugli altri tre lati vi erano i medaglioni imperiali e sulla facciata su corte della *Grant' Maison* si trovavano anche i busti dei tre artefici delle vittorie francesi in Italia. Con il lungo percorso cerimoniale che tramite due archi trionfali portava alla corte ornata dai profili degli imperatori e dai *Trionfi*, la dominazione francese in Lombardia e a Genova, comparata all'espansione dell'impero romano, era posta sotto lo sguardo benevolo del re, del cardinale e del governatore del Milanese.

Come nelle grandi residenze italiane un'iscrizione latina correva tutto intorno al cortile, con il motto di Georges d'Amboise « *non confundas me domine ab expectatione mea* », ma in «litere grande maiuscule franzese », cioè, probabilmente, maiuscole gotiche[89].

Ma il climax di riferimenti imperiali terminava sulla *grande vis*, i cui caratteri *flamboyant* riportavano i visitatori e la corte alla dimensione culturale e formale francese, prima di introdurli nella *grande salle*, vero centro della vita sociale, dove le regole comportamentali e le gerarchie restavano rigorosamente tradizionali, nonostante alle pareti fossero esibiti trofei, armi e *spolia* in abbondanza[90].

Modelli antichi, modelli italiani

A Gaillon i riferimenti all'Antico non sono diretti ma filtrati dall'esperienza italiana del XV secolo. La frequentazione di Milano e Roma è certamente all'origine delle scelte decorative della *grande-cour* con gli imperatori romani e i *Trionfi di Cesare* di Mantegna, mentre per i portali il modello è napoletano.

Cicli ornamentali rappresentanti i busti degli imperatori ornavano alcune residenze romane: nei palazzi di Venezia, dei Cavalieri di Rodi e, soprattutto, in quello di Domenico della Rovere dove Georges d'Amboise ha soggiornato a seguito dei dissapori con Pio III[91].

A Milano la presenza di Charles de Chaumont ha certamente facilitato l'invio di opere d'arte e di bassorilievi dalla città in cui gli Sforza avevano già iniziato un processo di messa in relazione della loro dinastia con la mitologia imperiale, secondo un meccanismo ben noto di volontà di legittimazione[92]. Il gusto per il frammento antico aveva avuto un'enorme diffusione soprattutto tramite i *tondi*, i medaglioni scolpiti in marmo o pietra o modellati in terracotta, direttamente ispirati a medaglie o monete antiche[93]. I collezionisti e i mercanti antiquari erano pure importanti negli ultimi anni della dominazione sforzesca e probabilmente i Francesi hanno subito l'influenza delle predilezioni dell'élite milanese, aggiornata sulle mode romane: Caradosso, a Roma nel 1495, permetteva a eruditi come Giovio, Trivulzio e Simonetta Marliano di essere al corrente sulle novità delle più importanti collezioni cardinalizie e nobiliari romane. Ludovico Sforza poteva approfittare della presenza del fratello Ascanio per conoscere le mode della corte papale.

Anche alcuni grandi monumenti, come la Certosa di Pavia, hanno certamente giocato un ruolo importante nella definizione del gusto antiquario francese. Avendo soggiornato molte volte a Milano e nella regione circostante, Georges d'Amboise conosceva bene la decorazione dei castelli sforzeschi e i valori simbolici a essa associati. La passione per il marmo, materiale imperiale per eccellenza e sinonimo di ricchezza e potere (soprattutto se il suo impiego richiede lunghi e costosi trasporti), unita alla situazione privilegiata dei Francesi a Genova, sono di certo alla base della scelta del cardinale di fare di una bottega genovese uno dei maggiori centri operazionali delle sue commesse scultoree.

Ma medaglioni con profili imperiali ornavano anche la sala del castello di Carpi, dove Alberto III Pio, a seguito delle sue ambasciate francesi, farà aggiungere anche un ritratto di Luigi XII[94]: la stima reciproca tra il cardinale di Rouen e il signore di Carpi ha senza dubbio indotto a una certa emulazione.

Tuttavia, se il ricorso a questo tipo di decorazione evoca l'antichità imperiale e risponde a una precisa volontà di auto celebrazione, non è detto che essa si basi su una conoscenza filologica dell'Antico. Le considerazioni di Geneviève Bresc-Bautier sui soggetti dei medaglioni realizzati in questi anni ne sono la conferma[95], così come il modo in cui Georges d'Amboise interpreta e usa il modello mantegnesco dei *Trionfi*. Della complessa composizione il cardinale sembra essere interessato a un solo fattore, il riferimento a Giulio Cesare, senza cogliere le riflessioni negative che il pittore aveva voluto dare alla sua opera[96].

D'altro canto anche per l'impaginato dei portali il modello scelto non è un arco trionfale antico, ma una sua interpretazione quattrocentesca, molto particolare, quale quella di Castelnuovo. Diverse ragioni possono aver spinto Georges d'Amboise a ispirarsi a questo monumento: il prestigio del *milieu* artistico e culturale napoletano nel XV secolo[97]; il rango della casata di Aragona nel panorama italiano e la sua diretta competizione con la Francia; il fatto che l'arco di Alfonso fosse uno dei primi esempi architettonici che interpretano il modello petrarchesco dei trionfi all'antica[98]. Certamente il rinnovamento di Castelnuovo con la creazione di un percorso cerimoniale scandito dal passaggio sotto due arcate trionfali e il fatto che, seguendo l'ipotesi di Rosanna di Battista, al posto dell'arco di Alfonso inizialmente ci fosse una struttura effimera approntata per la visita di Federico III a Napoli[99], coincidono con le necessità e gli obiettivi di Georges d'Amboise a Gaillon. In queste circostanze, la presenza di Jérôme Pacherot prima a Napoli e poi a Gaillon gioca un ruolo determinante: è possibile che nel momento in cui, essendo palese che i lavori non sarebbero stati conclusi per la visita reale e rendendosi quindi necessario approntare una qualche soluzione temporanea, Pacherot abbia proposto l'uso di una struttura effimera, sul modello dell'arco di Castelnuovo ma adattata alle esigenze del cardinale a Gaillon.

Peraltro Castelnuovo «qui de fortresse estoit innumerable/ et à la voir se sembloit imprenable»[100], era uno dei simboli della conquista di Napoli. André de la Vigne ne descrive accuratamente l'assedio di Carlo VIII e la caduta sotto gli irrefrenabili colpi dell'armata francese[101]. Parimenti il castello napoletano rappresentava il lusso e la ricchezza di una delle più importanti corti europee: de la Vigne conclude la lista dei beni trovati dal giovane Carlo in Castelnuovo – cibo, artiglieria, vini, opere d'arte, libri – con questa considerazione: «et croy que à l'heure que le roy Alphonce se partit de cette place, que c'estoit la maison la plus riche du monde et la mieulx fournye de tous biens»[102].

In questo quadro il rinnovamento artistico che caratterizzava Napoli prima dell'avvento di Carlo VIII è un modello di riferimento fondamentale: come dimostrato da Bruce Edelstein gli Aragona erano gli unici reali italiani del Quattrocento e, sebbene fossero considerati "usurpatori" del regno spettante ai Valois, essi costituivano comunque un esempio per la committenza reale francese[103] e *ipso facto* per il potente cardinale, vera eminenza grigia del regno di Louis XII.

Non a caso Georges d'Amboise acquista da Federico d'Aragona, partito per l'esilio francese il 6 settembre 1501, una parte della biblioteca aragonese, una serie probabilmente più interessante di quella confiscata a Napoli da Carlo VIII, che non conteneva esemplari della celebre collezione di Alfonso II, duca di Calabria[104]. Questi figurano invece tra i manoscritti provenienti dal castello di Gaillon attualmente conservati nella Bibliothèque Nationale de France[105]. Gli studi di Marie-Pierre Laffitte e Gennaro Toscano mostrano quale importanza ebbe il nucleo napoletano nella formazione della nascente biblioteca di Gaillon, sia per la quantità e la qualità delle opere acquistate, sia perché esse divennero il modello per la serie di copie manoscritte commissionate dal cardinale tra il 1502 e il 1503[106]. Se le disagevoli condizioni di un re in esilio giustificano la vendita di una parte della propria biblioteca, sembra troppo facile pensare che il cardinal d'Amboise abbia semplicemente approfittato di un'occasione: nella sua qualità di viceré del milanese avrebbe facilmente potuto acquisire parte della ricca biblioteca sforzesco-viscontea per costituire o ampliare la *librairie du château*[107]. I libri portati in Francia da Federico d'Aragona costituivano senza dubbio una splendida opportunità, soprattutto in virtù dei manoscritti del duca di Calabria, ma Georges d'Amboise potrebbe essere stato spinto anche da altre ragioni. Al di là di una generica volontà di appropriarsi della statura culturale e politica dei regnanti aragonesi e di una fortuita coincidenza araldica – lo stemma di Aragona e quello della casata d'Amboise sono molto simili, *d'oro a quattro pali di rosso* il primo e *palato d'oro e di rosso* il secondo –, il cardinale sembra apprezzare i principali titoli della biblioteca del Magnanino, con il quale, peraltro, condivide la passione per la storia antica, in particolare per i testi di Tito Livio[108].

Amboise, il cugino di Giulio Cesare

Il riferimento all'antichità classica inserito in un programma iconografico coerente è una novità che Georges d'Amboise sviluppa gradualmente dopo il ritorno dal soggiorno romano del 1503. In questa fase Luigi XII, vittorioso a Milano, esita ancora ad adottare pubblicamente in Italia l'immagine imperiale e preferisce insistere sulla propria appartenenza dinastica, sui valori militari e religiosi[109].

Luisa Giordano ha mostrato come l'Antico appaia pacatamente e per gradi nell'immagine reale durante il primo decennio del Cinquecento[110]. Nelle entrate a Milano (1499 e 1507) e a Genova (1502) il sovrano aveva preferito evitare qualsiasi riferimento all'Antico, mantenendosi su un registro tradizionale. Solo nella più tarda entrata milanese del 1509, dopo Agnadello, Luigi XII si mostra agli occhi dei Lombardi (in questa occasione alleati e non vinti) in qualità di *imperator* e non di *dux*, come fatto finora. A questa occorrenza datano le prime apparizioni del re vestito alla romana, mentre in quelle precedenti era sempre stato in abito da cavaliere[111].

Nelle *Chroniques de Monstrelet*, commissionate da François de Rochechouart nel periodo in cui era governatore di Genova (1508-1512), Louis XII è rappresentato due volte. La prima in un gruppo equestre, come *imperator*, la seconda sul trono, alludendo al suo ruolo istituzionale, affiancato da nove imperatori[112]: si istituiva in questo modo una relazione di continuità tra la Roma imperiale e la monarchia francese. Tra le architetture effimere realizzate dai milanesi nel 1509 c'era un arco trionfale, sormontato da un monumento equestre[113]. Le città italiane, vinte, erano rappresentate da carri allegorici, come gli *spolia* nella tradizione antica. Non è un caso che nel *Voyage de Venise* Jean Marot descriva per la prima volta Luigi XII «comme ung César»[114].

La visita della corte a Gaillon, effettuata tra le entrate milanesi del 1507 e del 1509, è quindi una delle prime occasioni per comparare le vittorie francesi in Italia con l'immagine dell'impero romano[115]. Ma quale era il vero oggetto di questa rappresentazione all'antica? Certamente le gesta italiane di Luigi XII, vincitore di Genova, ma anche del suo insostituibile cardinale-ministro[116].

Per Georges d'Amboise infatti si trattava non solo di elogiare il proprio ruolo nelle vittorie belliche e diplomatiche italiane ma anche di lanciare un messaggio molto preciso, relativamente alla sua immagine internazionale. Di ritorno dallo sfortunato soggiorno romano il cardinale non si interessa solo di antichità e antiquaria per emulare il prestigio e la ricchezza dei cardinali italiani; egli focalizza la sua attenzione sull'iconografia imperiale e sul tema dei trionfi. Poco dopo il 1503 data la sua commessa per un codice miniato dei *Trionfi* di Petrarca[117], uno dei testi chiave per la mediazione tra l'Antichità e il Quattrocento italiano[118]. Franco Simone ha attirato l'attenzione sul ruolo giocato dai *Trionfi* in Francia a causa del soggiorno avignonese del poeta ma anche grazie al fatto che Carlo VIII ne aveva riportato da Napoli almeno quattro esemplari. Lo studioso sottolinea però anche il fatto che il numero delle copie e dei commenti redatti a Rouen durante l'episcopato di Georges d'Amboise è determinante per la diffusione di questo tema in Francia[119].

Quest'abbondanza di produzione conferma l'attenzione che il cardinale aveva per i trionfi imperiali, tema dominante del percorso cerimoniale di Gaillon, espressamente citato con la copia dei *Trionfi* di Mantegna. L'interesse del cardinal legato per gli imperatori romani e in particolare per Giulio Cesare è confermato dalla commessa di un albero genealogico nel quale la sua famiglia discende direttamente da un cugino di Cesare, di nome Amboise, stabilitosi in Gallia dopo la conquista romana[120]. Considerando che Giulio II negli stessi anni stava istituendo una relazione diretta tra se stesso e il comandante romano, certamente non è un caso che Georges d'Amboise abbia rivolto la sua attenzione a questo tema al punto di creare un legame familiare tra i d'Amboise e Giulio Cesare.

Il cardinale francese aveva lasciato Roma prima che Bramante iniziasse i lavori del Belvedere e con essi la metamorfosi del palazzo papale secondo un modello che traeva ispirazione dal santuario di Preneste, all'epoca identificato con una residenza di Giulio Cesare. Ma Georges d'Amboise era senza dubbio al corrente delle mosse del suo rivale politico, anche in campo artistico. Grazie ai molteplici artisti presenti sul cantiere egli promosse la glorificazione della propria famiglia e della monarchia francese, sia con la rappresentazione sull'esempio delle gallerie degli uomini illustri, sia con la messa in relazione diretta dell'estensione territoriale francese in Italia con l'Impero romano. In questo contesto la creazione di un percorso cerimoniale scandito da elementi che evocano l'iconografia imperiale acquisisce anche un valore simbolico di auto rappresentazione, in chiara competizione con le gesta e le ambizioni di Giulio II. Se la medaglia datata 1503 che ritrae da un lato il cardinale dall'altro le insegne papali senza nome (fig. 48) è stata coniata su ordine di Georges d'Amboise e non è un'invenzione del XVII secolo[121], la frase «TULIT ALTER HONORES», presa in prestito a Virgilio, non si applica solo al seggio pontificio ma anche alla messa in relazione con la figura di Giulio Cesare, di cui il cardinale si dichiara discendente diretto, superando l'identificazione proposta da Giulio II. Se invece la medaglia è opera posteriore, c'è da chiedersi fino a che punto la delusione di Georges d'Amboise e le sue successive reazioni influenzarono l'immaginario e le cronache francesi fino al secolo seguente.

NOTE

[1] A. Chastel, M. Rosci, *Un château français en Italie. Un portrait de Gaillon à Gaglianico*, in «Art de France», III (1963), pp. 103-113.

[2] Sei medaglioni sono commissionati il 4 agosto 1502 a Cristoforo Solari (B. Jestaz, *Les rapports des français avec l'art et les artistes lombards: quelques traces*, in P. Contamine et J. Guillaume (a cura di), *Louis XII en Milanais*, Paris 2003, pp. 273-303, in particolare pp. 293-99).

[3] Si veda *supra*, cap. 3.

[4] Si veda *supra*, cap. 2.

[5] Questo paragrafo rielabora parte dell'articolo F. Bardati, *Napoli in Francia? L'arco di Alfonso e i portali monumentali del primo Rinascimento francese*, in «I Tatti Studies. Essays in the Renaissance», (2007) 11, pp. 115-145.

[6] Il portale deve il suo nome a un bassorilievo bronzeo, scomparso durante i disordini rivoluzionari, che separava i due fornici. Il rilievo, modellato nel 1508 dal fiorentino Antonio di Giusto di Michele (S. Martino a Mensola, 1481 - Amboise 1518), noto come Antoine Juste, rappresentava la battaglia per la conquista francese di Genova del 1507, uno dei risultati positivi della politica italiana del cardinal d'Amboise. Al di là di qualche lavoro ottocentesco (A. de Montaiglon, *La famille des Juste en France*, in «Gazette des Beaux-Arts», 1875, pp. 385-404; 515-526; 1876, pp. 552-567; 657-670; Idem, *La famille des Juste. Nouveaux documents communiqués par Gaetano Milanesi*, in «Gazette des Beaux-Arts», 1876, pp. 360-368 e A. de Boislisle, *Nouveaux documents sur la famille des Juste (1513)*, in «Nouvelles archives de l'art français», 1879, pp. 8-9) non esiste uno studio specifico su questo rilievo né sull'attività di Antoine Juste, se non la scheda di F. Quinterio, voce *Juste, famiglia*, in *Dizionario Biografico Italiano*, vol. 62, Roma 2000, pp. 699-702, che non apporta novità sostanziali. L'argomento è stato ripreso da chi scrive durante una borsa di studio di Villa I Tatti-The Harvard University Center for Italian Renaissance Studies (2004-2005) e sarà l'oggetto di una pubblicazione specifica (*Des collines florentines à Tours: Jérôme Pacherot et les Justes*) presentata insieme a Tommaso Mozzati al convegno *Sculpture française du XVIe siècle*, Paris-Troyes, 1-3 ottobre 2009. Sulla corretta posizione del rilievo di Juste cfr. M.H. Smith, *Rouen - Gaillon: témoignages italiens sur la Normandie de Georges d'Amboise*, in B. Beck, P. Bouet, C. Etienne, I. Lettéron (a cura di), *L'architecture de la Renaissance en Normandie*, Caen 2003, t. I, pp. 41-58, p. 49.

[7] F. Gebelin, *Les châteaux de la Renaissance*, Paris 1927, pp. 107-113.

[8] I conti di costruzione del castello menzionano nel settembre 1508 un pagamento per la fornitura di legname destinato a un *arc triumphant* eseguito da Pacherot, che riceve il saldo per questo lavoro nel novembre successivo (A. Deville, *Comptes de dépenses de la construction du château de Gaillon*, Paris 1850, pp. 431-434).

[9] Una relazione tra Napoli e Urbino è individuata anche da G.L. Hersey, *The Aragonese Arch at Naples. 1443-1475*, New Haven, London 1973, p. 60.

[10] Per lo studioso il progetto si deve al *maître-maçon* Pierre Fain (J.P. Babelon, *Châteaux de France au siècle de la Renaissance*, Paris 1989, p. 90).

[11] G. L. Hersey, *The Aragonese Arch at Naples...* cit., con bibliografia; R. Di Battista, *La porta e l'arco di Castelnuovo a Napoli*, in «Annali di architettura», 10-11, 1998-99, pp. 7-21; A. Beyer, *Parthenope: Neapel und der Süden der Renaissance*, München 2000, pp. 30-61.

[12] Secondo Piganiol de la Force, alludendo alla mancanza di proporzioni e al carattere ancora pre-rinascimentale dell'ornamentazione, «le château pourrait passer pour la plus belle maison de France si on avait voulu y faire une entrée convenable. Il faut en faire presque

le tour pour y entrer par une petite porte fort vilaine» (Piganiol de la Force, *Nouvelle description de la France*, Paris 1718, t. V, p. 117 e A. Deville, *Comptes de dépenses...* cit., pp. XLIX-L.

[13] Lo *châtelet* dal punto di vista strutturale è sicuramente anteriore alla campagna di Georges d'Amboise (si veda *supra*, cap. 2).

[14] Si veda R. Di Battista, *La porta e l'arco di Castelnuovo...* cit.

[15] F. Gebelin, *Les châteaux de la Renaissance...* cit., p. 110, sottolinea che, dato il legame intrinseco tra i due elementi, poco conta in effetti stabilire quale dei due sia precedente all'altro.

[16] A. Deville, *Comptes de dépenses...* cit., p. 421. Affacciando sulla *basse-cour* potrebbe trattarsi sia del fronte interno dello *châtelet* sia della *porte de Gênes*.

[17] Ivi, p. 431.

[18] Ivi.

[19] Per un approfondimento del rapporto tra arcata, nicchia e scultura nei portali monumentali francesi a cavallo tra Quattrocento e Cinquecento si veda F. Bardati, *De l'hôtel Jacques Coeur à l'aile de la Belle Cheminée: quelques réflexions sur la sculpture dans l'architecture civile de la Renaissance*, comunicazione al convegno *La sculpture dans son rapport avec les arts: II Sculpture et architecture*, Tours 28 marzo 2008, a cura di M. Boudon-Machuel e P. Julien (in corso di pubblicazione).

[20] Si vedano ad esempio i pilastrini che caratterizzano il portale verso il giardino e le finestre del corpo di fabbrica adiacente (fig. 18b).

[21] *Procès-verbaux de l'Académie d'Architecture,* 1671-1793, edizione moderna a cura di H. Lemonnier, Paris 1911, t. I, p. 221-23; delle tante descrizioni del castello, questa è l'unica che riporti la presenza delle statue nella nicchia del portale esterno: «audessus de la porte de la première cour, deux figures posées dans deuxz niches, a costé l'une de l'autre et séparées par trois colonnes toutes percées à jour de différens ornemens [...] Une de ces figures représente Louis XII, vestu d'un corselet à la romain [...] L'autre représente le cardinal d'Amboise». Si veda Antologia di fonti, 9.

[22] R. Weiss, *The castle of Gaillon in 1509-1510*, in «Journal of the Warburg and Courtauld Institues», (1953) 16, pp. 1-12, p. 7. Si veda Antologia di fonti, 3.

[23] Rotterdam, museo Boymans van Beuningen, inv. I 527.

[24] Per la funzione di questo disegno si veda R. Di Battista, *La porta e l'arco di Castelnuovo...* cit., pp. 17 e 21, nota 55.

[25] E. Chirol, *Un premier foyer de la Renaissance en France: le château de Gaillon*, Paris, Rouen 1952, p. 96. Il fregio dorico e la soprelevazione sono stati realizzati nel XIX secolo, quando il castello era adibito a prigione (si veda *supra*, cap. 2).

[26] L'andamento ribassato, oltre a rispondere al gusto francese, potrebbe dipendere dalla volontà di adattare il complesso impaginato trionfale alle altezze, già determinate, dei piani di calpestio della galleria già costruita, in cui è inserita la porta. Poiché l'arco a tutto sesto è introdotto a Gaillon nei portici delle gallerie della *grande-cour*, la sua mancata applicazione nella *porte de Gênes* sembra dipendere più da fattori tecnico-dimensionali che da scelte estetiche.

[27] E. Chirol, *Un premier foyer...* cit., pp. 71-72. Gli esecutori della *porte de Gênes*, certamente francesi, potrebbero essersi ispirati a un disegno di Pacherot o all'arco di trionfo ligneo proposto da Gebelin.

[28] A. Deville, *Comptes de dépenses...* cit., p. 343.

[29] R. Weiss, *The castle of Gaillon...* cit., p. 6. Si veda Antologia di fonti, 3.

[30] Nell'incisione di Israël Silvestre (fig. 38) si scorge uno stemma nel registro superiore dell'arco, probabilmente ancora quello del cardinal d'Amboise, mentre in un disegno di Jean Lubin Vauzelle (*Portail de Gaillon*, Louvre, Departement des arts graphiques, RF 5279.54r) appare un cartiglio posteriore, destinato a ospitare le armi di qualche suo successore alla sede arcivescovile di Rouen. Lo stemma del cardinale d'Amboise è scolpito anche sul fregio del primo ordine del fronte esterno dello *Châtelet* (fig. 41).

[31] A Gaillon esse presentano un inconsueto tipo di rudentatura piatta per la quale non sono stati ritrovati riferimenti.

[32] Paraste ribattute lateralmente da altre paraste e tutte fittamente scolpite caratterizzano il portale della chiesa di San Michele a Fano, dove però il repertorio decorativo è molto diverso.

[33] Questa soluzione potrebbe anche essere considerata un aggiornamento linguistico di uno stilema tardogotico in cui sostegno verticale e stipite dialogano con la proposizione di elementi ornamentali analoghi, come ad esempio nella porta del castello di Château Arnoux (Alpes-de-Haute-Provence, 1510-1515).

[34] Alla realizzazione della fontana, il cui contratto fu firmato a Genova il 14 dicembre 1506, partecipa anche Agostino Solario (F. Alizeri, *Notizie dei professori del disegno in Liguria dalle origini al secolo XVI*, vol. 4, Genova 1876, I, pp. 315 e 387); l'opera venne condotta in Francia e montata dal genovese Bertrand de Meynal (A. Deville, *Comptes de dépenses...* cit., pp. 303, 316-317). Per i rapporti tra Pace Gagini, Tamagnino e Georges d'Amboise cfr. F. Bardati, *Georges d'Amboise à Rouen: le palais de l'archevêché et sa galerie de marbre*, in «Congrès Archéologique de France», *Rouen et Pays de Caux,* 2003 (2005), pp. 199-213, in particolare pp. 207-209.

[35] Per l'insieme delle opere già realizzate ottiene un primo pagamento di 40 *livres* alla fine del mese di settembre 1508 e un saldo della stessa entità il 31 ottobre 1509 (A. Deville, *Comptes de dépenses...* cit., pp. 358, 436).

[36] Ivi, p. 261. «Le intemplature delle sale, camere et retrecti sonno variamente lavorate con molto artificio e ricchissime» (L. von Pastor, *Die Reise des Kardinals Luigi d'Aragona durch Deutschland, die Niederlande, Frankreich und Oberitalien, 1517-1518*, beschriessen von Antonio de Beatis, Freiburg im Breisgau 1905, p. 130. Si veda Antologia di fonti, 4).

[37] A. Deville, *Comptes de dépenses...* cit., pp. 286-287.

[38] F.M.A. Blanquart, *La chapelle de Gaillon et les fresques d'Andrea Solario*, Evreux 1899; M.-H. Smith, *Rouen – Gaillon...* cit.; F. Bardati, *Georges d'Amboise à Rouen...* cit., pp. 135-139.

[39] A. Deville, *Comptes de dépenses...* cit., p. 537-540 (Inventario del 1508).

[40] Ivi, p. 405. «Se uscisse de lì poi in una bellissima logia discoperta con li pogioli de marmoro e silicata de marmoro bianco e negro alla musaycha, et intorno sonno teste de imperatori naturali de fino marmoro» (R. Weiss, *The castle of Gaillon...* cit., p. 9. Si veda Antologia di fonti, 3).

[41] A. Deville, *Comptes de dépenses...* cit., p. 343.

[42] A. de Montaiglon, *État des gages des ouvriers italiens employés par Charles VIII*, in «Archives de l'art français», I (1851-1852), pp. 94-132, in particolare pp. 109 e 119. La formazione di Girolamo Pacherot è stata studiata da chi scrive durante una borsa di studio di Villa I Tatti-The Harvard University Center for Italian Renaissance Studies (2004-2005) e sarà l'oggetto di una pubblicazione specifica (*Des collines florentines à Tours: Jérôme Pacherot et les Justes*) presentata insieme a Tommaso Mozzati al convegno *Sculpture française du XVIe siècle*, Paris-Troyes, 1-3 ottobre 2009.

[43] Firenze, Archivio dell'Opera di Santa Maria del Fiore (d'ora innanzi AOSMF), *Libro delle Deliberazioni degli Operai dal 1496 al 1507*, cc. 12r/v. Su Colombe si vedano principalmente P. Vitry, *Michel Colombe et la sculpture française de son temps*, Paris 1901; P. Pradel, *Michel Colombe. Le dernier imagier gothique*, Paris 1953; J.-R. Gaborit (a cura di), *Michel Colombe et son temps,* Paris, 2001.

[44] E. Giraudet, *Les artistes tourangeaux*, in «Mémoires de la société archéologique de Touraine», 1885, p. 315.

[45] A. Deville, *Comptes de dépenses...* cit., p. 343. Si vedano anche le precisazioni apportate da P. Lesueur, *Remarques sur Jérôme Pacherot et sur le château de Gaillon*, in «Bulletin de la société de l'histoire de l'art français», 1937, pp. 67-87.

[46] A. Deville, *Comptes de dépenses...* cit., pp. 308-309, 332.

[47] Ivi. E. Chirol, *Un premier foyer...* cit., pp. 71-72, vede in lui l'iniziatore alla decorazione rinascimentale di quegli scalpellini e maestri di muro che con Pierre Fain realizzano mate-

rialmente i portali dello *châtelet* e la *porte de Gênes*. È possibile che il fine rivestimento in marmi bianchi e rossi e le cornici dei medaglioni con le teste di imperatori citati da Probo d'Atri siano il frutto di questo lavoro, mentre non sembra probabile che Pacherot possa essersi occupato della scultura del fregio con i *Trionfi di Cesare* citato nella stessa lettera (R. Weiss, *The castle of Gaillon...* cit., pp. 6-7. Si veda Antologia di fonti, 3). C'è da chiedersi chi sia poi l'autore delle fini membrature architettoniche (fregi e cornici) conservate nel deposito lapidario del castello: Pacherot è pagato per «contouer qu'il a fait en la court» (A. Deville, *Comptes de dépenses...* cit., p. 337) dicitura che sembra indicare il 'contorno' della corte, che potrebbe comprendere tanto i rivestimenti in marmo tanto la trabeazione classicheggiante.

[48] Ivi, pp. 310, 317, 318.

[49] Ivi, pp. 358-361. L'ultimo pagamento nominale risale al 10 giugno 1509 (p. 360).

[50] «A Geraulme Pacherot, pour XVI jours qu'il a vacqués à l'arc triumphant, par mandement de mons[r] de Sauveterre et quictance du V[e] novembre V[c] huit, VI livres tournois» (Ivi, p. 434).

[51] F. Gebelin, *Les châteaux de la Renaissance...* cit., p. 110. Di parere opposto P. Lesueur che considera l'*arc triumphant* una composizione in foglie e ramoscelli (P. Lesueur, *Remarques sur Jérôme Pacherot...* cit., p. 83). J. Guillaume giudica la decorazione scolpita della *porte de Gênes* un'invenzione di mano francese basata sul modello della pala d'altare del castello, realizzata da Pacherot (J. Guillaume, *Le temps des expériences. La réception des formes «à l'antique» dans les premières années de la Renaissance française*, in J. Guillaume (a cura di), *L'invention de la Renaissance. La réception des formes «à l'antique» au début de la Renaissance,* Atti del convegno (Tours 1994), Paris 2003 (collana *De Architectura*), pp. 143-176, p. 154).

[52] A. de Montaiglon, *État des gages...* cit., pp. 109 e 119.

[53] L. Lalanne, *Transport d'oeuvres d'art de Naples au château d'Amboise en 1495*, in «Archives de l'art français», II (1852-1853), pp. 305-306; F. Gebelin, *Les châteaux de la Renaissance...* cit., p. 68, nota 6.

[54] N. Barone, *Le cedole di tesoreria dell'Archivio di Stato di Napoli dall'anno 1460 al 1504,* in «Archivio storico per le province napoletane», IX (1884), pp. 5-34; 205-248; 387-429; 601-637 e X (1885), pp. 5-47; E. Pèrcopo, *Nuovi documenti su gli scrittori e gli artisti dei tempi aragonesi*, in «Archivio Storico per le province napoletane», XVIII (1893), pp. 527-537; 784-812; 1894, pp. 376-409; 561-591; 740-779 e 1895, pp. 283-335.

[55] G. Filangieri, *Indice degli artefici delle arti maggiori e minori*, Napoli 1891, I, p. 191 (Archivio Notarile di Napoli, Prot. di Not. Nic. Ambrogio Casanova, ann. 1492-93, fol. 146). Paciarocto è probabilmente entrato in società con gli altri artisti già attivi a palazzo Cuomo dopo il 18 agosto 1490, data i cui gli altri avevano stipulato un contratto circa l'esecuzione di alcune finestre del palazzo (B. Capasso, *Il palazzo Cuomo. Memorie storiche*, Napoli 1888, pp. 42-43).

[56] Fra gli altri E. Benezit, *Dictionnaire des peintres sculpteurs dessinateurs et graveurs*, Paris 1953 (II ed. 1966), vol. 6, p. 476.

[57] A. de Montaiglon, *État des gages...* cit.

[58] C. de Grandmaison, *Le véritable nom de la femme de Jérôme Pacherot sculpteur italien*, in «Nouvelles archives de l'art français», n.s., 1880-1881, pp. 25-26.

[59] A. de la Vigne, *Le voyage de Naples*, edizione moderna a cura di A. Slerca, Ginevra 1981, sia per la descrizione del luogo, pp. 248-250, sia per la frequenza delle visite del re.

[60] Fillon, *Ouvriers italiens employés par Charles VIII*, in «Archives de l'art français», I (1851-1852), pp. 273-276, in particolare p. 274.

[61] C. Occhipinti, *Il disegno in Francia nella letteratura artistica del Cinquecento*, Firenze 2003, pp. 453-454 e 468-469.

[62] P. Lesueur, *Dominique de Cortone dit le Boccador. Du château de Chambord à l'Hôtel de Ville de Paris*, Paris 1928, p. 30.

[63] A. Deville, *Comptes de dépenses...* cit., p. 434.

[64] Conclusione a cui giunge anche Paul Vitry (*Michel Colombe...* cit., p. 197).

[65] Lettera di Alberto Pio da Carpi al marchese di Mantova (Gaillon, 22 settembre 1508), in A. Sabattini, *Alberto III Pio. Politica, diplomazia e guerra del conte di Carpi. Corrispondenza con la corte di Mantova, 1506-1511,* Carpi 1994, p. 173; F. Maillard, *Itinéraire de Louis XII, roi de France (1498-1515),* in «Bulletin philologique et historique (jusqu'à 1610) du Comité des travaux historiques et scientifiques», (1972) 1978, p. 191, posticipa l'arrivo della corte a Gaillon al 21 settembre.

[66] L.A. Jouen, Mgr Fuzet, *Comptes, devis et inventaires du Manoir Archiépiscopal de Rouen,* Paris-Rouen 1908, p. 392; P. Le Verdier, *L'entrée du roi Louis XII et de la reine à Rouen,* Rouen 1900, p. VII.

[67] M.H. Smith, *Rouen – Gaillon...* cit., p. 49, nota 43. Il fatto che Antoine Juste sia pagato a saldo per questa e altre opere solo l'anno successivo non deve stupire, poiché i pagamenti ritardati, soprattutto per lavori eseguiti nel 1508 sono frequenti a Gaillon. In questi casi la formula usata nei conti indica il lavoro terminato. Non è però del tutto da escludersi che Mosti abbia visto un modello in gesso, dorato, anch'esso approntato per la ricezione di Luigi XII.

[68] A. Deville, *Comptes de dépenses...* cit., p. 431.

[69] Ivi, p. 431.

[70] R. Di Battista, *L'arco e la porta di Castelnuovo...* cit., pp. 14-17.

[71] L.A. Jouen, *Le château de Gaillon,* Rouen 1922, p. 5. Per stabilire le modalità dell'entrata di Luigi XII a Rouen la prima riunione municipale si svolge il 21 agosto (Le Verdier, *L'entrée du roi Louis XII...* cit., p. XVI).

[72] Si vedano in proposito le osservazioni di M.H. Simth, *Rouen – Gaillon...* cit. e E. Thomas, *Gaillon: la chronologie de la construction,* in B. Beck, P. Bouet, C. Etienne, I. Lettéron (a cura di), *L'architecture de la Renaissance en Normandie...* cit., t. I, pp. 153-162. In particolare molti dei lavori eseguiti nel corso del 1508 sono stati saldati l'anno successivo, se non addirittura nel 1510, dopo la morte del cardinale.

[73] In particolare questa sezione di conti (A. Deville, *Comptes de dépenses...* cit., pp. 432-436) è intitolata *Restes de l'an passé* e registra senza ordine cronologico i pagamenti dovuti a lavori diversi, le cui ricevute (*quictances*) riportano la data in cui il responsabile del cantiere ha firmato per il pagamento e non necessariamente la fine della prestazione.

[74] Ivi, p. 337. L'ultimo pagamento è del 26 agosto.

[75] Ivi, pp. 332, 337, 358.

[76] P. Lesueur, *Remarques sur Jérôme Pacherot...* cit., pp. 67-87.

[77] Si vedano peraltro i termini con cui Alberto Pio descrive la soddisfazione del cardinale l'indomani della battaglia (lettera di Alberto Pio alla marchesa di Mantova, Genova, 1 maggio 1507, in A. Sabbatini, *Alberto III Pio...* cit., p. 147).

[78] Si noti che dopo la battaglia di Genova l'entrata nella città sconfitta non mostra riferimenti all'antichità (L. Giordano, *La celebrazione della vittoria,* in P. Contamine e J. Guillaume (a cura di), *Louis XII en Milanais...* cit., pp. 245-271 e N. Hochner, *Le trône vacant du roi Louis XII,* ivi, pp. 227-244): quella di Gaillon si presenta quindi come una delle prime celebrazioni trionfali della vittoria di Genova in cui Luigi XII viene presentato come *imperator* e non a caso questo accade nell'ambito privato del castello cardinalizio e non in quello pubblico della città di Rouen.

[79] Se l'articolazione e la decorazione dovevano essere molto vicine alla porta realizzata è al contrario possibile che l'*arc triumphant* di Pacherot non presentasse il profilo ribassato degli archi. Concepita come struttura effimera infatti l'arco avrebbe potuto non sottostare ai vincoli in altezza imposti al portale dai solai della galleria retrostante.

[80] Jacopo Probo lo definisce uno « spatioso et ben quadrato cortile silicato de marmoro bianco et rosso con debita misura, et in mezo una fontana » (R. Weiss, *The castle of Gaillon...* cit., p. 6. Si veda Antologia di fonti, 3).

[81] Ivi.

[82] « In mezo il cortile è una fontana facta fare a Zenoa, la più bella habii mai veduta; cum

colone in torno a dicto cortile et altre cose excellentissime havute in Italia et poste qui, che non poteriano correspondere meglio » (M.H. Smith, *Rouen – Gaillon...* cit. Si veda Antologia di fonti, 2).

[83] R. Weiss, *The castle of Gaillon...* cit., pp. 6-7. Si veda Antologia di fonti, 3.

[84] « Et vi sonno tucti conzi di fenestre e porte con teste retracte dal antiquo de marmi, et quelle sonno fabricate sopra dicte porte et a le fazziate che respondeno al cortile » (L. von Pastor, *Die Reise des Kardinals Luigi d'Aragona...* cit., p. 129. Si veda Antologia di fonti, 4).

[85] L. Monga, *Un mercante di Milano in Europa: diario di un viaggio del primo Cinquecento*, Milano 1985, p. 64. Si veda Antologia di fonti, 5.

[86] Sui medaglioni, i profili rappresentati e la loro traccia in diverse collezioni si veda G. Bresc-Bautier, *Profils et médaillons de marbre au musée d'Amiens*, in C. Orgogozo, Y. Lintz (a cura di) *Vases, bronzes, marbres et autres antiques, dépôts du musée du Louvre en 1875*, Paris 2007, pp. 206-231, che riconosce una mano lombardo-genovese. Si vedano anche M. Allinne, *Note sur un médaillon en marbre provenant du château de Gaillon*, Rouen 1933; M.-G. de La Coste-Messeliere, *Les médaillons historiques de Gaillon au musée du Louvre et à l'École des Beaux-Arts*, in «La revue des arts», II (1957), pp. 65-70, malgrado alcune attribuzioni siano ormai sorpassate.

[87] *Nottes sur la Haute-Normandie*, Rouen, Bibliothèque Municipal, *Montbret*, ms Y 19, (1777-78-79), *ff.* 228-229 (Si veda Antologia di fonti, 11) La presenza degli imperatori è annotata anche da Ducarel, nel 1767: « The castle consists of two courts: the first, which is the oldest, is adorned with marble busts of the twelve Caesar» (Ducarel, *Anglo-Norman Antiquities, considered in a tour through part of Normandy*, Londres 1767, p. 44; Antologia di fonti, 10).

[88] *Mantegna, 1431-1506*, catalogo della mostra (Louvre 2008-2009), a cura di G. Agosti e D. Thiébaut, n. 182, pp. 416-417. È stato ipotizzato che il disegno conservato al National Museum de Liverpool (Inv. WAG 1995-324) sia uno studio preliminare per quest'opera.

[89] «Et in molti luochi de le quattro fazate è scolpito il motto del legato, cioè "non confundas me Domine ab expectatione mea", con litere grande maiuscule franzese» (R. Weiss, *The castle of Gaillon...* cit., p. 7. Si veda Antologia di fonti, 3).

[90] Ivi.

[91] Si veda *supra*, cap. 1.

[92] L. Giordano, *L'autolegittimazione di una dinastia: gli Sforza e la politica dell'immagine*, in «Artes», (1993) 1, pp. 7-33.

[93] G. Agosti, *Bambaia e il classicismo lombardo*, Torino 1990, cap. 2.

[94] L. Giordano, *La celebrazione della vittoria...* cit., pp. 258-271.

[95] G. Bresc-Bautier, *Profils et médaillons de marbre...* cit.

[96] F. Saxl, *L'antichità classica in Jacopo Bellini e nel Mantegna*, (1935), in E. Garin (a cura di), *Storia delle immagini*, Bari 1965, pp. 51-65; C. Cieri Via, *L'antico in Mantegna fra storia e allegoria*, in *Piranesi e la cultura antiquaria*, Roma 1983, pp. 69-92.

[97] A. Ryder, *The Kingdom of Naples under Alfonso the Magnanimous. The Making of a Modern State*, Oxford 1976; Idem, *Alfonso the Magnanimous. King of Aragon, Naples and Sicily, 1396-1458*, Oxford 1990 ; G.L. Hersey, *Alfonso II and the Artistic Renewal of Naples...* cit. ; H.J. Bentley, *Politics and Culture in Renaissance Naples*, Princeton 1987; A. Beyer, *Parthenope: Neapel und der Süden der Renaissance...* cit.

[98] M.A. Zaho, *Imago Triumphalis. The Function and Significance of Triumphal Imagery for Italian Renaissance Rulers*, New York 2004, pp. 48-64.

[99] L'arco effimero sarebbe quello del disegno conservato al Museo Boymans van Beuningen, inv. I.527. Si veda R. Di Battista, *La porta e l'arco di Castelnuovo a Napoli...* cit., pp. 14-17.

[100] A. de la Vigne, *Le voyage de Naples...* cit., p. 250.

[101] «C'estoit piteuse chose de voir la ruyne et demolition du dit Chasteau Neuf, lequel estoit fort à merveilles. Mais la puissance des faulcons [...] y firent si horrible deluge que tout alloit par terre en pieces et en lopins». Ivi, p. 252.

[102] Ivi, p. 263.

[103] Si consideri che il modello dell'orante nel monumento funerario di Carlo VIII commissionato da Anna di Bretagna ed eseguito da Guido Mazzoni, potrebbe ispirarsi alla statua del duca di Calabria che Carlo vede durante una delle sue visite a Castel Capuano: «Poi si discende in altre camere ornate ut supra, et uno oratorio dove era el Duca de Calavrin, zoè don Alphonso, fatto naturalmente, che stava in zenochioni che pareva vivo» (M. Sanudo, *La spedizione di Carlo VIII in Italia*, edizione moderna a cura di R. Fulin, supplemento ad «Archivio Veneto», III (1873), p. 240). Per riflessioni più generali sulla considerazione della casata d'Aragona come l'unica reale in Italia si veda B. Edelstein, *«Acqua viva e corrente»: private display and public distribution of fresh water at the Neapolitan villa of Poggioreale as a hydraulic model for sixteenth-century Medici gardens*, in S. Campbell (a cura di), *Artistic Exchange and Cultural Translation in the Italian Renaissance City*, New York 2004, pp. 187-220.

[104] Sul tema si vedano G. Toscano, *Les manuscrits de la librairie des rois d'Aragon de Naples saisis par Charles VIII*, in J. Balsamo (a cura di)*, Passer les monts: Français en Italie - l'Italie en France (1494-1525)*, Atti del convegno (Paris-Reims 1995), Firenze, Parigi,1998, pp. 345-30; Idem, *Rinascimento in Normandia: i codici della biblioteca napoletana dei re d'Aragona acquistati da Georges d'Amboise*, in «Chroniques italiennes», 29 (1992), pp. 77-87; Idem, *La librarie du château de Gaillon. Les manuscrits enluminés d'origine italienne acquis par le cardinal Georges d'Amboise*, in S. Fabrizio-Costa, J.P. Le Goff (a cura di), *Léonard de Vinci et l'Italie «miroir profond et sombre»*, Atti del Convegno (Caen 1996), Caen 1999, pp. 275-300; M. P. Laffitte, *La librairie de Georges d'Amboise à Gaillon*, ivi, pp. 261-273.

[105] G. Toscano, *Il bottino di guerra di Carlo VIII: i manoscritti della biblioteca reale di Napoli*, in *La biblioteca reale di Napoli al tempo della dinastia aragonese*, catalogo dell'esposizione (Napoli 1998), pp. 279-287, p. 287. La conferma della presenza dei manoscritti aragonesi viene anche dal diario di Antonio de Beatis, segretario del cardinale d'Aragona: «Ve vedimo etiam una bella libraria per quello tanto che è; dove sonno alcuni libri con l'arme di casa de Aragona, quali furno de la fe. me. di re Ferrando primo et venduti lli per extrema necessità di quella infelicissima regina muglie di re Federico di sancta gloria» (L. von Pastor, *Die Reise des Kardinals Luigi d'Aragona...* cit., p. 129 e Antologia di fonti, 4).

[106] A. Deville, *Comptes de dépenses...* cit., pp. 437-444.

[107] Infatti oltre a usufruire dell'ambiente artistico milanese, Georges d'Amboise ottiene dal sovrano diversi oggetti di valore appartenuti ai duchi di Milano, come nota Jacopo Probo a proposito dei tesori esibiti a Gaillon (R. Weiss, *The castle of Gaillon...* cit., p. 7; Antologia di fonti, 3).

[108] M.P. Laffitte, *La librairie...* cit., pp. 268-269. In quest'ottica c'è inoltre da chiedersi se l'iconografia adottata nell'altare di Gaillon per il *San Giorgio e il drago* non presentasse similitudini con il perduto dipinto di Jan Van Eyck, con lo stesso soggetto, acquistato da Alfonso d'Aragona nel 1445 (L. Baldass, *Jan Van Eyck*, Londra, 1952, pp. 50 e 285).

[109] N. Hochner, *Le trône vacant du roi Louis XII...* cit., pp. 227-244; Eadem, *Louis XII: les dérèglements de l'image royale, 1498-1515*, Seyssel 2006.

[110] L. Giordano, *Les entrées de Louis XII en Milanais*, in J. Balsamo (a cura di), *Passer les monts...* cit., pp. 139-148. Si veda anche R.W. Scheller, *Gallia cisalpina: Louis XII and Italy 1499-1508*, in «Simiolus», XV (1985), pp. 5-60.

[111] Come lo rappresenta ancora Jean Marot ne *L'entrée de Gênes*, del 1507.

[112] F. Avril, N. Reynaud, *Les manuscrits à peinture en France. 1440-1520*, Paris 1993, pp. 419-421.

[113] Un « arco antico in forma romana, con doi cavalli de sopra et con le spolie atorno in segno di victoria » (M. Sanudo, *I diarii*, edizione moderna a cura di R. Fulin, Venezia 1879-1913 (ristampa Bologna 1969-70), vol. VII, c. 82-92).

[114] J. Marot, *Le voyage de Venise*, Paris 1509, v. 3847.

[115] Il soggiorno della corte a Gaillon (20 settembre 1508) precede l'entrata a Rouen (28 settembre) in cui, sicuramente seguendo i consigli del cardinale, la municipalità inizia a intro-

durre temi classici e pagani nel percorso (A.-M. Lecoq, «*QVETI ET MVSIS HENRICI II. GALL. R.» Sur la grotte de Meudon*, in M. Fumaroli, P.-J. Salazar, E. Bury (a cura di), *Le loisir lettré à l'âge classique*, Genève 1996, pp. 93-111 ; P. Le Verdier, *L'entrée du roi Louis XII* cit.).

[116] Si veda *supra* cap. 1.

[117] Paris, Bibliothèque Nationale, *Ms Fr* 594; la datazione è proposta in F. Avril, N. Reynaud, *Les manuscrits à peinture en France...* cit., scheda 237, p. 415.

[118] M.A. Zaho, *Imago Triumphalis*, cit.

[119] F. Simone, *Il Rinascimento francese. Studi e ricerche*, Torino 1961, pp. 177-202, in particolare pp. 189-190.

[120] Archives Départementales de la Seine-Maritime, *G* 2079.

[121] Per motivi tecnico-stilistici Jones ritiene la medaglia posteriore al 1620. Potrebbe essere stata coniata alla Monnaie du Moulin da (o con la supervisione di) Alexandre Olivier e Pierre Reignier (M. Jones, *A Catalogue of the French medals in the British Museum*, 1, *Ad 1402-1610*, Londres 1982, nn. 214-215, pp. 217-218).

Il cantiere: un laboratorio internazionale
a cavallo tra Quattro e Cinquecento

La quantità notevole di fonti relative al castello di Gaillon permette di fare alcune considerazioni anche sull'organizzazione e le caratteristiche del cantiere di una monumentale fabbrica edilizia a cavallo tra Quattro e Cinquecento[1]. All'interazione tra maestranze francesi e artisti e decoratori italiani già osservata nei precedenti capitoli, è necessario affiancare anche la presenza di altri operai, provenienti dalle Fiandre: questo ambiente internazionale non genera solo una contaminazione stilistica tra *Flamboyant* e classicismo, ma anche uno scambio di conoscenze relative alle tecniche costruttive e ai modi di lavorazione dei materiali. In questo contesto anche il lessico di cantiere – che emerge a volte in modo chiaro, altre in maniera poco comprensibile – rispecchia la presenza di più componenti e tradizioni culturali.

I conti di costruzioni, quasi integralmente pubblicati da Achille Deville nel 1850[2] e registrati da mani diverse tra il 1494 e il 1510, sono stati finora usati per determinare la cronologia della fabbrica e isolare i nomi di alcuni protagonisti: i capomastri Colin Byart, Guillaume Senault, Pierre Fain e Pierre Delorme, o alcuni artisti italiani, come Guido Mazzoni, Andrea Solario, Jérôme Pacherot, o il giardiniere Pacello da Mercogliano. Ma, minuziosamente registrati nonostante le lacune, essi permettono soprattutto di seguire in modo abbastanza costante le fasi del cantiere, ricostruendone non solo i protagonisti ma anche funzionamento, macchinari e momenti salienti, passando dagli scavi e dalle murature, alle coperture e alla manifattura delle numerose e delicatissime parti scultoree.

Premessa iniziale per l'analisi del cantiere è che a quest'epoca in Francia non esiste ancora la figura dell'architetto modernamente inteso, a cui si affida la progettazione e la realizzazione della fabbrica: il committente gioca un ruolo determinante nella definizione delle scelte e le fabbriche sono nelle mani dei maestri di muro, esperti nel taglio della pietra (la *stéréotomie*), nella scultura e nella costruzione. A fronte dello *status* intellettuale che già alla metà del Quattrocento in Italia Alberti rivendica per il progettista, in Francia i cantieri sono gestiti per lo più da tecnici.

Qualche volta le fonti menzionano rari *deviseur de bâtiment*, che, come indica il nome, preparano un progetto di massima (*devis*) seguendo pedissequamente le indicazioni del committente. Non si tratta però di disegni esecutivi ma di indicazioni sulle disposizioni d'insieme, a volte di natura economica. I grafici (*portrait*), che di certo esistevano in quantità molto maggiore rispetto a ciò che ci hanno conservato gli archivi[3], erano spesse volte affidati a pittori o agli stessi *deviseur*. Anche da questo punto di vista il castello di Gaillon rappresenta un caso fortunato, poiché oltre a gran parte dei conti di costruzione (in cui peraltro nessun architetto viene testualmente menzionato) si è conservato anche un disegno di progetto (fig. 22), tradizionalmente chiamato "pianta di Poitiers"[4], indicativo delle prime fasi costruttive, precedenti senza dubbio il 1503[5]. Disegni esecutivi, certamente esistenti, erano con tutta probabilità affidati ai responsabili delle opere.

Normalmente, in cantieri di dimensioni più modeste, i committenti avevano l'abitudine di seguire personalmente l'avanzamento delle fabbriche (o delegare molto spesso le rispettive mogli[6]) ma nel caso di Georges d'Amboise, sempre assente per poter gestire la politica del regno, diversi fiduciari assicuravano dal punto di vista amministrativo il funzionamento della fabbrica e senza dubbio si incaricavano di informare il cardinale circa l'avanzamento del cantiere, gli eventuali problemi insorti, le scelte necessarie, nonché il giudizio di eventuali visitatori.

L'organizzazione

A giudicare dalle fonti conservate, il tesoriere dell'arcivescovado di Rouen registrava le entrate e le uscite dell'intera diocesi su quaderni annuali, iniziando, nella maggioranza dei casi il giorno di San Michele. Di regola, quindi, i conti andavano dal 29 settembre di un anno al 28 settembre di quello successivo, anche se in alcuni casi queste date potevano variare. Il criterio vale anche per gli incaricati delle numerose signorie o possedimenti dipendenti da Rouen, come Gaillon, di cui gli Archives Départementales de la Seine Maritime conservano molte annate. I consuntivi annuali di ogni singola signoria o possedimento venivano poi computati nel bilancio complessivo dell'arcivescovado. In genere questi conti comprendevano ogni genere di spesa: dall'acquisto di generi alimentari, alla paga del personale di servizio permanente nei vari *manoir*, a cera e olio per le candele, alle necessità liturgiche e alle spese di manutenzione delle strutture. Durante l'episcopato di Georges d'Amboise, nei conti di Rouen, Déville-lès-Rouen e Gaillon, accanto a queste voci compaiono importanti spese per la costruzione di nuove fabbriche. Per Gaillon gli importi sono talmente ingenti da richiedere una registrazione a parte, espressamente dedicata ai lavori edili, per molte annate addirittura distinguendo l'edificio dal giardino, tanto i due cantieri procedevano parallelamente e autonomamente l'uno dall'altro[7].

Nei primi anni le spese sono relativamente modeste, probabilmente a fronte di un cantiere ancora lontano dagli sviluppi monumentali successivi: tenendo presente che per il 1499-1500 manca qualsiasi tipo di indicazione, tra l'autunno 1497 e l'estate 1501 si spendono 6278 *livre tournois* (d'ora in poi *lt*). La mancanza di registri dettagliati per questo primo periodo non consente di capire l'organizzazione del cantiere nella fase iniziale. Le cose cambiano a partire dal 1501-02 quando inizia la serie dei registri dettagliati. È però necessario fare alcune premesse sul tipo di fonti e sulla loro utilizzabilità. Nella sua monumentale pubblicazione Achille Deville ha seguito l'ordine di catalogazione dei documenti, che non sempre rispetta quello cronologico: vi sono quindi frequenti balzi in avanti o indietro nella cronologia, rendendo più complessa l'elaborazione dei dati. Un altro registro, relativo al periodo compreso tra l'8 ottobre e il 29 novembre 1502, era sfuggito all'archivista[8]. I *receveur*, addetti a tenere questi complicati conti (tanto le somme stanziate, le *recepte*, quanto le spese, le *mise*) cambiano più volte: Pierre Mesenge dalla fine del 1501 a tutto il 1503; Richard Guere nel 1504-1505; Guillaume de Bonnaire nel 1505; Monsieur de Genly dalla fine del 1505 alla fine 1506, probabilmente Jacques de Castignolles nel 1507 e infine Claude de Launay dall'inizio del 1508.

Ciascuno di loro adotta un metodo di registrazione e abbreviazione proprio, per ciò che concerne le date, i soggetti e gli oggetti dei pagamenti. Così in alcuni casi si fa riferimento in modo abbastanza puntuale al tipo di lavoro richiesto e al contratto stipulato, al nome e alla qualifica dell'operaio, alla data del pagamento. In altri casi alcuni o tutti questi dati sono incompleti o assenti, dando solo le cifre versate. Circa queste ultime, il sistema *livre-sou-denier tournois* (libbre, soldi, denari) per cui 1 *livre* vale 20 *sou* oppure 240 *denier* e 1 *sou* vale 12 *denier*, la grafia in numeri romani adottata nei conti e il sistema delle moltiplicazioni e addizioni interne[9], rendono maggiormente complesso il conteggio delle singole giornate lavorative di un dato operaio o delle somme pagate per una data opera.

Anche nel periodo relativo ai registri dettagliati ci sono alcune lacune: la registrazione è pressoché completa per le annate 1502-03; 1504-05; 1506-07 e 1508-09; mancano un mese e mezzo per il 1501-02, quattro mesi e mezzo per il 1505-06, tre per il 1507-08 e, per quel che concerne l'edificio difettano completamente i dati relativi al 1503-04, i cui documenti riguardano solo il giardino e il parco (tav. VI).

A fine esercizio ogni registro era esaminato e approvato da diverse persone di fiducia di Georges d'Amboise, tra i quali spiccano Thomas Bohier e Pierre Legendre. In genere i pagamenti venivano effettuati il sabato a meno di casi particolari, come prestazioni occasionali di operai estremamente specializzati o che hanno lavorato fuori dal cantiere e consegnano direttamente un prodotto finito, o figure esterne che hanno visitato il cantiere per i più disparati motivi o per fare la spola dalla momentanea residenza del cardinale a Gaillon al fine di trasmettere qualche messaggio. I lavoranti dei vari settori che invece sono fissi sul cantiere, almeno nelle prime fasi, sono pagati settimanalmente, un tanto al giorno, a seconda della loro qualifica.

Dal confronto tra le tavole II e III si evince che le spese per Gaillon, subiscono un'impennata dalla fine del 1507 a tutto il 1509. Al di là della coincidenza temporale con la visita della corte nel settembre 1508, con il progressivo avanzare dei lavori in questi anni intervengono massicciamente pittori, scultori e decoratori di ogni sorta, meglio retribuiti e che adoperano materiali più costosi, e il castello viene ammobiliato e rifinito mettendo in gioco innumerevoli artigiani. Inoltre il cardinale ha a disposizione risorse maggiori: nel corso del 1506-07 gli altri cantieri di Georges d'Amboise vengono progressivamente terminati: ne abbiamo evidenza documentaria per Déville e Rouen (tav. II) e possiamo supporlo per Blois e Vigny, entrambi abitabili[10]. In più le risorse dell'intera diocesi sembrano convergere su Gaillon[11].

Il cantiere procede per settori verticali relativi ai singoli corpi di fabbrica che compongono il castello, alcuni gestiti in contemporanea da squadre diverse. La predilezione per i volumi contrastati in cui ogni parte ha la propria copertura indipendente facilita questo tipo di procedura.

Per gestire gli orari e i movimenti di un così vasto cantiere, nell'aprile 1505 vengono comprati due orologi e una campanella «pour sonner à Gaillon l'eure des maçons»[12].

Nell'introduzione ai *Comptes* Deville menziona una *Revues des arti-stes de Gaillon*, una lista di tutti gli operai, artigiani e artisti attivi nel cantiere tra il 1502 e il 1509, identificando 22 muratori, 14 carpentieri, 7 scultori, 19 pittori, 5 pittori su vetro, 8 falegnami, 3 fonditori, 3 idrauli-ci, 7 battiloro, 6 fabbricatori di mattoni, 4 fabbri ferrai, 2 maniscalchi, 6 lavoranti per i tetti (d'ardesia e non), 7 carrettieri, circa 30 fornitori di calce, 3 orafi, 12 tappezzieri, 3 fornitori di stoffe... Chiaramente questa lista evidenzia tutti i tipi di lavoro necessari per una residenza princi-pesca, dalle opere di muratura e carpenteria alle decorazioni, al mobi-lio e alle suppellettili. Tuttavia esclude un gran numero di lavoranti non specializzati, garzoni, addetti alle pulizie e all'eliminazione dei detriti, nonché gli specialisti dei giardini e coloro che si occupano nella fauna del grande parco. Inoltre questa lista non rende le importanti sfumatu-re che si percepiscono nella lettura dei diversi documenti, circa le capa-cità di molti artisti in settori apparentemente diversi. Così Jean Barbe[13] è elencato sia tra i pittori che tra i pittori su vetro mentre Jérôme Pa-cherot è presentato come un maestro di muro, quando in realtà le sue competenze sono anche quelle di scultore su marmo, legno e rame.

Nonostante l'assenza dell'architetto 'progettista e direttore dei lavo-ri', modernamente inteso, è evidente una gerarchia tra i *maçon*. Alcuni di essi, i *maître*, oltre a essere responsabili dell'esecuzione di parti più delicate dell'edificio e percepire salari più alti, fanno la spola tra Rouen e Gaillon per controllare l'andamento delle due fabbriche o incontrare i fiduciari del cardinale, o con Tours e Blois, per dare notizie e ricevere indicazioni dallo stesso Georges d'Amboise[14].

Alcuni *maître-maçon* – Guillaume Dumouchel, Colin Castille, Va-lence – misurano in tese la zona delle vigne «la où Monseigneur veut faire faire une allée et pavillon» mentre i colleghi Jean Valence e *maistre Raoul*, falegnami, esaminano la zona in vista della costruzione della *grande tonnelle*[15], altri visitano le cave per scegliere la pietra da costru-zione o i boschi per il legname[16]. Non ne abbiamo evidenza documen-taria ma certamente Pierre Fain, Pierre Delorme, Guillaume Senault, Guillaume de Mainville, Colin Byart[17] e Jérôme Pacherot hanno avuto ruoli determinanti nella definizione costruttiva delle diverse parti del castello loro affidate. Essi lavoravano su elaborati grafici andati perdu-ti: la menzione di alcuni *portraict* che nel gennaio 1503 il *maître-maçon* Guillaume Senault porta da Gaillon a Rouen per mostrarli al cardinale[18], conferma tale prassi. Questi disegni a volte erano stati eseguiti da personaggi assenti dal cantiere e nei contratti (*marché*) viene specificato che il maestro di muro o lo scalpellino dovranno seguire il modello indicato nel *portrait* o *patron* mostratogli da uno dei fiduciari del cardinale. È il caso del *tailleur de pierre* Michellet Loir che si impegna a mettere in opera le *anticquailles* scolpite da Guido Mazzoni seguendo precise indicazioni «selon le patron qui lui a esté baillé, signé de monseigneur de Genly»[19]. Altre volte, in genere per quel che riguarda i dettagli, si direbbe che i disegni vengano eseguiti à pie' d'opera dai *maître-maçon*: il pagamento effettuato al falegname Riccardo da Carpi «pour avoir baillé et livré aux maistres maçons plusieurs esquerres, règles et tables à pourtraire», cioè strumenti da disegno, indica senza dubbio una attività grafica[20], così come la fornitura di sei pelli di pergamena *velin* «pour faire les pourtraicts des chaires de la chappelle»[21].

Il pagamento settimanale dei muratori, normalmente recepito il sabato si riferiva a sei giornate lavorative. La paga giornaliera di un *maître maçon* era di 7 soldi e 6 denari, quella dei muratori semplici, a seconda delle competenze, variava dai 3 soldi e 4 denari ai 2 soldi al giorno; i lavoranti e garzoni percepivano dai 20 denari ai 2 soldi al giorno. La consegna di manufatti particolari, come i singoli scalini delle scale elicoidali, elementi scolpiti per finestre, piattabande, erano invece pagate *à tache*, un tanto a pezzo, come per le forniture di materia prima.

Questo vale anche per la mano d'opera non specializzata, impiegata per le più svariate occorrenze[22].

I conti di costruzione rimandano sempre ad accordi precedentemente stipulati con gli operai, in genere senza specificare i dettagli dell'esecuzione richiesta né i termini contrattuali. Tuttavia, precedentemente al 1507, si direbbe che le squadre di muratori siano impiegate alla bisogna, in diverse parti del cantiere, compreso il giardino, senza essere legate a una fabbrica specifica e a limiti di tempo. Questa organizzazione evidentemente può determinare il protrarsi delle opere molto a lungo con la conseguente crescita dei costi. Vuoi per una più coscienziosa riflessione economica, vuoi perché il cardinale vuole vedere i lavori terminati e il castello abitabile e atto a ricevere ospiti di riguardo e ambasciatori stranieri, dal 1507 alcune modifiche importanti nella stipula dei contratti traspaiono dalla registrazione dei conti. Pierre Delorme, reduce dal cantiere di Rouen, sembra il primo a usufruirne. Per il corpo di fabbrica che chiude la corte sul lato sud-ovest (fig. 14, M) è stato stabilito un prezzo, a prescindere dai tempi di esecuzione[23]. I lavori in effetti devono essere stati condotti velocemente se la gru per lavorare nelle parti alte viene montata il 17 aprile 1508 e smontata il 4 settembre successivo[24]. Questa procedura permette di controllare le spese, non solo della mano d'opera (indotta ad affrettarsi) ma anche delle forniture, poiché in concomitanza con questo cambiamento contrattuale si nota anche la tendenza a moltiplicare i registri dedicandoli a settori specifici della costruzione. Nel caso della *Maison que fait Pierres De Lorme* si tratta di un registro che comprende la stessa e alcuni edifici del parco: pietra, legname, calce, mattoni, sabbia riguardano quindi solo queste parti del castello. Delorme in questo caso gestisce anche i pagamenti degli operai della sua squadra, dei quali, quindi, ignoriamo nomi, qualifiche, competenze e salari. Il prezzo, comprensivo di tutto dalle fondamenta, alle murature, ai rivestimenti e alle rifiniture di porte e finestre, «plus à plain declaré», cioè meticolosamente descritto nei *devis* allegati ai *marché*, viene poi stabilito "a misura" sulle dimensioni dell'edificio. Delorme ottiene 4 *livre* e 5[s] «pour chacune toise[25] de peine d'ouvrier»[26] per il nuovo corpo di fabbrica mentre l'anno successivo, per «reparer le vieil corps d'ostel du chasteau qui join à cellui que fait à present neuf»[27] il *pris fait* è di 400 lt[28], corrisposte in 15 rate, senza che nulla sia specificato circa i materiali, la mano d'opera o i singoli interventi.

In alcuni casi la squadra gestisce anche direttamente l'approvvigionamento: Pierre Fain, la cui équipe è responsabile di un certo numero di lavori allo stesso tempo, ha anticipato il pagamento di 493 *livre* 6[s] e 8[d] per due carichi di pietra, l'uno da Vernon e l'altro da Saint-Leu e richiede il rimborso al *receveur* Claude de Launoy, che trascrive molto coscienziosamente tutti i dati[29].

Nel corso del 1508 si moltiplicano i contratti a forfait, ai quali si aggiungono anche vincoli temporali e la completa gestione dell'approvvigionamento dei materiali. Così, il 1 febbraio 1508, ancora Pierre Delorme si impegna a finire i lavori relativi al portale verso il giardino, la cui costruzione si protraeva da anni, promettendo di concludere entro «La Sainct-Jehan-Baptiste prouchain venant, et livrer toutes matières [...] moiennant la somme de six livres dix solz tournois pour chacune toise»[30] mentre al suo collega Guillaume Mainville è allogata una nuova cucina, tra il portale e la *maison Delorme* (fig. 14, P) fornendo tutti i materiali[31]. Nel dicembre 1507, Pierre Fain, Guillaume Senault e Jehan Fouquet si impegnano a fare altre cucine (fig. 14, S) «fournir toutes matières, les rendre prestes dedans la Toussaint prochain venant» per 7 *livre* e 10[s] alla *toise*[32].

La procedura si applica anche ad altri settori della costruzione: il 12 febbraio il carpentiere Martin Desperroiz promette di fornire le capriate per i tetti della cappella, della *grande vis*, della galleria e altri corpi di fabbrica per 2250 *livre tournois* «par ainsi qu'il doit fournir toutes matières et rendre tout prest à ses despens»[33]; a fine gennaio il fabbro ferraio Michellet le Serf si era impegnato a fare la grande voliera del giardino, entro la prossima Pasqua, comprese le forniture di materiali per 150 *livre tournois*[34].

Anche alcune parti della decorazione sono appaltate in questo modo: è il caso della pittura e doratura del padiglione, delle gallerie e di tutte le strutture lignee del giardino, affidata agli italiani Lyenard de Feschal e Jehan Testefort per 1500 *livre tournois* ma non quello dei vetri delle finestre forniti da Jean Barbe: pur non trattandosi di vetrate istoriate egli è pagato 4 soldi per ogni piede di «verre bordé à grant bort de peinture» e solo 2 soldi per i vetri bianchi[35]. Naturalmente alcune forniture non possono seguire il sistema forfettario: lo stesso le Serf è pagato a peso per «toute la ferraille qui y sera necessaire», che si tratti di pezzi grossi per le tubazioni, di discendenti o di chiodi[36].

I rischi delle esecuzioni velocizzate dal pagamento forfettario non sfuggono ai fiduciari di Georges d'Amboise che, soprattutto per parti delicate, si premuniscono: Monsieur de Sauveterre e il tesoriere Pierre Legendre inseriscono nel contratto per le coperture stipulato con Jehan le Moine, *couvreur d'ardoise*, la clausola secondo cui se «ung an après lesd. couvertures faictes il pleust dedens [...] led. Le Moine sera tenu de le refaire et amender à ses despens»[37]. Ma anche i caposquadra che agiscono da imprenditori chiedono alcune assicurazioni nel caso in cui i patti non vengano rispettati ed essi abbiano già investito nelle forniture, tanto che Pierre Delorme riceve 50 *livre tournois* «pour le remboursement du pont que on lui avoit promis faire, ce que l'on n'a fait»[38].

Materiali

I conti di costruzione registrano tutti i tipi di spesa: la mano d'opera (la componente maggiore), i materiali e il loro trasporto, le macchine (la loro costruzione e la loro gestione), lo smaltimento dei detriti, la pulizia delle stanze, le piante e gli animali del giardino e del parco (il loro acquisto, trasporto e mantenimento), il vino per gli operai, i viaggi, fino ai dettagli decorativi esterni e interni, al mobilio, alle stoffe e ai libri miniati o copiati negli atelier di Rouen e destinati alla biblioteca di Gaillon.

Questa messe di dati è difficilmente gestibile ma alcune considerazioni possono essere fatte rispetto a un campione, in relazione alle opere in muratura, decorazione esclusa (*gros-oeuvre*). Nel periodo 1501-1503, per esempio, la distribuzione delle risorse tra materiali (21%), trasporto (5%) e mano d'opera (74%) mostra l'incidenza di quest'ultima (tav. VII).

Tra i materiali, se si escludono i marmi e i metalli preziosi impiegati nella decorazione interna, la pietra – elemento basilare nella tradizione costruttiva francesi – è la voce di spesa maggiore; di conseguenza l'incidenza della mano d'opera è data soprattutto dai salari dei *maître maçon*, responsabili del taglio e delle parti modanate.

A metà strada tra Parigi e Rouen, lungo il corso della Senna, Gaillon è magnificamente situato per l'approvvigionamento dei materiali, soprattutto per la pietra che proviene dalle cave di Louviers, Vernon e Saint-Leu d'Esserent, tutte, come testimoniato dai conti, accessibili via acqua lungo la Senna e l'Oise (fig. 50). A tal fine viene approntato un *port aux pierre* sulla riva occidentale del fiume, dove giungono i battelli con i materiali. Diversi lavoranti assicurano lo scarico e il trasporto finale tramite carretti fino al cantiere, sulla sommità della collina. Due ingressi vengono utilizzati, uno nel parco e l'altro corrispondente allo *châtelet*. Garzoni e uomini di fatica collaborano poi a spostare pietra, sabbia e calce da un punto all'altro del castello, secondo le necessità. Al *port aux pierre* giungono anche pezzi speciali, mandati da Rouen: è il caso della fontana scolpita da Pace Gagini e Antonio della Porta, «compaigné de Gennes à Gaillon»[39] da Bertrand de Meyanl, via mare fino a Honfleur, da qui, via fiume, a Rouen e poi al *port aux pierre*, quindi trainata fino al castello[40]. Altri manufatti d'eccezione, come le statue marmoree di Luigi XII, Georges d'Amboise e Charles de Chaumont, vengono invece trasportate via terra da Milano, a Parigi, quindi a Gaillon[41].

La lavorazione dei materiali grezzi, in particolare il taglio della pietra, viene fatta quasi sempre a piè d'opera. Lo stoccaggio avviene in ricoveri lignei approntati per l'occasione; i mattoni, fabbricati *in situ* grazie alle 15 fornaci menzionate nei conti, vengono stoccati in apposite *loge* coperte[42]. La maggior parte delle costruzioni era in muratura, con solai lignei e altissimi sottotetti sostenuti da complessi sistemi di capriate. Volte lapidee esistevano certamente nelle cantine della *Grant' Maison* (fig. 51)[43], nelle cappelle sovrapposte, nei passaggi dello *châtelet* e del portale verso il giardino. Almeno nella cappella inferiore esse assumevano la particolare forma delle cosiddette *voûte-plate* (fig. 53), una composizione statica ibrida, basata sull'uso dell' *arc-diafragme* come sistema spingente di sostegno, su cui poggiano le lastre lapidee scolpite[44].

Le forniture di pietra erano per lo più di due tipi: pietra grezza proveniente dalle cave di Vernon e Saint-Leu ed elementi prefabbricati, come gli scalini delle due scale a chiocciola, realizzate con la più resistente e compatta pietra di Louiers (tav. VIII).

La pietra di Saint-Leu, avorio tendente al giallo, granulosa, contiene tracce di fossili. Nonostante le cave fossero lontane, nei pressi di Chantilly, la vicinanza con un affluente della Senna, l'Oise, rendeva il trasporto abbastanza semplice. Le cave di Vernon, situate lungo il fiume appena a sud di Gaillon producevano una pietra calcarea, bianca dalla grana molto sottile. Le cave di Louviers, infine, erano situate a nord del castello, più lontane dal corso d'acqua. I conti non permettono di capire se in questo caso il trasporto avveniva prevalentemente via acqua o via terra.

Sia la pietra di Vernon che quella di Saint-Leu potevano essere di diversa qualità, più o meno dura, come mostrato dalle oscillazioni dei prezzi alla tonnellata e come notato durante la visita dei membri dell'Académie Royale d'Architecture nel 1678, particolarmente interessati proprio ai materiali lapidei[45]. Probabilmente questa variazione dipendeva dal tipo di destinazione, dalle strutture portanti ai rivestimenti scolpiti. Entrambi i tipi di pietra, se di taglio tenero, si prestano facilmente alla scultura ma sono poco resistenti rispetto agli agenti atmosferici e di conseguenza molto deteriorabili.

Una fornitura di pietra particolare riguarda la pavimentazione della grande-cour. Oltre alla terra e alla mano d'opera che si va a cercare espressamente au pays de Beauvoisis, in realtà non lontano, e alla pietra calcarea, si fanno venire carichi di pietra nera dalla Basse Normandie, di pietra grigia, rossa e verde, forse proveniente da Isigny[46], per tramite del prete Jehan Vaultier[47].

I conti menzionano anche una ingente produzione di mattoni destinati alla Grant' Maison. I mattoni erano certamente usati per le ciminiere e le condotte dei camini ma la quantità di pezzi prodotti potrebbe far supporre che essi servissero anche per parti strutturali, poi rivestite in pierre d'appareil. Il pagamento al briquetier Estienne Bellay per la fornitura di 54.000 mattoni «pour faire le corps de la Grant' Maison»[48] differisce infatti da quello a Colin Macquerel che ha caricato alcuni mattoni «pour les cheminées du grand corps d'ostel»[49]. Certamente i mattoni servivano anche per la tamponatura dei tramezzi interni (cloison) dalla struttura lignea, affidata ovviamente ai carpentieri[50]: il muratore Guillaume Nouel è pagato «por avoir cloz de bricque les cloisons du corps d'ostel que a fait Pierre de Lorme»[51]. Altri mattoni sono usati per i pilastri di spinta del muro del giardino (fig. 52)[52].

Il legname viene prevalentemente dal bosco di Clères, specialmente per i correnti dei solai, o anche da Saint-Vaindrille[53] ma non mancano essenze particolari, come il «Boys d'Yrlande» acquistato nel marzo 1509 e il legno inviato nel febbraio precedente da Parigi[54]. Clères e Saint-Vaindrille sono entrambi situati sulla riva orientale della Senna, oltre Rouen, ed è quindi presumibile che anche in questo caso i materiali giungessero prevalentemente via acqua.

Il marmo lavorato in cantiere per gli ornamenti d'architettura è affidato agli italiani. Bertrand de Meynal si occupa del montaggio della fontana di Genova e Jérôme Pacherot dell'altare della cappella superiore, affiancato dallo stesso Meynal e da un altro italiano, indicato come Jean Chersalle.

Macchinari

In assenza dei *marché* e dei *devis*, nei quali i committenti spiegavano dettagliatamente cosa si dovesse fare e come, i conti di costruzione non danno molte informazioni sulle tecniche costruttive e sui macchinari.

Il *maître-maçon* è depositario dell'arte di «tailler et asseoir la pierre» – la stereotomia, lo *charpentier* prima ancora di occuparsi delle capriate di copertura sega e assembla «des hez et des membrures pour servir aulx chintres des voûtes», ovvero fabbrica le centine delle volte delle cantine. Ma in generale per quanto riguarda i mestieri, i conti di Gaillon sono abbastanza laconici. Ricorrono verbi come «curer», occuparsi di qualcosa, «livrer», consegnare, senza dire con quali mezzi, «vaquer», attendere a qualcosa, o «servir» dei garzoni ai capomastri, fino alla formula più laconica «pour avoir ouvré de son mestier».

Alcuni macchinari erano impiegati per il sollevamento dei materiali fino alle parti più elevate del castello. Si tratta in genere di *grue* o *camyon*, realizzati in legno e attivabili grazie ad argani[55] e a funi che necessitano di essere continuamente oliati[56]. A volte la loro manutenzione è affidata al maniscalco, come nel caso di una gru smontata e riassemblata in un altro punto del cantiere, dopo averle «refait aucuns ferremens convenables apropriés à une grue»[57]. Le gru sono infatti smontabili facilmente e possono essere poste anche sulle strutture in costruzione, al fine di raggiungere le parti più alte: il carpentiere Jehan Avisse ha «desassemblé et reassemblé les deux grues qui estoient au par bas du corps d'ostel et mises par hault sur la charpenterie, et y avoir mis aucuns pieces de bois neuf»[58]. I cavi del macchinario sono fatti in canapa e nell'economia generale sembrano piuttosto costosi: due funi, per il peso complessivo di 468 libbre vengono pagate 39 *livre* e 5^{8}[59].

Nel settembre 1505 una delle gru di maggiori dimensioni (la *grant grue*) si rompe ma non sembra che il cantiere abbia sofferto danni eccessivi[60]. Benché essa venga rifatta, una nuova ne viene acquistata dall'abate de La Croix per il cantiere del portale verso il giardino, successivamente ferrata dal maniscalco e fornita di una nuova ruota e di nuovi cavi[61]: probabilmente la moltiplicazione delle fabbriche contemporaneamente in lavorazione ha richiesto anche un aumento sensibile dei macchinari.

I *camyon* sembrano essere più piccoli, forse destinati al sollevamento del legname; uno ne viene fabbricato da Cardin Clerisse nel gennaio 1506[62] e qualcosa di simile doveva essere il più generico *engin* (attrezzo) comprato per 18 *livre tournois* dal tesoriere della chiesa di Saint-Pierre d'Evreux nel mese di marzo «pour ce qu'il estoit besoing d'avoir un engin pour monter le boys de la maison, tour et portail»[53].

La pietra da costruzione di piccole dimensioni (*moellon*, ciottoli come quelli usati per la muraglia del parco [fig. 52], successivamente ricoperta «à pierre perdue»[54]) viene sollevata grazie a pale e cassette[55].

Macchinari speciali vengono approntati per oggetti fragili o di notevoli dimensioni e peso, come nel caso del ponteggio realizzato da Jehan Avisse «pour mectre dedens le chasteau le bassin de la fontaine» genovese[56] o ancora per sollevare una lastra di marmo e posizionarla sull'altare[57].

In previsione dell'arrivo dei marmi genovesi il *fontanier* Pierre Valence[58], coadiuvato da un italiano di cui non è specificato il nome, comincia ingenti lavori per le condotte che assicureranno il rifornimento idrico per la fontana da montare al centro della *grande cour*. Si tratta di un'opera tecnicamente molto complessa, anche perché Valence ottiene una pressione molto forte, tale che «monta l'acqua clara, frescha et salubre quanta al mondo se ne possa desiderare»[59]. Il mercante di Milano inoltre segnala che «quando si stopa uno certo busso di sotto, l'acqua salta alta in su dritta più di 4 braza»[60].

Ma nella gestione ordinaria del cantiere l'acqua per l'impasto delle malte per le murature fino ai muri di confine del parco arrivava probabilmente con condotte provvisorie, forse con ruote a cassetti: Raulin de la Haye, carpentiere, è infatti pagato per la fabbricazione di «auges pour fere aller l'eau pour faire le mortier du jardin»[61], ma si usano anche secchi per il trasporto a mano[62].

Altri attrezzi minori menzionati sono: *brouette* (carriola), *chivier* (pala), *ceaul* (secchi), *claye* (setacci), *mace à deffaire le mortier* (mazze per sgretolare la malta).

NOTE

[1] Alcune di queste riflessioni sono state presentate nella comunicazione F. Bardati, *Nella dimora del cardinal d'Amboise: il cantiere di Gaillon (1498-1510)*, presentata al Convegno *Nella dimora del cardinale, del principe e del mecenate: le parole del cantiere*, organizzato da C. Conforti, M.G. d'Amelio, H. Schlimme, Roma, Università di Tor Vergata, 3 aprile 2009.

[2] Achille Deville, *Comptes de dépenses de la construction du château de Gaillon*, Paris 1850.

[3] Si veda O. Chastillon (a cura di), *Du projet au chantier. Maîtres d'ouvrage et maîtres d'œuvres aux XIVe-XVIe siècle*, Paris, École des Hautes Études en Sciences Sociales, 2001.

[4] Archives Départementales de la Vienne, *Carton 37*, pièce 8.

[5] Si veda *supra*, cap. 3 e F. Bardati, *Le château de Gaillon: du projet de Poitiers à l'édifice réalisé sous Georges Ier d'Amboise*, in T. Berrada (a cura di), *Du dessein à l'exécution. Architectes et commanditaires: cas particulier, du XVIe au XXe siècle*, Atti della giornata di studio (Parigi 2004), Paris 2006, pp. 18-33.

[6] Si veda la comunicazione di Julien Noblet *Du rôle des femmes dans la fondation des collégiales funéraires en France (1450-1560)*, al convegno *Homme bâtisseur et femme bâtisseuse: analogie, ambivalence, antithèse?* (Paris, 2-4 dicembre 2008) a cura di S. Frommel e F. Bardati, in corso di pubblicazione. A Gaillon, Mme de Genly, moglie di uno degli uomini di fiducia del cardinale, figura in più casi tra coloro che controllano i registri di conti, o che danno mandato ad alcuni operai di realizzare opere o acquistare materiali.

[7] Per il cantiere di Rouen ci sono giunti solo due registri specifici, conservati insieme alla serie di Gaillon (Archives Déaprtementales de la Seine Maritime [d'ora in poi AD Seine-Maritime], G, 614 e 615.

[8] AD Seine-Maritime, G, 2031 (la trascrizione completa del documento si trova in F. Bardati, *L'architettura francese di committenza cardinalizia nella prima metà del Cinquecento: i cardinali protagonisti delle guerre d'Italia*, tesi di Dottorato in Storia dell'architettura, Università di Roma "La Sapienza" e Université François Rabelais di Tours, Centre des Études Supérieures de la Renaissance, 2002, relatori A. Bruschi e J. Guillaume, Appendice, pp. VIII-XI).

[9] Per cui, ad esempio, 95 soldi vengono indicati con IIII^{XX} XV^{s} (ovvero 4x20+15=95).

[10] Un pagamento effettuato entro il 1505 si riferisce a lavori già effettuati a Blois (AD Seine-Maritine, G 89, f. 30). Ai primi del 1508 Vigny è già ammobiliato e decorato da arazzi che il cardinale fa trasportare a Gaillon in vista della venuta del re (A. Deville, *Comptes de dépences...* cit., p. 306).

[11] Si vedano i numerosi viaggi per far giungere i soldi a Gaillon (ivi, pp. 305, 306, 354, 372-373).

[12] Ivi, p. 133.

[13] Su Jean Barbe si veda M. Callias Bey, *"A l'Escu de voirre": un atelier rouennais de peinture sur verre aux XVe et XVIe siècles*, in «Bulletin monumental», 1997, pp. 237-242

[14] A. Deville, *Comptes de dépences...* cit., pp. 39, 176, 309.

[15] Ivi, p. 42, 48. Sulle *tonnelle* si veda *infra*, cap. 7.

[16] Colin Byart insieme al capitano del castello di Gaillon, M. Picquet, si reca a Saint-Leu d'Esserent «pour choisir la pierre de la chappelle de la grant maison» (ivi, pp. 183, 189), poi a Vernon e Louviers con Guillaume Senault (ivi, pp. 185, 186). Colin Thomas fa undici viaggi al bosco di Clères per scegliere il legname destinato ai correnti per i solai del primo piano della *Grant' Maison* (ivi, p. 114).

[17] Byart in particolare, già attivo nelle fabbriche reali, è detto *maistre Byart* (ivi, pp. 162, 164) e compare la prima volta nel cantiere proprio per esaminarne l'andamento e riferire al cardinale: «A maistre Collin Byart, qui a este envoyé de par monseigneur de Bloys à Gaillon et Rouen visiter les edifices que mond. seigneur fait faire» (ivi, pp. 126, con ratifica del pagamento a p. 133).

[18] Ivi, p. 39.

[19] Ivi, p. 274.

[20] Ivi, p. 124.

[21] Ivi, p. 393.

[22] *Manœuvres en tache* (ivi, p. 192).

[23] Ivi, pp. 191-205 per l'intero registro. La menzione usata nella chiusura di conto è «Le corps d'ostel baillé à pris fait à Pierre de Lorme». Nel corso di un anno questa specifica fabbrica è costata 97 *livres* 8^s e 3^d *tournois* (ivi, p. 205).

[24] Ivi, pp. 198, 204.

[25] La *toise* vale ca. 196 cm.

[26] A. Deville, *Comptes de dépenses... cit.*, p. 256.

[27] Ovvero il *logis d'Estouteville* che, oltre a manutenzione ordinaria ormai necessaria, deve essere armonizzato con le nuove costruzioni, al fine di rendere più omogenea la *grande cour* (cfr. *supra*, cap. 2 e 3).

[28] A. Deville, *Comptes de dépenses... cit.*, p. 257.

[29] Ivi, p. 255.

[30] Ivi, p. 258.

[31] Ivi, p. 270.

[32] Ivi, p. 319.

[33] Ivi, p. 259.

[34] Ivi, p. 265.

[35] Ivi, p. 266.

[36] Ivi, p. 267.

[37] Ivi, p. 272.

[38] Ivi, p. 277.

[39] Ivi, p. 363.

[40] Ivi, pp. 303, 313-315.

[41] Due *chartier* hanno fatto la tratta da Milano a Parigi, percependo 13 *livres* 2^s 3^d per il vino e le funi consumate (ivi, p. 287) mentre il *voicturier* Roger Aubert riceve 27^s per il tragitto più breve da Parigi a Gaillon (ivi, p. 286).

[42] Ivi, pp. 47-49

[43] L'immagine corrisponde a una cantina ricavata nelle fondazioni delle antiche torri. Una volta ribassata tessuta longitudinalmente copre l'estensione della *Grant' Maison*, come notato da Jacopo Probo a proposito della «caneva» (Antologia di fonti, 3).

[44] F. Bardati, *Italian "forms" and local masonry in early French Renaissance: the stone coffered ceilings called "voûtes-plates", from the castle of Gaillon to the Bouton Chapel in Beaume*, in S. Huerta (a cura di), *Proceedings of the 1st International Congress on Construction History* (Madrid 2003), Madrid 2003, vol. I, pp. 313-323; Eadem, *Les plafonds à caissons en pierre dits «voûtes-plates»: recherches entre Flamboyant et Renaissance*, in M. Chatenet e C. Mignot (a cura di), *Le Gothique de la Renaissance* (in corso di pubblicazione).

[45] Si veda Antologia di fonti, 9.

[46] A. Deville, *Comptes de dépenses... cit.*, p. 398.

[47] Ivi, pp. 395-398.

[48] Ivi, p. 113.

[49] Ivi, p. 119. Altri esempi a p. 330.

[50] Si veda il riferimento al contratto per i tramezzi del *corps Delorme*, ivi, p. 333.

[51] Ivi, p. 329.

[52] «Pour fere les murs et pilliers du jardin» (ivi, p. 98); «XXIII milliers de bricques pour le corps d'ostel et partie pour les pilliers de la muraille du jardin» (ivi, pp. 123-124).

[53] Ivi, pp. 114, 128, 172.

[54] Ivi, p. 393.

[55] Ivi, p. 130.

[56] «Pour gresse et suif pour engresser les gruyes et camyons, 19^S» Ivi, p. 120.

[57] Ivi, p. 121. Un intervento di questo tipo costa 28^S.

[58] Ivi, pp. 122-123, 130.

[59] Ivi, p. 125. Altri casi, ivi, pp. 129, 130, 131.

[60] Ivi, p. 131.

[61] Ivi, pp. 138-139.

[62] Ivi, p. 168.

[63] Ivi, p. 172.

[64] Ivi, p. 334.

[65] Ivi, p. 127: «syvières et basquets pour servir à monter et porter la pierre de mollon».

[66] Ivi, p. 313-314

[67] Ivi, p. 371.

[68] Per tutte le fasi di trasporto e lavorazione si veda ivi, pp. 298, 313-318, 327, 356, 363.

[69] Antologia di fonti, 3.

[70] Antologia di fonti, 5.

[71] A. Deville, *Comtes de dépenses...* cit., p. 79.

[72] Ivi, p. 122.

Il parco e il giardino: gli spazi «per caza o per delectazione» di un cardinal-legato del Rinascimento

Lo studio dei giardini e dei parchi rinascimentali è notoriamente reso molto difficile dalle inevitabili trasformazioni che questi spazi subiscono per loro stessa natura col passare del tempo. Benché in Francia per il XVII secolo esistano numerosi studi di settore, altrettanto non può dirsi per il primo Cinquecento[1]. In questo quadro la committenza del cardinale Georges d'Amboise in Normandia, tra il 1494 e il 1510, è ben documentata, permettendo di avanzare alcune ipotesi sulla consistenza, i fattori comuni, i modelli dei giardini dei castelli di Déville-lès-Rouen, Gaillon e Vigny e del palazzo arcivescovile di Rouen[2].

Già nel palazzo di Rouen, nonostante le dimensioni limitate del lotto, viene creato un vasto 'giardino segreto', su cui affacciava l'appartamento privato del cardinale e dove il rapporto tra spazi residenziali e giardino ricorda palazzo Venezia a Roma[3].

Completamente circondato da gallerie porticate al piano terra e decorate con bassorilievi marmorei di fattura italiana, il giardino era scandito da viali lastricati a separare i *parquetz*, settori quadrati o rettangolari delimitati da griglie lignee e piantati con essenze di vario tipo, in genere fiori, piccoli arbusti e piante aromatiche, che suscitano l'approvazione di Antonio de Beatis, segretario del cardinale d'Aragona, in visita a Rouen nel 1517: «Le stantie de lo dicto arcivescovato, quali forno fabricate per sua s. rev.ma, son bellissime et tucte lavorate de pietre, ben sumptuose con sale, camere riccamente intemplate, appartamenti assai et bene intesi. Tiene anche un bel quatro de zardino, però senza arbori, come è l'uso di quelle parti; in mezzo del quale è una fontana marmorea molto ornata, et butta in alto assai»[4]. Il giardino era infatti dotato di una voliera e di una splendida fontana in marmo a vasche sovrapposte, probabilmente scolpita a Genova, visibile del *Livre des Fontaines* disegnato da Jacques Le Lieur (fig. 8)[5].

Nelle residenze extra-urbane di Déville, Gaillon e Vigny il giardino e il parco assumono importanza maggiore per dimensioni, progettazione, spesa e decorazione.

Residenza suburbana degli arcivescovi di Rouen fin dal medioevo, Déville-lès-Rouen (fig. 54) era situata tra un affluente della Senna e la strada di collegamento tra Rouen e la Manica. Costruiti ai margini della città medievale, i resti del *manoir*, del giardino e del parco cinquecentesco sono scomparsi sotto l'odierna periferia cittadina[6].

Non appena nominato arcivescovo, nel 1494, Georges d'Amboise commissiona piccoli lavori di ristrutturazione dell'edificio, che egli intende usare come vera e propria villa suburbana, senza mai soggiornarvi ma recandovisi con ospiti da mane a sera, per partite di caccia o di pesca, o per godere degli spazi ombrosi del parco[7]. Vengono aperte finestre sulla sommità della torre della scala e in una delle sale del piano terra, la *bouteillerie*; vengono rifatti i serramenti di diverse porte e finestre ed elevato un muro tramezzo. Si rifanno alcune porte in legno e si creano le condotte idriche per addurre l'acqua alla nuova fontana che l'arcivescovo vuole anche qui al centro della corte[8]. Pochi interventi, quindi, destinati a rendere più piacevole e consona ai tempi la residenza, senza elevare nuovi corpi di fabbrica.

L'interesse per gli esterni si manifesta a partire dall'inverno 1497, con la costruzione di diverse *tonnelle* e con la realizzazione di bacini per l'allevamento dei pesci. Nel giardino vengono piantati duecento salici che sottolineano il nuovo grande viale, l'*allée des saules*, terminato nel 1501[9], mentre nel parco viene scavato un grande fossato per deviare il corso del fiume Clairette e congiungerlo con la Senna. Il parco, destinato alle cacce, viene dotato di diverse specie, tra cui numerosi cervi[10]; per fare un nido fluviale per le cicogne viene sradicato un grande albero e posto in mezzo al fiume[11]. Nuovi alberi da frutto vengono piantati l'anno successivo e nel 1498-99 si procede alla costruzione di panche sia all'interno di una *tonnelle* sia sparse per il giardino[12], dove, ancora nel 1507, si piantano 600 cespugli di vinco[13].

Le *tonne* o *tonnelle* costituiscono uno dei maggiori capitoli di spesa, per loro costruzione, la decorazione e la successiva manutenzione.

Di carattere effimero, ne resta traccia solo nei documenti. Si tratta di strutture lignee – gallerie o padiglioni – probabilmente riconducibili formalmente alle pergole e ai chioschi ricoperti di vegetazione documentati in Francia e in Italia nel secolo precedente. A Déville, tra il 1497 e il 1509, se ne possono individuare almeno quattro: una davanti alla casa, una vicino alla galleria, una vicino alla fontana e l'ultima, di cui si ignora l'ubicazione, definita nei conti del 1508-1509 «grant tonnelle»[14]. In alcuni casi si direbbero chioschi rivestiti di rampicanti, in altri una sorta di viali coperti, in altri ancora veri e propri padiglioni chiusi.

A Déville sembra trattarsi prevalentemente di padiglioni lignei ricoperti di vegetazione, che richiedono cure costanti. Probabilmente queste strutture erano dipinte, poiché è documentato l'acquisto di olio e colori per le *tonnelle* già nel 1498[15]. Una mappa settecentesca della signoria permette di individuare l'edificio principale, forse con una galleria al piano nobile affacciata verso i giardini e il fiume, e una colombaia (fig. 55) ma non permette di riconoscere l'organizzazione del giardino e del parco. Tuttavia si possono evidenziare alcune strutture, che ricorreranno anche nelle altre proprietà: *allée, tonnelle* e panche nel giardino, corsi d'acqua artificiali nel parco, che però, nonostante gli ingenti lavori idraulici, non permettono ancora di considerare l'acqua come l'elemento ordinatore del progetto.

Benché vi si mantengano alcune attività produttive, l'aspetto più interessante delle trasformazioni operate a Déville risiede nel cambio di destinazione d'uso, da fattoria a villa, testimoniando l'interesse del cardinale per il *mode de vie* italiano.

Anche nel castello di Vigny (fig. 57), una residenza privata che non dipende dalla diocesi di Rouen e di conseguenza entra nell'asse ereditario familiare, Georges d'Amboise mostra di dedicare molta attenzione agli spazi esterni. Collocata, come Déville, tra la strada e un affluente della Senna, essa costituiva un comodo punto di appoggio negli spostamenti tra Parigi e Gaillon: non a caso il nipote del cardinale, Georges II d'Amboise, ne farà la sua residenza preferita, abitandola con molta maggior frequenza che non Rouen e Gaillon. L'edificio ripropone un linguaggio tradizionale (fig. 12), evocando le forme del castello di famiglia di Chaumont-sur-Loire e di quello di Dissay, residenza fortificata degli arcivescovi di Poitiers, costruito entro il 1493 da Pierre, fratello maggiore del cardinale[16]. A Vigny la famiglia d'Amboise si ritrova per ricorrenze private, come il matrimonio di una nipote[17], lontano dai riflettori della corte, dal fasto di Gaillon e dalle incombenze amministrative di Rouen. Acquistato nel 1504[18], il castello è completamente ammobiliato e abitabile almeno quattro anni più tardi, quando 33 arazzi vengono spostati a Gaillon in previsione della visita reale[19]. Una descrizione del 1512 fornisce le caratteristiche principali della proprietà:

«Et premièrement y a au lieu dict de Vigney chasteau clos de fossés, basse-court, et jardin, le tout contenant quatre arpens de terre ou environ, lesquels fossés pour le présent ne sont d'autre prouffit par ce qu'il n'y a point d'eaux dedans et ne vaulx pas tout l'entretènement au regard des grans et sompteux édiffices nouvellement construicts au dict lieu du temps de feu monsieur le Légat. [...] un pressoir bannier, une petite ferme comprenant une maison, court, granche, estables et lieu comme il se comporte avec ung coulombier à pied et un moulin. Il y avait aussi ung estang avec deux petits fossés à poissons, d'une contenance de deux arpens pouvant porter par chacun an de six à sept cens carpes et se pecher de trois ans en trois ans»[20].

Costruito con fondi privati e non incidendo sulle casse arcivescovili, il cantiere di Vigny non gode della stessa messe di documenti delle altre residenze di Georges d'Amboise e la sua natura privata non ne ha fatto una meta per i viaggiatori del Cinquecento. Le sole informazioni sul parco e sul giardino che circondavano il castello provengono da un *dénombrement*, una dichiarazione fiscale del 1660, effettuata dai Montmorency, nuovi proprietari del castello fin dalla metà del Cinquecento[21]. Il documento consiste nella precisa elencazione delle parti costruite da Georges d'Amboise e migliorate dal nipote Georges II rispetto a quelle successive. La mappa settecentesca della signoria conservata negli Archives Nationales (fig. 56) mostra l'estensione delle zone verdi ma non permette di individuare con precisione gli elementi descritti nella dichiarazione.

La proprietaria Marguerite de Montmorency menziona un primo *jardin potager* costituito da «grands et beaux parterres [...] quantité des belles allées» con alberi da frutta, ma anche castagni, tigli, olmi e aceri, oltre il quale si trova un *pré clos* che insiste su un precedente «beau et long canal plain d'eau»[22]. Il giardino costituito da recinti separati da viali alberati non si allontana dal modello di Gaillon e Rouen; la presenza di un bel canale è altresì facilmente riconducibile alla committenza d'Amboise, dati i precedenti ingenti lavori idraulici eseguiti a Déville e a Chaumont[23]. Di difficile attribuzione è invece la fontana descritta più avanti, costituita da un bacino triangolare con rocce su cui poggia una statua di Melusina[24]: la Montmorency ascrive la composizione alla propria famiglia ma i conti di Gaillon menzionano una statua di Melusina, consegnata nella primavera del 1508[25], che non compare in alcuna descrizione di Gaillon. Non è escluso quindi che la statua sia stata trasferita a Vigny per ornare il giardino e che, solo successivamente, i Montmorency l'abbiano trasformata in fontana.

Nello stesso giardino, circa nel mezzo, si trovano due padiglioni «en forme de cabinetz couvers d'ardoize», seguiti da un terzo situato sul fondo[26]. Al limitare, in prossimità del parco cinto da mura, si trova un gruppo di edifici a carattere residenziale e produttivo, contenente stalle e granai, chiamato *La Comté*[27].

Il parco, la cui superficie è scandita da una *grande allée* fiancheggiata da alberate e da viali minori, presenta zone lasciate a prato e pascolo, frutteti e boschetti. Nel mezzo si trova una cappella in *pierre de taille*, voltata, dedicata al Salvatore. Accanto è descritta una *glacière*, struttura non frequente nei castelli rinascimentali francesi ma comunque documentata, per esempio ad Assier[28].

Marguerite dichiara che Georges d'Amboise è il committente di un padiglione del parco chiamato la *Maison Rouge*. Si tratta di una struttura in *pierre de taille*, coperta in ardesia, dotata di "belle salle, cabinet et cave" e ornata da due torrette a sbalzo, coperte a terrazza[29], quindi un edificio a tutti gli effetti. La mancanza di fonti testuali e figurate contemporanee non permette di precisare il rapporto fisico e visuale tra *château*, giardino e parco; dal *dénombrement* sembra potersi dedurre che il giardino non è ancora integrato all'edificio e che il parco, chiuso da mura anche per proteggere la selvaggina, è a sua volta isolato dagli altri elementi. Benché si ignorino le valenze formali del giardino, del parco e delle piccole architetture costruitevi, è chiaro quanto a Vigny, come in scala ridotta a Déville, si manifesti l'interesse del cardinale per la costruzione di *dépendance* disseminate tra parco e giardino.

Gaillon

A giudicare dalle ingenti spese sostenute, Georges d'Amboise considera il giardino e il parco di Gaillon alla stregua del castello (fig. 58). Come nel barco di Caterina Cornaro ad Altivole, contemporaneo, il palazzo e gli spazi esterni sono elementi separati, dove giardino e parco giustappongono una parte geometrica e una selvaggia, quest'ultima di proporzioni molto maggiori. I conti di costruzione permettono insieme alle descrizioni di Jacopo Probo d'Atri e Antonio de Beatis[30] l'analisi di questi spazi completamente perduti e già in parte trasformati sotto l'episcopato di Charles de Bourbon (1550-1590)[31].

Il parco

Quel che spesso non si considera pensando alle descrizioni di Gaillon, osservando le incisioni di Du Cerceau o interpretando i conti di costruzione, è che il parco non era situato in piano ma, al contrario, occupava tutta la zona collinare alle spalle del castello. Dei boschi ricchi di selvaggina, solo in parte addolciti dalle strutture fatte costruire da Georges d'Amboise, resta tuttavia poco o niente, poiché proprio a Gaillon è stato costruito un circuito automobilistico, che ha completamente trasformato le caratteristiche orografiche del sito.

Le prime registrazioni dettagliate inerenti il parco iniziano dal dicembre 1502 e documentano già ingenti lavori nell'area situata a nord-ovest del castello: forniture in pietra e scavi per le fondamenta della grande muraglia di recinzione, mano d'opera per il taglio della pietra per i portali, argini per lo stagno realizzato artificialmente con imponenti lavori di sterro[32]. Il 4 febbraio 1503 tredici notabili e altri fiduciari del cardinale visitano il cantiere «pour l'appreciation... des maisons du Lydieu»[33]. Forse a seguito dei pareri espressi in questa occasione venti giorni più tardi Guillaume Dumouchel, Colin Castille e Pierre Valence, misurano l'estensione di vigneti da distruggere poiché là «monseigneur veult faire faire une allée et pavillons»[34]. I lavori per la realizzazione del viale cominciano immediatamente dopo aver acquistato da Thomas Dumont e Guillaume Queron alcuni terreni che rientravano nel perimetro del parco[35]. Questo è già popolato di fagiani mentre si acquistano pesci per il grande stagno[36].

Il toponimo Lydieu ricorre nei conti, anche nella forma «maison du Lydieu», e spesso si sovrappone alla più generica espressione «maison du parc». In alcuni casi si direbbe che i due edifici coincidano, in altri il Lydieu sembra essere un complesso piuttosto vasto, una sorta di fattoria difficilmente identificabile con il piccolo edificio situato accanto alla cappella del parco (fig. 59), che, dalle descrizioni cinquecentesche aveva carattere residenziale[37]. In altri ancora sembra che con il termine Lydieu si intenda l'intero parco. Non è infine da escludere che si tratti del complesso di importanti dimensioni che si situa a sud della *avant-cour*, dove si trovavano anche le indispensabili stalle, raramente menzionate nei conti di costruzione[38] e mai nelle descrizioni, quindi presumibilmente non accessibili direttamente dalle corti del castello.

Dal marzo 1503 sono attestati pagamenti per le *tonne*, per lo scavo e le fondamenta di una cappella e di una casa nel parco. A fine aprile vengono pagati «Jehan Valence e maistre Raoult, charpentier» per una visita al sito su cui dovrà sorgere la *grande tonnelle*[39]. Dal novembre successivo i conti sono in gran parte dedicati ai lavori della cappella, della *maison du parc* e delle torri dei portali di accesso[40]. Per la casa si consegnano molti mattoni[41], lasciando spazio all'ipotesi che essa presentasse l'apparato misto *bricque et pierre* molto frequente in Francia nel Cinquecento, in cui l'alternanza dei materiali dà luogo a decorazioni cromatiche. I primi pagamenti per le coperture della *maison du Lydieu* risalgono alla fine della primavera 1503, quelli per la cappella all'agosto successivo, quando Jehan Valence visita l'insieme delle strutture del parco, probabilmente per riferire al cardinale[42]. Ancora Valence, accompagnato da Colin Castille esegue un'altra visita a fine settembre[43].

Le decorazioni parietali degli edifici del parco erano affidate a pittori francesi e fiamminghi e all'italiano Girolamo Torniello, pagato separatamente dagli altri «pour ses ymages»[44]. Nel luglio 1505 egli esegue decorazioni araldiche per la casa, che è completata da stalle, granai, galleria e cucina. Quest'ultima viene coperta nel 1508, anno in cui si pavimenta la corte del Lydieu[45]. Anche Pierre Delorme, reduce dal cantiere di Rouen, interviene nell'agosto 1507 lavorando al taglio della pietra per le *croisée* della *maison du Lydieu*. Le vetrate della *maison du parc* e di conseguenza forse anche della cappella, sono affidate a Jehan Barbe[46] e questo lascia pensare che fossero decorate, mostrando ancora una volta che le rifiniture di questi edifici sono estremamente curate. La cappella era coperta da volte a crociera, probabilmente «à liernes et tiercerons», dai cui incroci pendevano chiavi scolpite da Jehan Moullin[47].

Il grande viale che dal castello giungeva fino alla cappella era lastricato[48]. Anche l'immensa muraglia del parco, i cui portali assumevano la forma di piccoli *châtelet* con torrette laterali[49], era abbellita da «plusieurs peintures et plusieurs agrements» eseguiti dal pittore Hervieu[50] e dalle armi di Georges d'Amboise, scolpite da Guillaume Senault[51].

La presenza dell'insieme cappella e casa nel parco, già visto a Vigny, ricorda la più tarda realizzazione di Francesco Maria II Della Rovere a Casteldurante, dove all'interno del *barco* si trovavano un convento e una sorta di rifugio del duca e mostrano quanto tali temi circolassero tra Francia e Italia nel Quattro-Cinquecento.

Le descrizioni contemporanee aiutano ad avere una visione più completa del luogo. Jacopo Probo d'Atri riporta diversi particolari:

> «In l'uscire dil zardino se trova il parco murato che più de due leghe circunda, pieno di bellissimi boschi, quale pare la natura l'habiano facti a posta per caza et per delectatione, et dentro pieno de cervi, caprioli, dayni, lepori, porci et ogni altro animale. Una ayroniera, bugni et guazi assai per caza, da due belle et ornate case da poterse retirare per pioggia o per magnare, molto commodo, et una bella chiesa non troppo grande ma ben devota et uno soli-

tario heremitagio et tanti altri loghi da spasso et da piacere, che uno paradiso terrestre se po' chiamare»[52].

Più conciso è Antonio de Beatis, che però evidenzia il carattere collinare del sito e l'importanza che Georges d'Amboise dà al paesaggio e alle potenzialità retoriche delle vedute da lontano; a seguito del cardinale d'Aragona, de Beatis giunge infatti a Gaillon da nord e inizia la sua visita dal parco, rimanendo impressionato dalla grande muraglia di recinzione, visibile evidentemente da lontano:

> «Lli è un parco che gira due leghe, murato de grosse et alte mura, quale viene ad serrare con lo zardino de decto palazzo. La moraglia perche se vedesse de la parte del basso tira per la costera del monte. In esso sono più pezzi di belli et folti boschetti et pianure de correre animali; vi sono anche molti palazzocti per dentro et belli cervi, caprii, daini communi et anchora de bianchi, lepri et conegli infiniti»[53].

L'anonimo mercante milanese, nel 1518, parla invece di un solo edificio posto al centro del parco e destinato ad alloggiare il custode, ma resta anche lui impressionato dalle dimensioni del parco e dalla quantità di selvaggina[54].

La cappella appartiene senza dubbio al complesso rappresentato da Jacques Androuet Du Cerceau (fig. 59)[55], situato piuttosto lontano dal castello e dal giardino, cui era collegato da un lungo viale alberato.

La veduta, realizzata mezzo secolo più tardi, mostra un insieme organizzato intorno due poli principali – l'eremitaggio e la *Maison Blanche* – collegati da un canale[56]. Il primo, citato anche da Jacopo Probo e quindi ascrivibile alla campagna di Georges d'Amboise, è collocato al centro di uno stagno artificiale a pianta quadrata ed è affiancato a sud-est da un giardino quadrato e a nord-est da un piccolo edificio collegato alla cappella citata nei conti e nelle descrizioni. Sul lato si riconosce la grande voliera con gli aironi e altri uccelli[57]. Al di là del canale si trova la *Maison Blanche*, lussuoso casino manierista costruito nel sesto decennio del Cinquecento, come il giardino quadrato vicino la cappella e il muro di contenimento articolato da nicchie.

Nel parco si costruiscono dunque diversi edifici, non solo realizzati in legno come le *tonne* di Déville, ma anche in pietra, come a Vigny. La cappella di Gaillon e la *maison du parc* sono oggetto di cure notevoli nell'esecuzione di *lucarne* modanate, delle coperture in ardesia, di «goutières et plusieurs autres agreemens»[58]. Questa casa 'satellitè' nel parco può ospitare il cardinale per soggiorni anche prolungati, essendo dotata, oltre che di un piccolo appartamento con sala e camere, anche di una galleria, cucina, stalle, granai e una *laiterie*: si tratta di una *dépendence* a tutti gli effetti. Disseminati nel parco, questi *palazzocti*, paragonabili a contemporanee realizzazioni italiane, hanno in Francia radici medievali, rintracciabili per esempio nel *manoir* du Marés di Roberto II d'Artois o nel *manoir* de Beauté, costruito dal re Charles V nel bosco del castello di Vincennes, entrambi del XIV secolo: anche in questi casi le *dépendence* sono perfettamente abitabili e costituiscono una sorta di 'possibilità di fuga' per il *maître du château*[59]. Si tratta in fin dei conti degli antecedenti dei più tardi casini di caccia di Francesco I o della *laiterie* di Caterina dei Medici a Fontainebleau.

Il giardino

A fine giugno 1504 iniziano i lavori del giardino che «monsegneur fait faire au long des tonnes»[60]. Fino a tutto il 1505 si tratta soprattutto di ingenti lavori di sbancamento, di erigere la grande muraglia di contenimento (fig. 52) e della lavorazione dei componenti lignei e lapidei dei padiglioni del giardino[61]. È possibile che inizialmente si prevedesse un giardino quadrato, poiché si comincia a sterrare un'area di 14 x 14 tese (circa 28 metri per lato)[62]. Come specificano i diversi visitatori il giardino, assolutamente pianeggiante, è stato ricavato rasando al suolo una parte della collina e creando verso valle una imponente struttura di terrazzamento, con enorme spesa. *Hortus conclusus* geometricamente regolato (seppure probabilmente non assolutamente simmetrico), il giardino deve quindi evitare l'andamento collinare del sito, anche perché deve essere ben visibile dal castello, in particolare dallo studiolo, dalla biblioteca e dall'appartamento privato del cardinale[63]. Questo intervento di forte contrasto rispetto all'orografia del sito, ancora ben lungi dallo sfruttare le pendenze per creare assi prospettici o giochi d'acqua, costituisce un precedente importante per le soluzioni adottate da due altri importanti cardinali: nel castello di Brienon-sur-Armançon costruito per Louis de Bourbon intorno al 1536 viene sbancata una collina per la realizzazione della corte e del giardino[64], mentre a Meudon nel 1558 Charles de Guise fa eliminare la collina che separava la residenza dalla famosa grotta di Primaticcio per poterne godere pienamente la vista[65].

A Gaillon, a causa del dislivello, le vestigia del giardino si trovano a una quota superiore rispetto alla corte del castello e alla spianata che separa i due spazi (fig. 60): le torrette angolari rappresentate da Du

Cerceau forse contenevano le scale necessarie a superare il dislivello ma è poco chiaro quale fosse il ruolo della porta e del corpo di fabbrica verso il castello. Nel novembre 1504 si lavora a una fontana[66], presumibilmente quella situata al centro del giardino e descritta dai visitatori.

A quest'epoca le strutture del parco e parte dei padiglioni del giardino sono abbastanza avanzate e si lavora freneticamente per migliorare i viali in vista dell'imminente venuta di monsignore[67].

Dall'aprile 1506 i lavori sono diretti *in situ* da Pierre Mercolienne, identificato con Pacello da Mercogliano, il giardiniere napoletano di Carlo VIII progettista dei giardini di Amboise e Blois, ma non è escluso che già in precedenza egli abbia fornito le indicazioni generali per il progetto[68]. Circondato da gallerie, il giardino era suddiviso in settori regolari recintati, i *parquetz*, comprendeva diversi piccoli edifici e, verso il parco, una vasta area adibita a voliera.

Le gallerie, aperte da portici verso il giardino e pavimentate[69], erano coperte da tetti alla francese in ardesia, dotati di *lucarne*[70] ed erano parzialmente rivestite in legno a opera di Pierre Valence[71]. È forse a causa di questo rivestimento che alcuni visitatori non notano che i pilastri del portico sono realizzati in pietra di Saint-Leu[72]. La pittura e doratura delle pareti, così come della voliera e di alcuni padiglioni, viene affidata agli italiani Lyenard de Feschal e Jehan Testefort[73].

I padiglioni sono evidentemente di due tipi: strutture lignee, effimere, anche se riccamente ornate, ma anche veri e propri edifici in pietra, dotati di più ambienti, come le «chambre haulte» e i «cabinet» rivestiti in legno da Nicols Castille e Riccardo da Carpi[74]. Dovevano essercene almeno due, estremamente decorati, uno ligneo posto al centro[75], sopra la fontana marmorea e coperto con tavolette di ardesia tagliate a forma di scaglie di pesce[76], e uno situato eccentricamente, vicino alla voliera di fronte all'ingresso che dal giardino introduceva al parco, forse identificabile con quello detto *pavillon des tonnelles*, a più piani con struttura lignea tamponata di mattoni.

In uno di essi vi erano elementi a «tailles antiques» realizzati in legno da Nicols Castille[77]; quello della fontana era coronato da una statua bronzea di Giovanni Battista, modellata nel settembre 1508[78]. Il *pavillon des tonnes* aveva un camino al suo interno[79] ed era quindi abitabile anche d'inverno. Alle sue stanze erano destinati i due scudi con le armi di Georges d'Amboise dipinte da Richard du Hay alla fine del 1504, che ha anche dorato molti elementi lignei, presumibilmente per lo stesso edificio[80]. Gli interni erano affidati al pennello di Jehan Barbe[81].

Probabilmente si riferiscono a questo padiglione i lavori di Nicolas Castille, che riveste completamente in legno l'interno di una stanza del primo piano, e quelli di un carpentiere che ha demolito e rifatto un tramezzo ligneo per uno dei «cabinets du pavillon où sera le lit»[82].

È possibile che ve ne fosse un terzo, chiamato *pavillon vert*, smontabile (quindi presumibilmente in legno), poiché una struttura di questo tipo viene smembrata e rimontata tra l'agosto e il settembre 1508[83], forse per cambiarle di posto a causa della visita della corte[84].

I *parquetz* erano recintati con basse strutture lignee dipinte di verde e dotate di cancelletti. Le numerose essenze – arbusti, alberi da frutta, cespugli odorosi, fiori[85] – creavano disegni particolari, anche utilizzando scomparti lignei più piccoli, ugualmente chiamati *parquetz* o *carreaux*[86]. Panche[87], statue lignee – alcune teste di cervo, le immagini intere di una cerva e di un levriero – popolavano questo spazio già reso particolarmente animato dai disegni dei parterre[88].

Anche per i giardini un quadro più completo è dato dalle ricche descrizioni contemporanee dei visitatori italiani. Corrispondendo con la corte ferrarese, nel 1508, Bonaventura Mosti rivela che il giardino è «piano, facto per forza in spianare uno pezo de monte»; nomina poi una lunga galleria e il padiglione centrale che copre la fontana[89].

Jacopo Probo descrive con dovizia di particolari l'intera struttura del giardino, «cavato dal monte con fatiga et spesa inextimabile». Le gallerie, «logie coperte», del lato destro sono ornate da pitture del cardinale e della corte rappresentati in scene di caccia, di pesca, di danze e di banchetti. Le donne sono «vestite alla foggia che hora se costumma in Lombardia», lasciando supporre che gli italiani Lyenard de Feschal e Jehan Testefort fossero lombardi. Sul lato sinistro, verso il monte, vi è un corridoio in legno e tutto il lato di fondo, verso il parco, è occupato da una enorme voliera. Accanto si trova uno dei padiglioni «dove è solito alloggiare monsignore legato». L'altro, «dentro e fuora ornatissimo», è posto al centro del giardino e copre la fontana di marmo «de maraviglioso artificio et bellezza». Jacopo Probo è colpito dalla varietà degli alberi distinti nei vari *parquetz*: erbe odorose, fiori, alberi da frutta, cespugli e persino un labirinto[90].

De Beatis aggiunge pochi ma interessanti particolari. Le gallerie, definite «strate coperte», erano «intemplate et foderate con septo celo lamiato sequitamente e lavorato tucto de legno di rovere con sì limpio lavoro che pare de argento». Il padiglione centrale, «lavorato de legname intagliato e molto ricco de azzurro fino et d'oro», è ottagonale e coperto a cupola. Quello in fondo al giardino è ugualmente ottagonale e cupolato ma realizzato in legno e mattoni, dipinto d'oro e d'azzurro, con una finestra per lato dotata di «vitreate bellissime». Chiamato anche «camera», esso serve al riposo estivo del cardinale[91].

Il mercante milanese paragona le dimensioni del giardino con quelle della corte di Milano e ipotizza che la voliera misuri 200 x 30 braccia. Menziona anche i portici delle gallerie e il padiglione centrale[92].

L'immagine che si ricava da questi documenti differisce dalle vedute di Du Cerceau (figg. 60 e 61) che riportano le trasformazioni più tarde. Qui infatti il giardino è chiuso su due lati da gallerie, sugli altri da un muro ed è organizzato secondo un forte asse centrale costituito dalla porta verso il castello, il padiglione della fontana, il padiglione di fondo e la porta verso il parco. Tre viali ortogonali danno luogo a otto settori principali, sei ulteriormente suddivisi in quattro parti e due adibiti a labirinto, per un totale di ventisei *parterre*. Mancano alcuni elementi fondamentali – come la voliera e il corridoio a gelosie sul lato del monte – e la collocazione di diverse strutture non trova riscontro nei documenti. L'unico elemento corrispondente è il padiglione centrale. Quello di fondo – coerente dal punto di vista stilistico nella veduta ma troppo piccolo nella pianta – dovrebbe trovarsi nell'angolo occidentale del giardino, tra la voliera e la porta verso il parco, a sua volta posizionata in asse con il grande viale lastricato che conduceva alla casa nel parco.

Nonostante le numerose incognite – prima fra tutte l'effettivo numero dei *parterre* secondari e la collocazione del labirinto – si possono fissare alcuni punti di riferimento (fig. 62): gli elementi principali del giardino dovevano essere organizzati secondo un asse centrale, sottolineato dalla porta verso il castello e dal padiglione della fontana ma arrestato dalla grande voliera di fondo e da una fila di alberi. La seconda porta doveva essere collocata funzionalmente in asse con il grande viale del parco. Un viale trasversale divideva il giardino i quattro settori principali. Il padiglione di fondo, più grande perché dotato di due piani abitabili e delle diverse stanze menzionate nei conti, doveva trovarsi al termine di una *tonnelle*[93] e, secondo de Beatis, «incontro la porta del parco».

Questo padiglione, a pianta centrale basata sull'ottagono, concepito come una piccola residenza autonoma, presenta molti punti in comune con quello di Anna di Bretagna a Blois, per il quale non sono state ipotizzate attribuzioni[94]. È certamente possibile che tramite Pacello da Mercogliano il disegno di Blois sia passato a Gaillon (dove anche il padiglione ligneo centrale adotta un impianto simile) ma non è da escludere che Georges d'Amboise abbia richiesto un progetto allo stesso personaggio cui si era rivolta la regina: sembra infatti che Anna conceda volentieri agli artisti ch'ella stessa protegge, come Antoine Juste, Michel Colombe e Jérôme Pacherot, di lavorare per il cardinale, suo fido alleato fin dai tempi di Carlo VIII.

Altre analogie tra i giardini di Blois, Amboise (figg. 63 e 64) e Gaillon, soprattutto per il rapporto di contrasto con il paesaggio e per l'utilizzazione dei *parterre* come base progettuale, portano a identificare le figure di Pacello da Mercogliano e Pierre Mercolienne[95], che, nonostante l'erronea trascrizione del nome, è qualificato nei conti come 'jardineir du roy'. Il confronto tra Gaillon e Blois può essere fatto anche sulla descrizione dei giardini reali di Stazio Gadio a Francesco Gonzaga nel 1516, che mostra molte similitudini progettuali[96]. In confronto a quanto operato a Blois, però, a Gaillon c'è una maggiore consapevolezza architettonica, rappresentata dalla struttura delle gallerie che cingono il giardino, non più concepite come semplici pergole lignee ma come veri e propri corpi di fabbrica dotati di ossatura muraria e copertura in ardesia, ovvero come logge, assimilabili alle gallerie già fatte realizzare dal cardinale nel palazzo di Rouen. Al loro interno la presenza di soffitti a cassettoni all'italiana riflette la passione che il committente ha già esternato nel castello ma la loro utilizzazione nel giardino è anche indice dell'importanza data dal cardinale agli spazi esterni.

Le realizzazioni di Pacello da Mercogliano a Gaillon rappresentano ancora il giardino tradizionale, *hortus conclusus* collocato al di fuori delle mura del castello, nel quale il paesaggio circostante e i grandi assi prospettici non svolgono ancora un ruolo fondamentale. Il rapporto tra *château* e paesaggio sembra infatti sviluppato non verso il giardino e il parco ma dal castello verso il fiume e la valle sottostanti, secondo la tradizione dei secoli XII e XIII[97]. La bellezza del panorama che si può godere dal castello, sinonimo di dominio visuale sul territorio, non sfugge infatti agli osservatori contemporanei:

> «Da questa logia se vede la nobile rivera de Sena et intorno cinque o sey leghe de possessione dil legato con garane, sive conigliere in nostra lingua, columbare, peschiere et altri luochi delicati et molli, per modo che la vista non potria esser più bella et delectevole»[98].

La collocazione della *chambre* di Georges d'Amboise nella Tour de la Syrène e dello studiolo tra la torre e la galleria[99] offriva però la possibilità del rapporto visuale tra spazi abitativi privati e giardino, scelta che si riallaccia agli esempi ducali e principeschi francesi del XV secolo[100]. Tuttavia si tratta di relazioni visuali distinte *château*/giardino, *château*/paesaggio, isolando il parco. Anche la presenza dell'acqua non serve a unificare gli elementi ma a sottolineare puntualmente il centro di ogni unità tramite le fontane. Quello che ancora manca a Gaillon è l'unità progettuale tra edificio, giardino e paesaggio circostante, che costituirà la caratteristica dei giardini francesi successivi.

Modelli e influenze

Da questa breve analisi emergono diversi elementi ricorrenti, come edifici, cappelle e padiglioni, distribuiti con logiche simili nei parchi o nei giardini. Nel caso di Gaillon – l'unico per cui i vari fattori trovano una collocazione spaziale abbastanza sicura – si tratta di una concezione polinucleare, di cui sfugge il disegno d'insieme ma che sembra ancora molto lontana dallo sviluppo che la tipologia avrà in Italia e in Francia, fortemente basata sugli assi prospettici. Emerge un rapporto di contrasto con il sito per creare artificialmente piattaforme e canalizzazioni estranee alle caratteristiche orografiche; l'assialità non è un elemento ordinatore del progetto, mosso semmai da scelte di funzionalità; gli stessi rapporti visivi tra castello, giardino e parco sono legati a modelli tradizionali. Le similitudini con le immagini quattrocentesche di giardini italiani vanno raramente cercate in modelli diretti, quanto piuttosto nella comune matrice del *Liber ruralium commodorum* di Pietro de' Crescenzi, molto conosciuto in Francia perché tradotto già nel 1373 su ordine di Charles V[101].

La progettazione interna del giardino è organizzata secondo *allée* e *parterre*, con modalità simili a quelle usate a Roma ancora all'inizio del Cinquecento al Vaticano o a villa Madama[102], e da cui si svilupperanno i giardini francesi per tutto il secolo.

Tuttavia ciò che colpisce nella committenza di Georges d'Amboise è il fatto che l'ingente impegno economico si ripeta in tutte le residenze nelle quali egli ha deciso di intervenire. Il giardino e il parco sono il completamento indispensabile della residenza del cardinale, ovunque egli alloggi *chez lui*, e sono concepiti con il solito impeto di *magnificentia* che ne contraddistingue la committenza.

È indubbio che il primo riferimento siano i giardini reali di Amboise e Blois, tanto da affidarne allo stesso Pacello da Mercogliano la progettazione; d'altronde il giardino è comunque in Francia un elemento inscindibile dallo *château* e le modalità con cui si stabiliscono i rapporti tra castello, giardino e parco, così come l'organizzazione di quest'ultimo, si rifanno esplicitamente a esempi francesi dei secoli precedenti.

Allo stesso tempo alcuni modelli italiani sembra fossero presenti alla mente del cardinale: la villa del Belvedere di Innocenzo VIII può essere considerata un precedente importante i *palazzocti* del parco, del tutto autonomi rispetto alla residenza; ma anche per l'idea dell'affaccio verso la vallata, particolarmente forte a Gaillon, sia dalla loggia della *Grant' Maison* sia dalla galleria del giardino. Georges d'Amboise ha trascorso parte del soggiorno romano del 1503 nel palazzo Vaticano, alloggiando negli appartamenti di Cesare Borgia, ovvero in quelli in cui si sarebbe trasferito poco più tardi Giulio II: il cardinale francese dalle finestre poteva dunque godere proprio di quel possente panorama verso la villa del Belvedere che avrebbe spinto papa Della Rovere a far realizzare a Bramante lo scenografico cortile. Circa l'affaccio sul territorio, le finestre verso valle aperte nella galleria del giardino di Gaillon, sembrano rinviare anche alle soluzioni di Urbino e Pienza. La fama della residenza dei Montefeltro potrebbe essere arrivata fino alle orecchie del cardinale, ma non ne abbiamo le prove, mentre Pienza potrebbe avere maggiori possibilità di essere conosciuta per via del fatto che un altro illustre cardinale francese, Jean Jouffroi, vi aveva costruito un palazzo[103].

Che Georges d'Amboise conoscesse il giardino segreto di palazzo Venezia e ne abbia voluto riproporre le disposizioni a Rouen è probabile, non solo in virtù del suo soggiorno romano ma anche perché all'epoca della campagna militare di Carlo VIII il quartiere generale reale fu stabilito proprio a palazzo Venezia, che divenne *ipso facto* un importante punto di riferimento nell'immaginario francese.

Per l'uso del *manoir* di Déville-les-Rouen come villa suburbana dedicata a cacce, pesca e banchetti, ma anche come fattoria modello, non è da escludere che d'Amboise avesse avuto notizia delle cacce effettuate dal clan Riario-Della Rovere nella villa della Magliana a Roma, e dei lavori ivi intrapresi da Giulio II. Ma, considerando l'entità e la frequenza dei soggiorni effettuati dal cardinale nelle residenze ducali della contea di Lomellina, un modello possibile è costituito dalla villa Sforzesca, costruita subito fuori Vigevano tra il 1492 e il 1494, concepita come fattoria 'modello di produzione' per sfamare la corte ma al contempo come luogo destinato ai diporti principeschi. La villa-fattoria, come i *barchi* delle residenze viscontee e sforzesche, costituiscono senza dubbio importanti modelli, per l'abbondanza di fabbricati sparsi per il territorio, per il tipo di fiere e di animali, per le soluzioni da esterni come le grandi uccelliere chiuse da reti metalliche, non dissimili da quelle di Porta Giovia e del progetto di Leonardo per la villa di Charles d'Amboise – il nipote del cardinale – a Milano[104].

A fronte del rapporto tra Georges d'Amboise e Ascanio Sforza, il francese potrebbe anche aver visitato il *vivarium* di Castro Pretorio durante il suo soggiorno romano, visto che, prima di trasferirsi in Vaticano, egli fu ospite proprio di Ascanio nel palazzo Sforza-Cesarini[105]. Dal punto di vista teorico, sebbene il trattato non faccia parte della biblioteca del cardinale, non è da escludere che egli fosse a conoscenza della riserva di caccia di Sforzinda, soprattutto quando Filarete allude allo sfruttamento del naviglio e alla necessità di creare una radura in mezzo al bosco per alloggiare una chiesa e un eremitaggio[106].

Non sembra invece che possano aver avuto influsso diretto gli scritti di Francesco di Giorgio, poiché sebbene questi raccomandi giardini recintati, «ornati d'andari, verdure e mura», con fontana centrale, nel testo martiniano tutto è organizzato secondo proporzione, simmetria e regola, caratteristiche assenti nella mentalità francese[107]. Parimenti non credo che l'*Hypnerotomachia Polifili*, che pure svolgerà un ruolo fondamentale nei programmi di più tarde realizzazioni d'oltralpe, abbia influenzato la sistemazione degli spazi esterni delle residenze di Georges d'Amboise.

A mio avviso, però, il maggiore modello teorico di riferimento è rappresentato dai giardini e dal parco della villa di Poggio Reale, non in quanto oggetti costruiti ma, piuttosto, nella versione offerta ai francesi da *Le voyage de Naple* di André de La Vigne. Al di là della possibile conoscenza indiretta che il cardinale poteva avere della villa napoletana – nel cantiere di Gaillon lavorava Jérôme Pacherot, che prima di partire per la Francia al seguito di Carlo VIII aveva lavorato proprio nella villa di Poggio Reale –[108] credo che i versi dedicati a questa residenza da André de la Vigne, che escludono la descrizione architettonica della villa e il suo rapporto con il paesaggio, abbiano giocato un ruolo fondamentale nella creazione di un modello teorico di riferimento, come sinonimo di bellezza e *magnificentia*, propria della villa prediletta degli unici legittimi reali italiani[109]. Nel caso delle residenze di Georges d'Amboise, la descrizione di André de la Vigne sembra quasi essere un manifesto programmatico, nel quale sono riportate l'organizzazione, le strutture, le essenze e gli animali immancabili nel parco di una reggia[110].

Quel che viene realizzato nelle quattro dimore del cardinale si ispira senz'altro a questo modello, pur venendo interpretato in chiave autoctona e dando luogo, nel caso di Gaillon, a un giardino considerato 'alla francese' agli occhi di un viaggiatore italiano, nonostante l'impiego di un giardiniere napoletano: Alberto Pio da Carpi, in una lettera indirizzata a Mantova, infatti, specifica: «giardino facto al modo di quel re»[111].

NOTE

[1] Tra le pubblicazioni di carattere generale A. Marie, *Jardins français créés à la Renaissance*, Paris 1955; K. Wooddbridge, *Princely Gardens. The origins and development of the French formal style*, London 1986; M. Mosser e G. Teyssot (a cura di), *L'architettura dei giardini d'occidente*, Milano 1990. Il tema del rapporto château-giardino-paesaggio, già affrontato in H.W. Ward, *French Châteaux and Gardens in the Sixteenth Century*, London 1909, è stato recentemente oggetto di due importanti riflessioni di J. Guillaume: *Le jardins mis en ordre. Jardin et château en France du XVe au XVIIIe siècle*, in J. Guillaume (a cura di), *Architecture, jardin, paysage. L'environnement du château et de la ville à la Renaissance*, Paris 1999 (collana *De Architectura*), pp. 103-136 e Idem, *Château, jardin, paysage en France du XVe siècle au XVIIIe siècle*, in «Revue de l'art», (1999) 124, pp. 13-32. Dal punto di vista metodologico si faccia riferimento a F. Boudon, H. Couzy, *Le château et son site. L'histoire de l'architecture et la cartographie*, in «Revue de l'art», (1977) 38, pp. 7-22; F. Boudon, *Nascita del giardino alla francese: cartografia e storia dei castelli*, in M. Mosser e G. Teyssot (a cura di), *L'architettura dei giardini...* cit., pp. 121-130; Eadem, *Jardins d'eau et jardins de pente dans la France de la Renaissance*, in J. Guillaume (a cura di), *Architecture, jardin, paysage...* cit, pp. 137-46.

[2] Parte di queste considerazioni sono apparse in F. Bardati, *"Loghi da spasso et da piacere": i giardini del cardinale Georges d'Amboise a Déville, Gaillon e Vigny*, in G. Venturi e F. Ceccarelli (a cura di), *Delizie in villa: il giardino rinascimentale e i suoi committenti*, Atti della VIII Settimana di Alti Studi Rinascimentali (Ferrara, dicembre 2005), Firenze 2008, pp. 289-315.

[3] Rispetto al palazzo iniziato a fine Quattrocento, ancora legato a schemi distributivi e formali di tradizione tardogotica, dopo il soggiorno romano per il conclave viene decisa la realizzazione di questo enorme giardino segreto. Pilastri e bassorilievi in marmo, caratterizzati da forme all'antica, vengono commissionati a Genova, probabilmente alla bottega di Pace Gagini. Si veda F. Bardati, *Georges d'Amboise à Rouen: le palais de l'archevêché et sa galerie de marbre*, in «Congrès Archéologique de France», *Rouen et Pays de Caux*, 2003 (2006), pp. 199-213.

[4] L. von Pastor, *Die Reise des Kardinals Luigi d'Aragona durch Deutschland, die Niederlande, Frankreich und Oberitalien, 1517-1518, beschriessen von Antonio de Beatis*, Fribourg im Breisgau, 1905, pp. 128-130, p. 127.

[5] Rouen, Bibliothèque Municipale.

[6] P. Le Verdier, *Le manoir des archevêques de Rouen à Déville*, in «Bulletin de la société d'histoire de Normandie», XIV (1925-1930), pp. 20-37.

[7] Viene mantenuta anche la produzione agricola. Si veda F. Bardati, *Cardinaux aux champs. Georges d'Amboise à Déville-les-Rouen et Antoine Du Prat à Vanves*, in M. Chatenet (a cura di), *Maisons des champs dans l'Europe de la Renaissance*, Paris 2006, pp. 151-158.

[8] Archives Départementale de la Seine-Maritime (d'ora in poi AD Seine-Maritime), G 479, ff. 6v-8v.

[9] Ch. de Beaurepaire, *Inventaire-Sommaire des Archives Départementales de la Seine-Inférieure*, Série G, t. 1, Paris, 1868, p. 116.

[10] AD Seine-Maritime, *G* 483.

[11] Il cardinale potrebbe essersi ispirato alle usanze lombarde: «Il Ticino, l'Adda e la palude della Gerra d'Adda pullulavano di anitre, di cicogne e di ogni altro acquatico. Delle cicogne l'Anonimo Ticinese scrive che passavano la primavera e l'estate lungo il fiume e ne mondavano la regione dagli animaletti velenosi *Mondatur autem tota regio a venenosis animalibus et maxime serpentibus per cicognas quae illuc toto tempore veris et aestatis morantur*» (M. Borsa, *La caccia nel milanese dalle origini ai giorni nostri*, Milano 1924, p. 84)

[12] AD Seine-Maritime, *G* 483.

[13] AD Seine-Maritime, *G* 492.

[14] Ch. de Beaurepaire, *Inventaire-Sommaire...* cit., pp. 115-117.

[15] AD Seine-Maritime, *G* 481.

[16] Si veda *supra*, cap. 1.

[17] Il 1 aprile 1510, poco prima la morte di Georges d'Amboise (si veda *Mémoires du maréchal de Florange, dit le Jeune Aventureux*, edizione moderna a cura di R. Goubaux e P.A. Lemoisne, Paris 1913, t. I, p. 47).

[18] G. Tubeuf, A. Mairie, *Monographie du château et de l'église de Vigny*, Paris 1902, pp. 13-14.

[19] A. Deville, *Comptes de dépenses de la construction du château de Gaillon*, Paris 1850, pp. 306 e 351.

[20] G. Tubeuf, A. Mairie, *Monographie*, cit., pp. 64-65, senza indicazioni. Non sono riuscita a reperire e controllare personalmente il documento.

[21] Viene acquistato da Anne de Montmorency nel 1555 (G. Tubeuf, A. Mairie, *Monographie du château...* cit., pp. 31-33).

[22] «Ung autre pont levis de l'autre costé dicelluy chasteau tenent à ung pont dormant de bois pour aller dudit chasteau aux jardins, parterre et pré clos cy après declarés [...]. De l'autre costé dicelluy chasteau y a un grand jardin potager et arbres fruitiers d'avec des grands et beaux parterres de buits quantité des belles allées tans d'arbres fruitiers que grans chênes, tilleux, ormes, érables et autres grands arbres au derrier icelluy et y a attenant y a ung grand pré avec des espaliers et ung pla[..] d'arbres fruitiers une belle allée d'arbres et pallissade. Le dit lieu appellé le pré clos il y avoit anciennement ung beau et long canal plain d'eau à prezant est ung pré. Au millieu d'icelluy jardins et pré clos cy dessus y coulle un ruyseau d'environs cent cinquante poulces d'eau estant revestu en partie de pierre de taille appellé le Ru dont l'eau fait tourner ung moulin quy est dans le parc coumme nous dirons sy appres. A l'un des coings du jardin et parterre y a une belle volliere bastie et ellevée de pierre de taille couverte d'ardoize [...] bastie par le feu M.re Charles de Montmorency». (*Dénombrement du fief de Vigny*, 1660, Paris, Archives Nationales, *Q1*, 1460, 3, ff. 2r/v).

[23] È Albero Pio a chiarire il ruolo di Georges d'Amboise nella ricostruzione del castello di Chaumont (A. Sabattini, *Alberto III Pio. Politica, diplomazia e guerra del conte di Carpi. Corrispondenza con la corte di Mantova, 1506-1511*, Carpi, 1994, p. 102. Si veda anche *supra*, cap. 1).

[24] «Au devant d'icelle et du chasteau et dans ledit jardin y a ung parterre de buitz avec une belle fontayne et ung beau bassin en triangle et ung rochez au milieu avec une statue quy jete l'eau par pluzieurs androitz de son corps appellée la Merluzine que le dit messire Charles de Montmorency a fait faire» (*Dénombrement du fief de Vigny...* cit., f. 2v).

[25] A. Deville, *Comptes de dépenses...* cit., p. 311.

[26] «Dans icelluy jardin anviron le millieu d'icelluy y a deux pavillons en forme de cabinetz couvers d'ardoize avec ung autre pavillion et maizon au bout d'icelluy jardin tenans a la rue B[...] pro[...] a y maistre des orangers couvert ausy d'ardoize. Au bout d'icelluy jardin potager et proche du pavillon sus declaré y a ung autre bassin rond de douze pieds de diamettre à fleur de terre y ayant une fontayne de fer du[...] poulce d'eau appellé le bassin de lestoile. Au dessus du grand parterre cy devant declaré y a une belle et grande cave buis voutée» (*Dénombrement du fief de Vigny*, cit., f. 2v).

[27] «A ung des bouts d'icelluy grand parterre et jardin il y a ung autre bastiment contenant cave, laiterie, cuizine, garde-manger, salles, chambres haultes, cabinets, guarderobbes, greniers, voluerie et pigeons, deux cours, four [...] escuries estables à vaches, grange roullie et poullarie le tout couvert de tuille appellé de tout temps La Conté ayant sa principalle antrée par la rue de la Conté et autre par dedans icelluy grand jardin et parterre. Lequel dit chasteau et sa superficie fossez courtz jardins parterres pré clos maizons et lieu cy dessus declarés sont tenantz et joignans ensemble entouréz de murailles contennans en tout dix neuf arpens et quatre vintz cinq perches" (Ivi, ff. *2v*-*3r*). Nel parco di Gaillon si ritrova una situazione simile.

[28] «Item le parc quy est tenans a moy du jardin et parterre la rue de la Conté entredeux estant tout planté d'arbres fruitiers une partie aussy en pré sain foin et terres labourables une longue et belle allée avec des grands arbres laquelle est au milieu du parc, trois ou quatre autres allées ung bouquet de haulte fus[...] taillés audessous contenantz trante arpantz ou environ [...] du parc ou environ estant des playnes [righe barrate] Le millieu dicelluy parc il y a une belle chapelle bastie de pierre de taille bien voutée et dediée en l'honneur de dieu et du St. Sauveur. Dans ledit parc proche icelle chapelle il y a une glassiere» (Ivi, f. *3r*).

[29] «Dans icelluy parc proche la porte et principalle antrée d'icelluy du costé du chasteau il y a ung pavillion contenant une belle salle cabinet et cave basti de pierre de taille couvert d'ardoize avec deux petites tourelles en forme de terrasse appellé la Maison Rouge, quy a esté bastie par feu cardinal Georges d'Amboise. Au bout d'icelluy parc il y a une grande porte cochere pour aller dud. chasteau de Vigny a Paris, le chemin de Gisors et Poissy estant au long de la dicte muraille par dehors. Tout le parc contient quatre vintz cinq arpens soixante perches» (Ivi f. *3r*). Quella della copertura a terrazza è una tecnica estranea alle maestranze francesi che tuttavia Georges d'Amboise impone a Rouen per i padiglioni Saint-Romain e Notre-Dame (si veda *supra*, cap. 3).

[30] R. Weiss, *The castle of Gaillon in 1509-1510*, in «Journal of the Warburg and Courtauld Institutes», 16, 1953, pp. 1-12; L. von Pastor, *Die Reise des Kardinals Luigi d'Aragona...* cit., pp. 128-130. Si veda *infra*, Antologia di fonti, 3 e 4.

[31] Si veda *infra*, cap. 8.

[32] A. Deville, *Comptes de dépenses...* cit., pp. 32-39, 43-44.

[33] Ivi, p. 41.

[34] Ivi p. 42.

[35] Ivi.

[36] Ivi.

[37] Per la discussione più approfondita del problema si rimanda a F. Bardati, *L'architettura francese di committenza cardinalizia nella prima metà del Cinquecento: i cardinali protagonisti delle guerre d'Italia*, tesi di Dottorato in Storia dell'architettura, Università di Roma "La Sapienza" e Université François Rabelais di Tours, Centre des Études Supérieures de la Renaissance, 2002, relatori A. Bruschi e J. Guillaume, pp. 176-177.

[38] A. Deville, *Comptes de dépenses...* cit., p. 75. Sono vicine al parco: una delle porte è detta «prés les estables» (ivi, p. 89). Si tratta del complesso che Du Cerceau indica con la lettera E (fig. 58).

[39] Ivi, p. 48.

[40] Le insegne cardinalizie delle porte sono state eseguite da Guillaume Senault alla fine del 1503 (Ivi, p. 88).

[41] Ivi, pp. 48, 52, il primo pagamento riferito alla *maison du parc*, il secondo alla *maison du Lydieu*.

[42] Ivi, pp. 52-5. Le espressioni *maison du parc* e *maison du Lydieu* si alternano in questa fase.

[43] Ivi, p. 57.

[44] Ivi, pp. 69-70. Girolamo Torniello è ancora pagato per due anni di servizio nell'agosto 1505 (ivi, p. 148).

[45] A. Deville, *Comptes de dépenses...* cit., pp. 311-329.

[46] Ivi, p. 85.

[47] Ivi, p. 64.

[48] La pavimentazione viene fatta nel gennaio 1505, quando si pensa a una possibile visita del sovrano (ivi, p. 140).

[49] Le torrette (fig. 1) sono esplicitamente citate nei conti A. Deville, *Comptes de dépenses...* cit., p. 87).

[50] Ivi, p. 86.

[51] Ivi, p. 88.

[52] R. Weiss, *The castle of Gaillon...* cit., p. 11. Si veda Antologia di fonti, 3.

[53] L. von Pastor, *Die Reise des Kardinals Luigi d'Aragona...* cit., p. 128-129. Si veda Antologia di fonti, 4.

[54] «Et poi da quello zardino si uscisse per una porta et si va in uno barcho muratto di circuito de circa a milia 2, quale he bellissimo: gli sono entro boschetti spesi et rari et praticelli et aque, et tutto a la comodità de li animali; et li sono cervi, caproli, dame, salvagi et domestici, et de tutti li animali terrestri; in mezo li he uno bello edefittio per quello [che] ne ha cura» (L. Monga, *Un mercante di Milano in Europa: diario di un viaggio del primo Cinquecento*, Milano 1985, p. 65. Si veda Antologia di fonti, 5).

[55] Gli edifici situati a sud-ovest (destra nella rappresentazione) sono stati edificati dal cardinale Charles de Bourbon probabilmente nel 1566. Si veda *infra*, cap. 8.

[56] Sull'incognita rappresentata dalla bizzarra forma e dalla funzione dei due specchi d'acqua paralleli rappresentati da Du Cerceau si veda F. Boudon, *Jardins d'eau et jardins de pente...* cit., p. 144.

[57] «Herronnerie» nei conti di costruzione.

[58] A. Deville, *Comptes de dépenses...* cit., p. 67.

[59] M. Whiteley, *Relationships between Garden, Park and Princely Residence in Medieval France*, in J. Guillaume (a cura di) *Architecture, jardin, paysage.* cit., pp. 91-102, in particolare p. 97.

[60] A. Deville, *Comptes de dépenses...* cit., p. 71.

[61] Mentre alcuni padiglioni sono strutture fisse dotate di fondazioni altri sono sicuramente elementi smontabili probabilmente assemblati prima di essere sollevati e sistemati sul luogo di competenza: nei conti si parla tanto di «cordage pour lever le pavillon» che di «avoir desassemblé le pavillon vert» (ivi, pp. 247 e 329).

[62] Ivi, p. 71.

[63] Si veda *supra*, cap. 4.

[64] Archives Départementales de l'Yonne, G, 494.

[65] Per gli interventi di Primaticcio a Meudon si veda S. Frommel, *Primaticcio architetto in Francia*, in S. Frommel, F. Bardati (a cura di), *Francesco Primaticcio architetto*, Milano 2005, pp. 74-193, pp. 98-106.

[66] Ivi, p. 100.

[67] Ivi.

[68] Non è convinto dell'attribuzione Pierre Lesueur, *Pacello da Mercogliano et les jardins d'Amboise, de Blois et de Gaillon*, in «Bulletin de la Société de l'Histoire de l'Art français», (1935) 1, pp. 90-117, in particolare su Gaillon pp. 111-115. Propone al contrario alcuni caratteri identificativi del giardiniere napoletano M. Bafile, *Pacello da Mercogliano. Influssi italiani nei giardini di Francia nel Medioevo e nella Rinascenza*, in «Palladio», (1954) 1, pp. 44-58.

[69] A. Deville, *Comptes de dépenses...* cit., p. 324.

[70] Pierre Delorme viene pagato per l'esecuzione di *lucarne* per la galleria del giardino nel maggio 1507 (ivi, pp. 238, 240, 272 e 327).

[71] Ivi, p. 279.

[72] Ivi, p. 142.

[73] Contratto dell'ottobre 1508 e pagamenti fino al gennaio 1509 (ivi, p. 428).

[74] Ivi, pp. 145-147. Si tratta degli stessi artisti intervenuti nell'appartamento del cardinale nel castello.

[75] «Pavillon du parmy du jardin», in costruzione nel marzo 1507 (ivi, pp. 233 e seguenti).

[76] Ivi, p. 272.

[77] Ivi, pp. 244 e 249.

[78] Ivi, pp. 355-356.

[79] Ivi, p. 102.

[80] Ivi, p. 103.

[81] Ivi, p.140.

[82] Ivi, pp. 145-147.

[83] Ivi, pp. 329-332.

[84] La descrizione di Jacopo Probo potrebbe far pensare che si tratti del padiglione in fondo al giardino (R. Weiss, *The castle of Gaillon...* cit., p. 7) ma secondo de Beatis esso era dipinto di azzurro e oro (L. von Pastor, *Die Reise des Kardinals Luigi d'Aragona...* cit., p. 129). Si vedano Antologia di fonti, 3 e 4.

[85] A partire dalla fine del 1506 ci sono continue lavorazioni dei terreni all'interno dei *parquetz*, per i quali, dal febbraio 1508 vengono acquistate violette, ciliegi, ribes, artemisie, peschi, rosmarini, cardi, peri, maggiorana, margherite (A. Deville, *Comptes de dépenses...* cit., pp. 284-367).

[86] Il termine 'parquet' con il significato di 'parterre de carré' o 'parterre de carré à compartiments' (M.-H. Benetiere, *Jardin. Vocabulaire typologique et technique*, Paris 2000, pp. 86-87) è utilizzato in Francia solo nel corso del XVI secolo. I conti di Gaillon costituiscono l'esempio più antico, seguito nel 1546 da Jean Martin per la traduzione dell'*Hypnerotomachia Polifili* (F. Colonna, *Hypnérotomachie ou Discours du songe de Poliphile, déduisant comme Amour le combat à l'occasion de Polia*, traduction de Jean Martin, Paris, Kerver, 1546, pp. 41-42), in seguito dai conti dei lavori fatti eseguire da Diana di Poitiers a Chenonceau tra il 1547 e il 1559 (C. Chevalier, *Comptes de receptes et despences faites en la chastellenie de Chenonceau par Diane de Poitiers*, Paris 1864, p. 218) e dai testi descrittivi di Du Cerceau per i castelli di Villers-Cotterêts e Anet (J.A. Du Cerceau, *Les plus excellents bastiments de France*, Paris 1576-79, edizione moderna a cura di D. Thomson, Paris 1988, pp. 199 e 257).

[87] A. Deville, *Comptes de dépenses...* cit., p. 327,

[88] Ivi, p. 368.

[89] Bonaventura Mosti al duca di Ferrara, 1508 (Archivio di Stato di Modena, *Cancelleria ducale, Estero, Ambasciatori Francia*, 4. cit. in M.H. Smith, *Rouen - Gaillon: témoignages italiens sur la Normandie de Georges d'Amboise*, in B. Beck, P. Bouet, C. Etienne, I. Lettéron [a cura di], *L'architecture de la Renaissance en Normandie*, Rouen 2003, t. I, pp. 41-58, p. 49. Si veda Antologia di fonti, 2).

[90] R. Weiss, *The castle of Gaillon...* cit., pp. 10-11. Si veda Antologia di fonti, 3.

[91] L. von Pastor, *Die Reise des Kardinals Luigi d'Aragona...* cit., p. 129. Si veda Antologia di fonti, 4.

[92] L. Monga, *Un mercante di Milano in Europa...* cit., pp. 64-6. Si veda Antologia di fonti, 5. La voliera doveva quindi misurare circa 119 x 17,85 metri, assumendo il braccio milanese uguale a 0,595 metri.

[93] Forse identificabile con il 'corridoro' citato da Probo d'Atri.

[94] Non è tuttavia da escludere la figura di Domenico da Cortona, allievo di Francesco di Giorgio, che usa la pianta centrale per il catafalco di Luigi XII nel 1514 e poi collaborerà con Leonardo per il progetto iniziale di Chambord (J. Guillaume, *Léonard de Vinci, Dominique de Cortone et l'escalier du modèle en bois de Chambord*, in «Gazette des Beaux-Arts», LXXI (1968), pp. 93-108; Idem, *Léonard de Vinci et l'architecture française. I. Le problème de Chambord*, in «Revue de l'art», 25 (1974), pp. 71-84).

[95] Un paragone tra i due giardini è proposto in N. Frachon, *Deux jardins de la première Renaissance: Blois et Gaillon*, Maîtrise d'Histoire de l'Art sous la direction de Jean Guillaume, Sorbonne - Paris IV, 1996. Sui giardini di Blois si vedano P. Lesueur, *Les jardins du château de Blois et leurs dépendances. Etude architectonique*, in «Mémoire de la Société des Sciences et Lettres de Loir-et-Cher», XVIII (1904), pp. 223-426; Idem, *Les jardins du château de Blois*, Blois 1906; M. H. Smith, *François Ier, l'Italie et le château de Blois*, in «Bulletin monumental», 147, (1989) 4, pp. 307-323. Sul *parterre* come caratteristica progettuale di Pacello si veda M. Bafile, *Pacello da Mercogliano...* cit., pp. 48-53.

[96] «Entrato nel giardino grande, molto bello e ben ordinato, diviso in quattro parti proportionatamente, con una fontana di marmor che buta continuamente acqua, et altamente, sotto un gran pavaglione nel megio d'esso, S. M. a passo a passo li monstrava le pergolate, l'artificio d'esse et la gran quantità di legnami che sono in dette, la longeza et largeza lor, sotto li quali si potria correr et manegiar un cavallo, perché correno trecento passi in longeza et dece in largeza. Li fece veder bene la fontana, et li disse che l'acqua si cavava d'uno pozo con cavali alla fogia di quello che ha V. S. a S. Sebastiano, et per condutti la mandava nella fontana. Li monstrò la quantità et diversità de li frutti, che assai vi ne sono; li disse che 'l tutto era fatto per forza, havendo spianato uno monte per far esso giardino». 12 agosto 1516, Tour, Stazio Gadio a Francesco Gonzaga (Archivio di Stato di Mantova, *Coll. autografi Volta*, 2. Orig. autogr.).

[97] M. Whiteley, *Relationships between Garden, Park and Princely Residence...* cit., p. 92.

[98] R. Weiss, *The castle of Gaillon...* cit., p. 9. Si veda Antologia di fonti, 3.

[99] Si veda *supra*, cap. 4.

[100] M. Whiteley, *Relationships between Garden, Park and Princely Residence...* cit., pp. 93-94.

[101] Ivi, p. 91.

[102] C.L. Frommel, *La villa e i giardini del Quirinale nel Cinquecento*, in *Restauri al Quirinale*, numero speciale del «Bollettino d'arte», 1999, pp. 15-62, p. 35.

[103] N. Adams, *The identification of the Palazzo Jouffroy, Pienza*, in «Architettura. Storia e Documenti», (1990), pp. 5-23.

[104] Si noti che tra i pittori attivi a Gaillon vi è Andrea Solario, allievo di Leonardo.

[105] Si veda *supra*, cap. 1.

[106] «E poi voglio che qui si faccia una chiesa e che ci stia uno romito, e voglio che sia bella» Antonio Averlino detto il Filarete, *Trattato di architettura*, in M. Azzi Visentini (a cura di), *L'arte dei giardini. Scritti teorici e pratici dal XIV al XIX secolo*, Milano 1999, pp. 69-80, p. 76.

[107] Si vedano i testi relativi specificamente ai giardini e al parco riportati ivi, pp. 83-89.

[108] Si veda *supra*, cap. 5.

[109] Si vedano le considerazioni di B.L. Edelstein riguardo l'influenza di Poggio Reale (*'Acqua viva e corrente': private display and public distribution of fresh water at the Neapolitan villa of Poggioreale as a hydraulic model for sixteenth-century Medici gardens*, in *Artistic Exchange and Cultural Translation in the Italian Renaissance City*, a cura di S. Campbell, New York 2004, pp. 187-220).

[110] «Ung lieu de plaisance confit;/ aussi Alphons pour son plaisir le fit/ auprés de Napples ou en toute manieres/ y a des choses sur toutes singulieres,/ comme maisons a mignon fenestraiges,/ grans galeries, longues, amples et larges,/ jardins plaisans, fleurs de doulceurs remplyes,/ et de beaultez sur toutes acomplyes,/ petiz prëaulx, passages et barrieres,/ costé fontaines et petites rivieres/ pour s'esjouïr et a la fois s'esbatre,/ ou sont ymaiges antiques d'albastre,/de marbre blanc et de porphire aussi/ emprés le vif ou ne fault ça ne si,/ ung parc tout clos ou sont maints herbes saines,/ beaucoup plus grant que le Boys de Vincennes,/ plains d'oliviers, orengiers, grenadiers,/ figuiers, datiers, poiriers, allemandiers,/ pommiers, loriers, roumarins, marjolaines,/ et giroflees sur toutes souveraines,/ nobles heuillletz, plaisantes armeries,/ qui en tous temps sont la dedens plories/ et de rosiers, assez bien dire l'ose,/ pour en tirer neuf ou ditz muytz d'eau rose. / D'autre costé sont fossez et herbaiges,/la

ou que sont les grans bestes saulvaiges, comme chevreulx a la course soudains,/ cerfz hault branchez, grosses biches et dains;/ aussi y sont sans cordes ne ataches,/ aux pastourages gras beufs et grosses vaches,/ chevaulx, muletz et jumens par monceaulx,/ asnes, cochons, truyes et gros pourceaulx./ Et puys, au bout de toutes ses prayeries,/ sont situées les grandes mestaieries,/ la ou que sont avec chappons, poulailles,/ toutes manieres et sortes de volailles:/ cilles, perdriz, pans, signes et faisans/ et mainct oyseaulx des Yndes moult plaisans./ Aussi y a ung four a eufz couver,/ dont l'on pourraoit sans geline eslever/ mille poussins qui en auroit affaire,/ voire dix mille qui en vouldroit tant faire./ De ce dit parc sort une grant fontayne,/ qui de vive eau est si tres comble et plaine, que toute Napples peult fournir et laver, / e toutes bestes grandement abeuvrer./ Aussy y a vignoble 'excellence,/ dont il en sort si tres grant habondance/ de vins clairetz, de vin rouge et vin blanc,/ grec et latin que pour en parler franc,/ sans les exquis muscadetz et vins cuitz,/ on y queult bien tous les ans mille muits,/ voire encore plus quant le bonheur revient,/ et tout celaau profit du roy vient;/ et au regard des caves qui y sont/ en lieu certain, apprprié, parfont,/ si grandes sont, si longues et si larges,/ et composées de si subtilz ouvraiges,/ tant en pilliers comme voulsure ronde,/ qui n'en est point de pareilles au monde». (A. de la Vigne, *Le voyage de Naple*, edizione moderna a cura di Anna Slerca, Milano 1981, pp. 248-250).

[111] Alberto Pio a Francesco Gonzaga, 1507 in A. Sabattini, *Alberto III Pio...* cit., pp. 165-166.

Oltre Georges d'Amboise:
Gaillon nel corso del Cinquecento

Alla morte del cardinal legato, il 25 maggio 1510, il capitolo della cattedrale di Rouen non esita a eleggere Georges II d'Amboise, uno dei nipoti del defunto, alla guida della diocesi. Prelato meno ambizioso dello zio, lontano dalla vita politica e poco interessato alla carriera ecclesiastica, egli riceve il cappello nel 1545, con il titolo cardinalizio di Santa Susanna e in vita sua si reca a Roma in una sola occasione, poco prima di morire, per il conclave dell'elezione di Giulio III nel 1550. Georges II d'Amboise non apporta grandi modifiche a Gaillon, limitandosi a terminare i lavori rimasti incompleti e a saldare gli innumerevoli artisti e operai coinvolti[1]. Oltre alle spese di intrattenimento dei giardini e degli animali l'unico intervento di rilievo è l'apposizione di una barriera, la cui natura non è chiara, «devant la porte de la prise de Gênes» nelle spese del 1513-1514[2]. Egli predilige il castello di Vigny, dove dai conti arcivescovili si deduce che passi la maggior parte del tempo in cui non è presente a Rouen[3]. Nella capitale di Normandia il palazzo, nonostante la recente edificazione, richiede continui restauri, soprattutto per le coperture a terrazza dei padiglioni Saint-Romain e Notre-Dame[4]. Georges II si occupa anche di far realizzare la sepoltura monumentale dell'illustre zio, situata per volere di questi nella cappella della Vergine, in cattedrale[5].

Forse perché il cardinal legato aveva trascurato gli altri edifici della diocesi per dedicarsi alle grandi costruzioni o forse perché queste, e Gaillon in particolare, avevano quasi prosciugato le casse arcivescovili impedendo anche l'ordinaria manutenzione del resto del patrimonio, Georges II si trova a spendere in continuazione denari per riparazioni urgenti in tutti i possedimenti dell'arcivescovado: nei quarant'anni in cui guida la sede di Rouen si effettuano continui lavori a Déville, alla dimora di Dieppe, alla chiesa di Envronville, a Saint-Nicolas d'Aliermont, al ponte di Beaupaume, a Louviers, a diverse fontane urbane e vari mulini[6].

Nell'inventario ordinato da Enrico II alla morte dell'arcivescovo di Rouen e iniziato a redigere il 31 agosto 1550, il castello di Gaillon è chiaramente terminato e ammobiliato ma non mostra elementi nuovi rispetto a quanto voluto dal cardinal-legato, se non nella denominazione di alcuni ambienti, leggermente variata nel tempo: la galleria della porta di Genova, per esempio, ha preso il nome di *Galerie de la tapysserie*, forse a causa degli otto cartoni per l'esecuzione degli arazzi che il cardinal-legato aveva donato alla cattedrale di Rouen che vi erano conservati[7] mentre quella della biblioteca è detta semplicemente *Grande gallerie nattée*, in virtù del rivestimento ligneo parietale[8]. Alcuni pezzi di mobilio in realtà sono un po' rovinati, soprattutto negli elementi di tappezzeria: Georges II non sembra aver fatto attenzione a far riparare oggetti usati non frequentemente. A titolo di esempio, da uno degli arazzi della «chambre des velours vert», quello che sta sopra il letto, è stata asportata una parte, forse quando tutta la serie di 9 pezzi è stata spostata a Rouen e riportata a Gaillon a seguito di una visita reale nella città[9]. Ma in tutti gli ambienti si segnalano oggetti rovinati, pezzi mancanti. Addirittura 6 archibugi risultano essere stati trasferiti da Gaillon a Vigny nel 1541 per ordine di Georges II[10].

Una modifica importante, tuttavia, riguarda il modo di abitare: il nipote non usa le stanze d'apparato del piano nobile della *Grant' Maison* così care allo zio ma quelle equivalenti del piano terra; non solo: alla *chambre de parement* preferisce una *petite salle basse* dove senza dubbio consuma i pasti, a cui segue la *suite* canonica di *chambre-garderobe-cabinet*. Il nuovo arcivescovo dorme nella guardaroba situata nella torre[11]. Alla distribuzione papale, quindi, Georges II preferisce la funzionalità di una sala da pranzo di dimensioni ridotte[12].

Un principe del sangue a Gaillon: Charles de Bourbon

Nuovi importanti lavori vengono invece effettuati dal successivo arcivescovo di Rouen, le cui ambizioni nel corso del Cinquecento andranno ben oltre quelle di Georges Ier d'Amboise. Gli interventi, databili tra il 1550 e almeno il 1576[13] si concentrano al di fuori del castello, sui giardini e sul parco. Attuate mezzo secolo più tardi, le trasformazioni volute da Charles de Bourbon (1523-1590) testimoniano lo sviluppo dei giardini francesi in questo lasso di tempo, soprattutto per quel che concerne il rapporto col territorio e la subordinazione a disegni prospettici e simmetrici d'insieme[14], ma anche l'assimilazione completa del linguaggio rinascimentale da parte dei committenti e delle maestranze francesi e la formazione di una maniera nuova, che sintetizza modelli italiani e tradizioni nazionali.

Anche il ruolo dei porporati rispetto alla gerarchia sociale francese è cambiato: se, all'epoca di Georges d'Amboise, Isabella d'Este poteva affermare che in Francia «De cardinali, mancho conto se tene in questa corte che non si fa de' cappellani a Roma»[15], mezzo secolo più tardi la corte francese ha radicalmente modificato le proprie abitudini tanto da portare l'ambasciatore Giovan Battista Gambara ad affermare che «chi non ha visto la corte di Franza, non ha visto che sia grandezza»[16].

Il cardinale di Bourbon-Vendôme, inoltre, è un principe del sangue[17] e uno dei più ricchi ecclesiastici francesi della seconda metà del Cinquecento[18]. Pur non figurando tra i favoriti dei giovani sovrani che si susseguono sul trono dopo la morte di Enrico II, Charles de Bourbon è uno dei più fedeli alleati della reggente, Caterina dei Medici, di cui condivide molte delle strategie politiche[19]. Fratello di due dei protagonisti delle guerre di religione[20], egli tenta finché possibile la via della mediazione tra cattolici e protestanti.

Con la trasformazione e l'ampliamento degli spazi esterni il castello di Gaillon si aggiorna rispetto ai canoni del secondo Rinascimento, restando, nonostante le ampie parti *flamboyant* costruite da Georges d'Amboise, un edificio di riferimento nel panorama francese. La residenza che Charles de Bourbon consegna ai suoi successori è infatti una vera e propria reggia, in cui null'altro può essere desiderato, come riporta Alvise Meraviglia nel 1577: «a mio giudizio, non si può aggiungere né desiderare cosa alcuna nel castello di Equan e in quello di Haion del cardinale di Borbon»[21].

Tuttavia gli interventi effettuati durante il lungo episcopato del cardinale di Bourbon sono stati finora solo fuggevolmente affrontati dalla critica. La ragione principale risiede nella carenza dei documenti: a esclusione dei disegni e delle incisioni di Jacques Androuet Du Cerceau, pubblicati nel primo volume dei *Plus Excellens bastimens de France*, del 1576, restano solo pochi contratti relativi a rifiniture dell'edificio. Il 1576 costituisce il termine *ante quem* per i tre interventi nel castello (fig. 58): la galleria che congiunge la *Tour de la Syrène* con il giardino, un secondo giardino, di dimensioni molto maggiori situato al di sotto della collina di Gaillon e che prende il nome di *Jardin bas* e infine la *Maison-Blanche*, una sorta di padiglione a cui Du Cerceau dedica la maggior parte dei dettagli delle sue incisioni, situato accanto l'Hermitage e la cappella del parco costruiti da Georges d'Amboise[22]. Le caratteristiche del prospetto della galleria del giardino di Georges d'Amboise, visibili nella veduta dall'alto (fig. 61), inducono a pensare che Charles de Bourbon sia intervenuto anche su questo corpo di fabbrica: ai portici descritti dai visitatori della prima metà del secolo si sostituiscono infatti alte finestre che alternano con settori murari a rilievi rettangolari per ottenere effetti chiaroscurali. In corrispondenza degli assi trasversali del giardino vengono creati cinque ingressi monumentali, uno più grande di fronte al padiglione della fontana e due per ogni lato.

Contemporaneamente a questi interventi Charles de Bourbon fa costruire anche una Certosa, non lontana dal *Jardin bas* (fig. 65)[23], con lo scopo evidente di creare un *pendant* dedicato ai Bourbon rispetto alle cappelle del castello che glorificavano la famiglia d'Amboise. La scelta dei Certosini di Parigi per condurre la fondazione sottolineava la volontà di difendere la predicazione cattolica nei difficili frangenti delle guerre di religione, che vedevano il cardinale spesso oggetto di critiche a causa delle posizioni protestanti del fratello, il principe di Condé.

Il progetto della Certosa fu affidato a Pierre Marchand e la fondazione ebbe luogo il 27 maggio 1563. In una lettera del 21 aprile 1571 Charles de Bourbon spiega che desidera chiamarla Notre-Dame-de-Bonne-Espérance, probabilmente alludendo alle vicende politiche di quegli anni. Se nel 1575 la chiesa necessita ancora di notevoli interventi di muratura, molti edifici sono in fase di completamento alla stessa data, quando si siglano diversi contratti per l'esecuzione delle coperture in ardesia di Angers, dei rivestimenti lignei per gli interni, degli infissi e delle vetrate delle finestre del chiostro e degli alloggi per gli ospiti, nonché delle statue in piombo che ornano il tetto della chiesa[24].

La costruzione dell'ambizioso complesso architettonico, con diversi chiostri ed edifici conventuali oltre alla chiesa, si conclude nel secolo successivo: nel febbraio 1597 il cardinale Alessandro dei Medici e il suo seguito vedono il convento ancora incompleto:

«L'altra mattina seguente, partendosi S. S. Ill.ma dal sudetto Gaglione accompagnato da detto arcivescovo sino alle barche e avanti un miglio appresso si vedde anco la certosa con nova bella chiesa fatta ultimamente dal cardinale di Borbona, dove sonno molte relliquie, in particolare il legno della croce di Christo N. S., del latte della santissima Madre, et un gran convento, ben che non sia fenito. Quivi S. S. Ill.ma udí messa, poi da quei frati fu fatto una bella colatione assieme con li altri di corte. Poi detto Sig.re legato arrivò alla barca et quivi detto arcivescovo restò ritornando al sudetto luogo et il Sig.re legato seguí il suo viaggio»[25].

Per volere di Enrico IV nel 1598 la Certosa prende il nome di Bourbon-lez-Gaillon, legandosi di fatto alla nuova dinastia reale e divenendo cappella sepolcrale di molti membri della famiglia, compreso il cardinale Charles[26]. Fortemente danneggiata a causa di incendi nel 1696 e nel 1774, essa fu devastata durante la Rivoluzione e venduta il 23 dicembre 1791. Nel 1831 era già completamente scomparsa.

A fronte dell'avanzamento dei lavori nel 1575, l'assenza della Certosa nel dossier di Du Cerceau sembra ascrivibile al fatto che il *corpus* di incisioni è esplicitamente dedicato all'architettura residenziale e per questo motivo il complesso conventuale potrebbe esserne stato escluso.

Per gli altri interventi la pianta d'insieme e la veduta frontale di Du Cerceau sono i documenti fondamentali per analizzare gli interventi di Charles de Bourbon.

La costruzione di una nuova galleria e la terza corte

Con la costruzione di una nuova galleria porticata che chiude la spianata erbosa tra giardino superiore e castello si crea di fatto una terza corte che unisce i due elementi precedentemente separati (fig. 58). Il sottile corpo di fabbrica continua idealmente la loggia della *Grant' Maison*, poiché è aperto verso la vallata e chiuso a monte da un muro. Benché un contratto del 12 marzo 1572 menzioni un «petit passage d'entre le chasteau et ladite gallerie», la pianta di Du Cerceau non mostra questo elemento e lascia solo intuire la connessione con l'angolo sud-est del giardino. In realtà, più che di un collegamento funzionale per raggiungere il giardino al coperto, si tratta di un intervento che tende a regolarizzare ulteriormente lo spazio, mascherando la posizione laterale del portale posteriore del castello, la cui eccentricità era dovuta al riutilizzo di strutture preesistenti[27].

Il muro di fondo del corridoio infatti mantiene l'allineamento con la loggia verso la Senna mentre le arcate sono spostate in avanti, richiedendo lavori di terrazzamento. L'intero corridoio piega poi a 90° per raggiungere l'angolo est del muro del giardino. Dal lato opposto, verso il monte, un muro parallelo alla nuova galleria viene costruito partendo dall'angolo sud e a sua volta piega a 90° per raggiungere il fossato accanto al portale posteriore. Quest'ultimo si ritrova in posizione assiale rispetto al nuovo spazio aperto, concepito secondo un punto di vista privilegiato che è quello del corpo di fabbrica che chiude a sud-est il giardino superiore, che rimane di fatto l'unico elemento asimmetrico dell'insieme e non a caso viene ricostruito nel secolo successivo (fig. 66)[28].

L'impatto visivo della nuova galleria, relativamente bassa, è comunque evidenziato dalla successione di arcate affacciate verso la vallata, poggiate su coppie di pilastri che accentuano gli effetti chiaroscurali (fig. 1). Questa soluzione sembra alludere in forma bidimensionale al portico che Primaticcio ha realizzato a Fontainebleau alle spalle della porta fortificata, ripreso da Caron nell'*Histoire de la Reine Artémise* dedicata a Caterina e a sua volta ispirato alla loggia di Davide di palazzo del Té a Mantova[29].

La nuova galleria, infatti, serve anche a collegare visivamente la *Grant' Maison* e il giardino superiore, al fine di garantire uno scenario architettonico grandioso al nuovo giardino che Charles de Bourbon fa realizzare alle pendici della collina di Gaillon.

Proprio per la natura di corpo di fabbrica basso, a un solo livello e aperto da dodici arcate, sembra difficile collegare a questo elemento i contratti per l'esecuzione di infissi e vetrate delle finestre e degli usci dell'ultimo piano di una *gallerie neufve du chasteau aud. Gaillon*, che, dai documenti è composta da almeno tre livelli e sembra essere una costruzione più complessa della galleria di collegamento[30]. Gli interventi descritti sembrano più consoni all'imponente ala, a più piani, che chiude il giardino superiore a sud-est, verso il castello, ma questa ipotesi non è comprovata da altre prove. Di certo Bourbon si è interessato anche alle gallerie che bordavano il giardino superiore, come dimostra anche lo stile della facciata dell'ala nord-est (fig. 61).

Potrebbero invece essere stati posti in opera sulla facciata interna della galleria di collegamento, verso la nuova corte, dodici medaglioni rappresentanti altrettanti imperatori romani che lo scultore Pierre de Brimbal, detto Chevrier, ha eseguito su commissione del cardinale di Bourbon e destinati al castello di Gaillon prima del 1 settembre 1567[31]. All'organizzazione in dodici campate della facciata verso la vallata, articolata da arcate, potrebbe infatti corrispondere un diverso impaginato interno in cui però avrebbero facilmente potuto trovare spazio i dodici medaglioni: alti circa 70 cm e montati ciascuno su un piedestallo, essi avrebbero potuto facilmente adornare anche una successione di campate cieche o alternare con bucature. Se questa ipotesi fosse provata, testimonierebbe la volontà di Charles de Bourbon di duplicare l'aspetto più apertamente classicista della decorazione di Georges d'Amboise nella nuova corte del castello.

Il giardino di Georges d'Amboise era ancora legato alla logica dell'*hortus conclusus*, pianeggiante, separato dall'edificio e dal resto del territorio circostante tramite alte mura. Il nuovo giardino di Charles de Bourbon abbandona questo concetto per adagiarsi sui terreni al di sotto della collina di Gaillon e organizzarsi secondo un forte asse centrale, perpendicolare allo sfondo monumentale costituito dalla successione del prospetto della *Grant' Maison*, della nuova galleria e del muro di cinta del giardino superiore. Il nuovo, enorme giardino è ancora scandito da *parterre* organizzati simmetricamente rispetto al viale longitudinale centrale e piantati con essenze diverse a creare boschetti, labirinti, aiuole fiorite. Il fatto che Du Cerceau alluda a lavori che si potrebbero fare in quest'area lascia supporre che ci fosse ancora un margine di intervento possibile prima del 1576[32]. Non è chiaro se il contratto per la realizzazione di tre nuovi boschetti, siglato nel novembre 1572[33], si riferisca a questo giardino o sia da mettere in relazione con le modifiche effettuate in questi anni in quello superiore. I tre boschetti, circondati da alberi a formare palizzate, dovevano avere ciascuno quattro padiglioni situati negli angoli ma nessuno degli elementi trasmessi da Du Cerceau corrisponde a tale disposizione.

Francesco Gregori da Terni, che accompagna il cardinale de' Medici nel 1597 non rileva differenze tra i due giardini: «Poi, sotto a detto palazzo nella pianura et similmente di sopra, vi sono de' bellissimi giardini, in gran copia de frutti, nobilissime e diverse forme de spalliere, che veramente mi pare in questo mondo stanza di paradiso»[34].

Benché Charles de Bourbon non intervenga con la stessa veemenza di Georges d'Amboise per modificare l'orografia del sito, parimenti la concezione del nuovo giardino è ancora lungi dall'integrare la pendenza nella progettazione, differenziandosi in questo dalla contemporanea ricerca italiana. Due vedute di Israël Silvestre mostrano come la natura impervia del suolo rimanga tale ancora a metà Seicento e i due giardini formalmente separati dallo spazio selvaggio circostante (figg. 67 e 68). Il giardino inferiore resta uno spazio a sé per tutto il secolo successivo e solo intorno al 1730 si regolarizza il pendio e si creano percorsi diagonali per passare da un livello all'altro[35]. Quando intorno al 1610 Vincenzo Giustiniani visita il cardinale de Joyeuse a Gaillon, Bernardo Bizoni che lo accompagna annota che dalla loggia della *Grant' Maison* «si scopre bella e lontana vista, e particolarmente quella del gran giardino d'abasso del palazzo e d'un padiglione di esso fatto di disegno portato d'Italia»[36]. Poiché la pianta di Du Cerceau è tagliata non è possibile stabilire se l'edificio menzionato da Bizoni e visibile nella pianta di Jarri del 1731 e poi in quella di Le Tellier del 1748 (fig. 65) sia ascrivibile alla campagna di Charles de Bourbon o successivo. A pianta centrale, con torrette laterali, esso non differisce molto da quelli di inizio secolo se non per le finestre bugnate e per uno stile più consono alla seconda metà del Cinquecento.

La *Maison Blanche*

L'intervento più enigmatico effettuato durante l'episcopato di Bourbon è però la realizzazione della *Maison Blanche*, un padiglione nel parco che non compare in nessun'altra fonte e del quale si perdono le tracce molto presto, costruito accanto all'*Hermitage*, la casa e la cappella di Georges d'Amboise e da questi separato da un corso d'acqua (fig. 59)[37].

Una *pièce* teatrale rappresentata a Gaillon nel 1566 in una fantomatica isola felice – *l'isle heureuse* – ha portato gli studiosi di letteratura e di storia dell'arte a identificare questo sito con la *Maison Blanche*[38]. Nel settembre 1566, infatti, la corte di Francia effettua un lungo soggiorno nel sontuoso castello di Gaillon, ospite del cardinale di Bourbon e in questa occasione vengono rappresentate alcune egloghe e due tragedie composte da Nicolas Filleul e dedicate al giovane Carlo IX ma, soprattutto, alla regina madre, Caterina de' Medici. L'insieme verrà pubblicato successivamente dall'autore a Rouen, con il titolo *Les Théâtres de Gaillon*, preceduto da un poema dedicatorio *A la Royne*.

L'edificio era situato a circa un chilometro e mezzo dal giardino di Georges d'Amboise, a una quota superiore. Il parco infatti è posto certamente più in alto rispetto al resto del castello poiché, come scrive Du Cerceau, «si voulez aller, soit du logis, ou bien du jardin d'en hault, il faut souvent monter, tant par allées couvertes d'arbres, que terraces, qui toujours regardent sur le val»[39].

Nelle incisioni e nei disegni[40] Du Cerceau rappresenta sempre la *Maison Blanche* obliquamente; se nella pianta d'insieme questo potrebbe spiegarsi come un tentativo di resa prospettica dell'orografia del sito, il fatto che nella stessa area coesistano diversi orientamenti mostra che la *Maison Blanche* era irregolare anche al suo interno. L'acqua è l'elemento unificante della composizione, sia dal punto di vista spaziale che da quello cronologico. A nord-est si trova l'insieme realizzato all'epoca di Georges d'Amboise[41], a sud-ovest la *Maison Blanche*, costruita su una piattaforma bastionata al centro del bacino geometricamente complesso in cui termina il canale di collegamento tra i due poli. Un secondo specchio d'acqua, disposto parallelamente al canale e anch'esso caratterizzano da una morfologia inconsueta, è posto a ovest di quello principale, in un'area che Du Cerceau connota chiaramente come campestre[42]. Naomi Miller ha interpretato l'edifico come una sorta di ninfeo, ispirato alla *Domus Aurea* ma anche al *De re rustica* di Varrone, rintracciandone il modello rinascimentale nel palazzo Te a Mantova[43].

L'edificio presenta logge con arcate al piano terreno e finestre a quello superiore (fig. 69). In pianta si trattava di due elementi rettangolari, giustapposti, proporzionati secondo un modulo regolare costituito dalla luce delle arcate inferiori. Il più grande, aperto su tre lati secondo la descrizione di Du Cerceau, ospitava una sala per feste e banchetti, il più piccolo una scala e alcuni camerini:

> «Son premier estage est comme une salle, ouverte à arcs de trois costez, ayant son regard dans l'eauë. L'autre costé est une montée, avec quelques petites garderobbes. De ceste montée l'on va en hault, où sont pareilles commoditez que dessous, excepté qu'au lieu d'arcs ce sont fenestres quarres. En la salle basse, du costé du buffet, y a comme trois fontaines quarrées de deux ou trois pieds, dans lesquelles on descend pour avoir l'eauë: & tout se voit d'icelle salle, avec quelques murailles garnies de niches»[44].

Entrambi gli elementi sono coperti da una terrazza accessibile grazie alla scala che si conclude superiormente in una altana. Verso il canale la piattaforma sporge in una sorta di rivellino con una torretta cuspidata, forse un piccolo belvedere affacciato sull'acqua, verso l'*Hermitage*.

L'esuberante decorazione scultorea presenta numerosi elementi riconducibili all'architettura dei giardini e in particolare a temi bucolico-pastorali: dal bugnato, alle fontane, ai mascheroni, ai numerosissimi satiri e ai pastori.

Non è però chiara la funzione di questo edificio, dagli ornamenti abbondanti e spettacolari, scenograficamente connesso con l'acqua, concepito secondo la più aggiornata moda ma al contempo giustapposto all'eremitaggio, al vecchio *logis* e alla cappella tardogotica[45]. Naomi Miller e David Thomson, sulla scia dell'analisi del testo teatrale proposta da Françoise Joukovsky, suppongono che la *Maison Blanche* sia il luogo della rappresentazione delle egloghe di Filleul; tuttavia, alla terza egogla, in particolare, il re, la regina madre e la corte avrebbero dovuto scomodamente assistere dalla terrazza. All'ambiente pastorale descritto dal poeta si possono infatti ricondurre le effigi dei pastori e dei satiri che ornano le facciate. Indubbiamente la sala interna della *Maison Blanche*, con le sue tre nicchie che ospitano sculture e fontane (fig. 70), sembra anticipare la grotta di Thetys a Versailles, che nelle incisioni di Le Pautre per i *Divertissements* di Félibien era usata anche per rappresentazioni teatrali[46].

Un antecedente francese, per la Miller, è lo Châteu-Neuf di Saint-Germain-en-Laye, concepito come spazio per rappresentazioni; la studiosa, riprendendo la teoria di Derek Clifford sull'*Hermitage* come manifestazione della santità connessa alla teatralità, ipotizza anche che la vicinanza tra l'*Hermitage* e la *Maison Blanche* sia volontaria e propone una interessante lettura dei due elementi considerati l'uno un antro naturale e l'altro una grotta artificiale[47].

Tuttavia, se tra la festa del 1566 e la costruzione della *Maison Blanche* esiste una connessione, bisogna innanzi tutto chiarire dove furono rappresentate le egloghe. Il fatto che Filleul menzioni una *Isle heureuse* fa pensare che la scena fosse costituita dall'*Hermitage* roccioso, dotato di diversi pianori e caverne che ben si sarebbero prestati alle diverse composizioni[48]. D'altra parte l'isola costituiva un *topos* del genere pastorale, basti pensare all'*Aminta* del Tasso rappresentata nel 1573 a Belvedere. Questa teoria cozza però con quella di Thomson: infatti, dalla terrazza della *Maison Blanche,* molto difficilmente la corte avrebbe potuto apprezzare la finezza del testo celebrativo di Filleul, denso di rimandi agli ultimi accadimenti politici del governo di Caterina e alla fedeltà del cardinale di Bourbon alla corona. Tra l'edificio e l'*Hermitage* vi era una distanza di circa 240 metri, tale da escludere l'ipotesi che il pubblico potesse riuscire a udire distintamente il testo, nonostante l'effetto di amplificazione certamente prodotto dall'acqua.

Un'ipotesi plausibile, ma finora non comprovata da documenti, è che la scena sia stata itinerante, ovvero che alcune parti siano state recitate nel padiglione e altre davanti all'*Hermitage* o forse addirittura nel giardino annesso, sulla falsariga delle rappresentazioni in auge in ambito padano dai primi del Cinquecento[49] e come già accaduto per i festeggiamenti del carnevale del 1564 a Fontainebleau[50]. I rapporti tra la corte francese e quelle padane d'altronde erano più che stretti e una trasmissione di idee in questo senso non è da escludere. Si notino, tra l'altro, le analogie tra l'*isle heureuse* menzionata da Filleul e *L'isola beata*, la naumachia con macchine e musica rappresentata nel 1569 a Ferrara, la cui scenografia tramandataci da un disegno di Pasi da Carpi prevede un edificio aperto da arcate su tutti i lati e circondato dall'acqua[51].

La *Maison Blanche* sembra però essere un edificio destinato al giovane re: le leggende dei disegni del British Museum lo indicano chiaramente e introducono nuovi interrogativi sul padiglione. Nella sezione assonometrica del prospetto delle fontane Du Cerceau riporta: «La face où sont les fontaines *de la place Arsée* où communement le Roy boit et mange» ; mentre l'iscrizione della sezione recita: «la face dedans de la *place Arsée* au milieu de laquelle est le passage pour aller en hault tant aux chambres qu'à la terrasse».

In primo luogo, in questi disegni non appare mai il toponimo *Maison Blanche* e al suo posto si parla della *Place Arsée* – nome ancora più sibillino del primo, riconducibile solo dall'uso del verbo *arser*, derivato dal participio passato di *ardre*, cioè bruciare[52], e che dovrebbe significare 'arsa' o 'bruciata'. I *Théâtres de Gaillon* non contengono nessun avvenimento che possa illuminare sulla ragione di questo nuovo nome, che però potrebbe semplicemente alludere all'esistenza di un camino nell'*haut bout* della sala, presso cui mangiava il re.

La presenza delle fontane in una sala da pranzo ha chiari riferimenti nella letteratura antica: da Varrone, che descrive qualcosa di simile del *De re rustica*[53], a Sidonio Apollinare, che nei suoi versi sul castello di Leonte cita un corso d'acqua con cascata che attraversa il *triclinium*[54], a Plinio il giovane, che parla di una *cenatiuncula* nella quale scaturisce una fonte[55], a Stazio nella descrizione della villa di Manlio Vopisco[56]. Numerosi esempi costruiti si trovano a Pompei, a Roma, a Baetica[57]. Anche il salone della celebre ville d'Este a Tivoli, concepito come *triclinium* era irrorato dalle acque, seppure in forma metaforica[58]. Si tratta sempre di *triclinia* di ville che non sono dunque in contrasto con l'atmosfera bucolica trasmessa da Du Cerceau.

In secondo luogo, le legende di Du Cerceau indicano che il sovrano svolge nella *grande salle* della *Maison Blanche* o *Place Arsée* una delle funzioni primarie del cerimoniale dell'epoca[59]. Si deve pensare che il giovane re preferisse alloggiare in questo nuovo edificio, certamente confortevole e alla moda, invece che nei grandi appartamenti del castello, concepiti nei primissimi anni del Cinquecento e legati a un'estetica ormai superata? L'ipotesi, in questi termini, non sembra sostenibile poiché la corte di Francia si spostava con migliaia di persone e doveva avere la sua base principale nel grande castello, comunque più spazioso e funzionale, dotato di numerosi appartamenti. Inoltre, il fatto che le due tragedie di Filleul siano state rappresentate nel castello dimostra che la corte usava l'edificio principale anche per i festeggiamenti e certamente vi alloggiava. Però, con la sua sala, le guardaroba, le camere al piano superiore e le altre comodità cui accenna Du Cerceau, la *Maison Blanche* o *Place Arsée* poteva servire da alloggio temporaneo del re con un piccolo seguito, adatto a sfuggire i tanti difficili e noiosi momenti della vita ufficiale, così come il suo autorevole nonno aveva dichiarato di voler fare, cinquant'anni prima con la costruzione del castello di Chambord, la residenza di caccia situata a pochi chilometri da Blois, in cui il re amava ritirarsi con la sua *petite bande*[60]. La grande sala del piano terreno si prestava anche a feste e *divertissement*, manifestazioni per le quali il cardinale di Bourbon aveva una grande inclinazione, soprattutto se concepite con grandiose scenografie e *mis en scene* sull'acqua, come nel caso della festa per le nozze di Anne de Joyeuse e Marguerite de Lorraine del 1581[61].

Il fatto che il re – Du Cerceau non specifica quale – prendesse i propri pasti nel padiglione del parco non prova però che questo sia stato edificato a uso specifico del sovrano, e anche ammettendo che così fosse, non dimostra che esso sia stato costruito per il soggiorno del 1566, come dato per scontato dall'insieme della critica: la corte aveva alloggiato a Gaillon anche nel settembre 1562, al riparo dal drammatico assedio di Rouen[62] e, prima della pubblicazione dei *Plus excellents bastiments de France* vi si sarebbe recata in altre due occasioni[63].

Benché la leggiadria dell'edificio sia più consona al *mode de vie* di Enrico III[64], il fatto che nei disegni preparatori Du Cerceau alluda alla frequentazione del re e che poi nell'opera pubblicata elimini totalmente ogni riferimento al sovrano e, addirittura, modifichi tutti i toponimi, lascia spazio all'ipotesi che il sovrano che pasteggiava nel padiglione della *place Arsée* fosse Carlo IX, morto nel 1574, e che nel momento della pubblicazione della raccolta delle incisioni il nuovo re, Enrico III, non avesse rilevato l'abitudine del fratello defunto.

L'informazione sulle abitudini reali potrebbe inoltre significare che Du Cerceau sia stato un testimone oculare e che quindi i disegni siano stati eseguiti in concomitanza con uno dei soggiorni di Carlo IX a Gaillon, nel 1562, nel 1566 o nel 1571[65].

La fondazione della Certosa nel 1563 indica che negli anni Sessanta Charles de Bourbon commissionava lavori a Gaillon, circostanza confermata dall'esistenza dei medaglioni scolpiti su commissione del cardinale, per il castello, precedentemente il 1567. Un passo delle *Naiadi*, la prima delle egloghe di Filleul, sembra poi alludere a lavori intrapresi vicino a uno specchio d'acqua dal cardinale, che, nelle vesti di

> *Carlin, ce grand pasteur qui sus la France flamboye*
> *comme fait sur la mer l'astre des feux jumeaux,*
> *sus un bort argentin qui près de Gaillon ondoye*
> *a planté pour Charlot des orangers nouveaux*[66].

L'allusione a lavori fatti per la venuta di Charlot, cioè Carlo IX, potrebbe in effetti costituire un indizio per una datazione della *Maison Blanche* in previsione del soggiorno del 1566, in concomitanza con la costruzione della Certosa.

Tra gli interrogativi che circondano l'edificio bisogna porre anche quello della sua precocissima scomparsa. Non ve ne è alcuna traccia nell'opera di Israël Silvestre, che esegue intorno alla metà del XVII secolo numerose incisioni dei giardini e del parco, né sembra che possa essere identificato con il *pavillon de Parnasse* descritto durante la visita dei membri dell'Académie Royale d'Architecture, poiché questo «regarde le jardin» e probabilmente corrisponde a quello inciso da Silvestre (fig. 67)[67]. Sembra in effetti che già un secolo dopo la costruzione dell'edificio il parco sia in condizione di decadenza, come attesterebbe l'espressione "Ton vieux Parc venerable en sa caducité" usata nel *Sonnet sur la beauté du Chasteau de Gaillon*[68], prima di essere radicalmente trasformato sotto l'episcopato di Jacques Nicolas Colbert (1691-1707)[69].

Nel 1748 è ancora possibile individuare il sito su cui sorgeva l'edificio, ma ormai non ne restano neanche le rovine (fig. 65). Soprattutto in nessuna delle descrizioni della fine del Cinquecento e dell'inizio del Seicento se ne fa alcuna menzione[70]. Non è da escludere che questa precoce scomparsa sia dovuta a imperizia nella costruzione, magari eseguita velocemente per l'occasione di una visita reale, ma è anche possibile che si sia trattato di un'architettura effimera, in legno e altri materiali deperibili, ideata per ospitare i festeggiamenti del 1566[71]. La smodata vita della corte francese era caratterizzata da innumerevoli e splendide feste, per le quali si concepivano grandiose scenografie, e che spesso necessitavano della creazione di nuovi spazi. La stessa Caterina, pochi anni prima, si era preoccupata di aumentare gli ambienti di ricezione di Fontainebleau, commissionando a Primaticcio una enorme sala per le feste *de bois et latte*, cioè di legno, finemente scolpita da Germain Pilon e Domenico Fiorentino con statue rappresentanti gli dei dell'Olimpo[72]. In occasione delle nozze di Joyeuse, peraltro, Charles de Bourbon fa addirittura realizzare all'interno del suo palazzo parigino di Saint-Germain-des-Près una sala per banchetti interamente composta da tele dipinte[73]. La raffinata decorazione della *Maison Blanche* non è quindi incompatibile con la struttura lignea ed è possibile che l'aggettivo 'bianca' indichi una possibile verniciatura[74].

A differenza dei lavori per la realizzazione della Certosa, della terza corte e del *jardin bas* nonché delle modifiche al giardino di Georges d'Amboise, l'edificazione della *Maison Blanche* sembra quindi legata a un avvenimento preciso, la visita reale del 1566, e a una funzione specifica, permettere la rappresentazione teatrale di Filleul e offrire al giovane re uno spazio isolato, bucolico, lontano dai gravi problemi politici che assillavano la reggente e lo stesso cardinale, la cui famiglia era spaccata tra le due fazioni, cattolica e protestante.

I *Théâtres di Gaillon*, soprattutto nella parte rappresentata presso la *Maison blanche*, vanno infatti inseriti nel complesso quadro politico degli anni Sessanta, che vede la legittimità dei Valois messa in discussione[75]. I temi di base che sottendono alle egloghe e ai poemi sono il ricordo dell'età dell'oro e la necessità di un potere forte che derivi la propria autorità dalla divinità: un chiaro riferimento alla legge salica e alla natura divina delle stirpe reale[76]. L'ineguagliabile Charlot, è oggetto dell'amore di Myrtine e Galathé nella prima egloga e riporterà l'età dell'oro nella *Bergerie*, cioè il regno, dopo la cacciata degli dei, cioè le guerre di religione, nella seconda. All'aiuto che il cardinale ha dato e darà alla reggente sono dedicati la quarta egloga, in cui egli si impegna a vegliare sulla Francia, e il *Laurus*, dove l'alloro di Dafne è degno di essere usato per le corone che merita Bourbon per aver salvato il paese dai tumulti. All'ottenimento della legazione di Avignone (per la quale la regina gioca un ruolo primario) si riferiscono i versi dedicati alla Sorgue, il fiume che dalla fontana di Vaucluse si getta nella Rhone[77].

Riferimenti agli avvenimenti politici possono essere rintracciati anche nel programma iconografico delle sculture delle fontane nella sala (fig. 70)[78]. La statua di destra rappresenta San Pietro e allude alla chiesa, una, cattolica, apostolica, romana. L'effige centrale, con un agnello è inequivocabilmente il *Buon Pastore*. Il crioforo sulla sinistra porta un ovino, tenendolo sotto al ventre con la mano sinistra e afferrandolo con la destra sopra la testa, per le corna: non si tratta quindi di una pecora ma di un capretto. Con la veste corta e con leggeri rilievi sul capo che sembrano alludere nuovamente a cornetti[79], il crioforo potrebbe rappresentare Mosè, nell'atto di inviare il capro espiatorio nel deserto, cui volge lo sguardo, lontano, oltre lo spazio della rappresentazione[80]. I peccati degli uomini – la rivolta ugonotta – così allontanati dalla Francia verranno perdonati dal Buon Pastore, il verbo incarnato cui guarda senza indugi San Pietro, cioè la chiesa Cattolica, il partito della regina e del cardinale.

NOTE

[1] Ancora nei conti del 1513-14 si lavora ad alcune vetrate a Gaillon (Archives Départementales de la Seine-Maritine [d'ora in poi AD Seine-Maritime], G 95.

[2] AD Seine-Maritime, G 632.

[3] AD Seine Maritime, G 114, 116, 121, 122, 124.

[4] AD Seine-Maritime G 101, 107, 110, 120, 123, 124,132.

[5] La indicazioni sono date nel testamento redatto il 31 ottobre 1509 (AD Seine-Maritime, G 3417). Sul monumento si vedano G. Lanfry, E. Chirol, J. Bailly, *Le tombeau des Cardinaux d'Amboise*, Rouen 1959; Y. Bottineau-Fuchs, *La décoration du tombeau des cardinaux d'Amboise à la cathédrale de Rouen: Arnoult de Nimegue ou Nicolas Castille*, in «Gazette des Beaux-Arts», 1982, pp. 191-200; Idem, *À propos de quelques représentations du tombeau des cardinaux d'Amboise*, in «Annales de Normandie», I, (1985), pp. 17-37; Idem, *À propos de la Virginité du tombeau des cardinaux d'Amboise*, in «Gazette des Beaux-Arts», 1985, pp. 53-58; Idem, *À propos des sculptures du tombeau des cardinaux d'Amboise*, in «Annales de Normandie», IV, (1988), pp. 283-294.

[6] AD Seine-Maritime, G da 95 a 133.

[7] A. Deville, *Comptes de dépenses de la construction du château de Gaillon*, Paris 1850, p. 532.

[8] Ivi, p. 536.

[9] AD seine-Maritime, G 105.

[10] A. Deville, *Comptes de dépenses...* cit., p. 513. Nel 1537 erano stati commessi furti a Vigny (AD Seine-Mariime, G 122) e in precedenza si segnalano problemi di brigantaggio (AD Seine-Maritime, G 112). Ma anche un girarrosto è stato trasferito a Vigny (A. Deville, *Comtes de dépenses...* cit., p. 514).

[11] Ivi, p. 516. Anche il cardinal-legato dormiva nella torre, ma al piano superiore.

[12] Lo stesso accade a Rouen, dove all'epoca di Georges II compare una *salette* (si veda F. Bardati, *Georges d'Amboise à Rouen: le palais de l'archevêché et sa galerie de marbre*, in «Congrès archéologique de France», *Rouen et Pays de Caux*, 2003 (2005), pp. 199-213).

[13] I conti di Gaillon durante l'episcopato di Charles de Bourbon sono andati perduti. La data *ante-quem* è stabilita in base alle modifiche riscontrabili nell'opera di Du Cerceau, pubblicata nel 1576, in cui tutti gli elementi sembrano essere già in opera a esclusione, forse, del giardino inferiore, non terminato (Antologia di fonti, 6). I contratti notarili noti riferibili all'episcopato di Bourbon sono tutti anteriori il 1576.

[14] J. Guillaume, *Château, jardin, paysage en France du XVe au XVIIIe siècle*, in «Revue de l'art», 124, 1999, pp. 13-32; Idem, *Le jardin mis en ordre. Jardin et château en France du XVe au XVIIIe siècle*, in J. Guillaume (a cura di), *Architecture, jardin, paysage. L'environnement du château et de la villa à la Renaissance*, Paris 1999 (collana De Architectura), pp. 103-136.

[15] M.H. Smith, *Familiarité française et politesse italienne au XVIe siècle: les diplomates italiens juges des manières de la cour des Valois*, in «Revue d'histoire diplomatique», 102, 1988, pp. 193-232, p. 219.

[16] G.B. Gambara, Fontainebleau, 10 febbraio 1544 (Archivio di Stato di Mantova, *AG* 640, cit. in M. Chatenet, *Chambord*, Paris 2001, p. 28, nota 18).

[17] Con l'espressione *prince du sang* si designano, in linea teorica, i discendenti maschi di Ugo Capeto ; in pratica si tratta di quelli di San Luigi, nati da matrimonio legittimo, nelle cui

vene scorre quindi il sangue reale, che li rende atti a governare. I Bourbon discendono da Roberto, figlio di San Luigi. Il ramo cui appartengono Antoine, Charles e Louis, nonché il futuro Enrico IV di Francia, è quello dei Bourbon-Vendôme. Antonio è re di Navarra grazie al matrimonio con Jeanne d'Albret, figlia di Margherita di Valois, sorella di Francesco I.

[18] Anche perché nel contesto delle guerre di religione egli ottiene molti benefici tolti ai prelati scomunicati, come nel caso di quelli, ricchissimi, di Odet de Coligny.

[19] Al di là delle biografie seicentesche (P. Frizon, *Gallia purpurata*, Paris, S. Le Moine, 1638, pp. 616-620; A. Aubery, *Histoire generale des cardinaux*, Paris 1647, t. IV, pp. 226-280) lo studio più completo sul cardinale resta a tutt'oggi quello di E. Saulnier, *Le rôle politique du Cardinal de Bourbon*, Paris 1912.

[20] È fratello di Antoine de Bourbon, re di Navarra e comandante delle truppe cattoliche, e di Louis de Bourbon, principe de Condé, a capo della fazione protestante all'inizio della guerra di religione.

[21] A. Meraviglia, *Viaggio del signor Girolamo Lippomanno ambasciator in Francia nell'anno 1577, scritto dal suo secretario*, in N.Tommaseo, *Relations des ambassadeurs vénitiens sur les affaires de France au XVIe siècle*, Paris 1838, t. II, p. 490.

[22] Si veda *supra*, capp. 2 e 7. Che la galleria sia opera di Bourbon è noto anche ai membri dell'Académie Royale d'Architecture nel 1678 (Antologia di fonti, 9).

[23] Sull'edificio si vedano: N. Bertin, *Voyage archéologique et liturgique en Normandie*, Rouen 1718; F.F. Alaboissette, *La Chartreuse de Bourbon-lez-Gaillon*, Évreux 1887; Abbé Blanquart, *Un Sanctuaire de Terre Sainte en Normandie: le "Bethléem" de la Chartreuse de Bourbon-lez-Gaillon à Aubevoye*, Caen 1904.

[24] Archives Nationales, *Minutier Central*, III, 130 (20 febbraio 1574); XC, 123, f. 203 (12 giugno 1574); VIII, 380, ff. 169-174 (12 marzo 1575). Si veda C. Grodecki, *Histoire de l'art au XVIe siècle (1540-1600). Documents du Minutier Central des notaires de Paris*, I, Paris, 1985, pp. 208-212.

[25] Paris, Bibliothèque Nationale, *ms. it.* 662, ff. 39-40. Si veda *infra*, Antologia di Fonti, 7.

[26] Antologia di fonti, 9. Il contratto del 12 marzo 1575 relativo ai lavori di muratura che deve terminare Guillaume Marchand menziona espressamente la «chapelle de Monseigneur» (C. Grodecki, *Histoire de l'art au XVIe siècle (1540-1600)... cit., p. 209).

[27] Si veda *supra*, capp. 2, 3 e 4.

[28] Anche l'orientamento di questo spazio sarà poi modificato con la realizzazione dell'*Orangerie* nella parte meridionale, secondo l'asse longitudinale. Sugli interventi sei-settecenteschi si veda E. Chirol, *Un premier foyer de la Renaissance. Le château de Gaillon*, Paris-Rouen 1952, pp. 79-85.

[29] Sul portico di Primaticcio a Fontainebleau e sui suoi riferimenti mantovani cfr. S. Frommel, *Primaticcio architetto in Francia*, in S. Frommel, F. Bardati (a cura di), *Francesco Primaticcio architetto*, Milano 2005, p. 143 e V. Droguet, *«Amici pateant fores, coeteri maneant foris». Dalla porta fortificata della «Grande basse-cour» alla «porte du Baptistère»*, ivi, pp. 204-213.

[30] «[...] Item, de faire toutes les croisées qu'il conviendra de faire es logis des hostes de lad. chartreuze, de la grandeur qu'il s'era desoing selon les bées de mesme façon que celles qui sont jà faictes au second estaige de la gallerie neufve du chasteau dud. Gaillon. Item, de faire toutes les croisées qu'il convient aussi faire au dernier estaige d'en hault de lad. gallerie neufve dud. chasteau [...]». Archives Nationales, *Minutier Central*, VIII, 380, f. 173. Si veda C. Grodecki, *Histoire de l'art au XVIe siècle... cit., I, p. 211.

[31] A questa data infatti l'artista riceve la commessa da Antoine IV Du Prat di eseguire una serie dei 12 Cesari «à l'imitation de l'enticque, scultées en terre, chacune medalle de deux piedz de haulteur sus pied d'estral [...] de pareille et semblable façon que celles que led. Chevrier a faictz pour monseigneur le cardinal de Bourbôme qui sont à Gaillon» (Archives Nationales, *Minutier Central*, XXIII, 178, ff. 360-361 (1 settembre 1567). Si veda C. Grodecki, *Histoire de l'art au XVIe siècle... cit., II, Paris, 1986, pp. 58-59.

[32] Antologia di fonti, 6.

[33] Archives Nationales, *Minutier Central*, XC, 121, f. 370 (12 novembre 1572). Si veda C. Grodecki, *Histoire de l'art au XVIe siècle...* cit., I, pp. 334-335.

[34] Paris, Bibliothèque Nationale, *ms. it.* 662, ff. 39-40. Si veda *infra*, Antologia di Fonti, 7.

[35] Si veda la pianta allegata alla relazione dell'architetto Jarri (1731) in cui lo spazio tra i due giardini è definito «terrain escarpé vis à vis la tour de la Cirène dont le bas a esté aplany pour descendre au jardin de bas par le petit rampart» (Paris, Archives Nationales, *E* 2119).

[36] B. Bizoni, *Diario di viaggio di Vincenzo Giustiniani* 1610 circa), edizione moderna a cura di B. Agosti, Bologna 1995, p. 95. Si veda Antologia di Fonti, 8.

[37] Questo paragrafo sintetizza quanto pubblicato in F. Bardati *Un omaggio a Caterina? La committenza di Charles de Bourbon a Gaillon*, in S. Frommel e G. Wolf (a cura di), *Il mecenatismo di Caterina de' Medici: poesia, feste, musica, pittura, scultura, architettura*, Venezia 2008, pp. 345-367, al quale si rimanda per l'analisi approfondita del contesto storico e la lettura iconografica

[38] N. Filleul, *Les Théâtres de Gaillon*, a cura di F. Joukovsky, Geneve 1971, p. 6: «Les Eglogues furente représentées en l'Isle heureuse devant les majestéz du Roy et de la Royne, le 26; la Lucrèce, et les Ombres, au chasteau le 29, jour de septembre 1566». Non è chiaro perché I.D. McFarlane, *A Literary History of France. Renaissance France 1470-1589*, London/New York 1974, p. 365, ritenga che il testo fu scritto per l'entrata di Carlo IX a Rouen. Sull'identificazione del luogo cfr. E. Chirol, *Un premier foyer...* cit., p. 76; F. Joukovsky, *Introduction*, in N. Filleul, *Les Théâtres de Gaillon...* cit., p. XXXII; N. Miller, *French Renaissance Fountains*, New-York London, 1977, pp. 223-230; Eadem, *Domain of Illusion: the Grotto in France*, in E.B. MacDougall (a cura di), *Fons Sapientiae, Renaissance Garden Fountains*, Washington D.C. 1978, p. 175-206, saggio rieditato in J. Pieper (a cura di), *Das Château de Maulnes und der Manierismus in Frankreich*, Berlin 2006, pp. 223-259; D. Thomson, commento alle incisioni del castello di Gaillon, sulla scia di Joukovsky, in J.A. Du Cerceau, *Les plus excellents bastiments de France*, 1576-79, edizione moderna a cura di D. Thomson, Paris 1988, pp. 150-151.

[39] J.A. Du Cerceau, *Les plus excellents...* cit., p. 149. N. Miller, *French Renaissance Fountains...* cit., p. 223 sembra supporre un'inversione delle pendenze, asserendo che il bacino della *Maison Blanche* era dominato dal castello.

[40] Una sezione e una sezione prospettica sono conservate al British Museum e presentano alcuni dettagli differenti rispetto alle incisioni.

[41] Questi elementi sono menzionati nella descrizione di Jacopo Probo d'Atri (1509-10). Parte delle teorie esposte dalla Miller (*French Renaissance Fountains...* cit., pp. 245-246) assumono minore importanza una volta considerata l'effettiva cronologia della costruzione.

[42] Tra questo secondo specchio d'acqua e il muro di recinzione sono rappresentate diverse vacche al pascolo.

[43] N. Miller, *French Renaissance Fountains ...* cit., p. 229.

[44] J.A. Du Cerceau, *Les plus excellents...* cit., p. 149.

[45] N. Miller (*French Renaissance Fountains ...* cit., p. 229) non era a conoscenza dell'epoca di costruzione e lo ritiene opera di Bourbon, ma ne propone comunque una interessante lettura trovandone un precedente nell'oratorio del giardino di René d'Anjou.

[46] A. Félibien, *Les Divertissements de Versailles, donnés par le roi à toute sa cour, au retour de la conquête de la Franche-Comté, en l'année 1674*, Paris, J.-B. Coignard, 1674 e Idem, *Description de la grotte de Versailles*, Paris, Imprimerie royale, 1676.

[47] N. Miller, *French Renaissance Fountains ...* cit., p. 229. Si veda anche D.P. Clifford, *A History of Garden Design*, New York 1966, p. 56.

[48] Raymond Lebègue ha osservato che per la quarta egloga erano necessarie le statue di Francus, Cesare e dei re di Francia (R. Lebègue, *Les représentations dramatiques à la cour des Valois*, in J. Jacquot (a cura di), *Les fêtes de la Renaissance*, Paris 1956, I, pp. 85-91).

[49] Si veda in particolare la festa data il 31 agosto 1565 da Ettore Ghislieri nella villa detta

l'Arcoveggio, presso Bologna dove gli invitati si spostavano da una parte all'altra della villa, tra banchetti, musica, rappresentazioni e tornei (M. Calore, *Uno spettacolo in villa all'Arcoveggio*, in «Il Carrobbio», VIII, (1982), pp. 85-96, Eadem, *Amori pastorali: poesia e musica nell'Italia padana*, in *La musica nel Veneto dal XVI al XVIII secolo*, Adria, Antiquae Musicae Italicae Studiosi, 1984, pp. 23-46, in particolare pp. 32-35); Si pensi anche alla festa organizzata dal cardinale Ippolito d'Este nel 1529 nel giardino di Belfiore, cui assisteva anche Renata di Valois, o all'*Aretusa* del Lollio rappresentata a Schifanoia nel 1563 (ivi, p. 30). In particolare sulla rappresentazione di pastorali alla corte ferrarese, strettamente legata alla corona di Francia, si vedano A. Cavicchi, *La scenografia dell'*Aminta *nella tradizione scenografica pastorale ferrarese del sec. XVI»*, in M.T. Muraro (a cura di), *Studi sul teatro veneto fra Rinascimento ed età barocca*, Firenze 1971, pp. 53-72. Sul rapporto tra teatro e giardino si veda più in generale M. Fagiolo, M. A. Giusti, V. Cazzato (a cura di), *Lo specchio del paradiso: giardino e teatro dall'antico al Novecento*, Cinisello Balsamo 1997.

[50] M. Chatenet, *Fontainebleau, residenza favorita degli utlimi Valois*, in S. Frommel, F. Bardati (a cura di), *Francesco Primaticcio architetto ...* cit., pp. 194-203.

[51] Ferrara, Biblioteca Ariostea, ms. cl. I, 814. Sul torneo si vedano *L'Isola Beata / Torneo fatto / nella città di Ferrara / Per la venuta del Serenissimo / Principe Carlo / Arciduca d'Austria / A XXV di maggio / MDLXIX*; A. Cavicchi, *La scenografia dell'*Aminta *...* cit., pp. 59-60; I. Mamczarz, *Gli spettacoli cavallereschi a Ferrara nel Cinquecento*, in M. de Panizza Lorch (a cura di), *Il teatro italiano nel Rinascimento*, Milano 1980, pp. 445-449; F. Ceccarelli, *La città di Alcina. Architettura e politica alle foci del Po nel tardo Cinquecento*, Bologna 1998 (1999 seconda ed.), pp. 113-116.

[52] Il verbo *arser* derivato da *ardre* si riscontra nel francese medievale e rinascimentale ma è già in disuso nel XVII secolo (*Dictionnaire de l'ancien français*: A.J. Greimas (a cura di), *Le Moyen Âge*, Paris 1979 (seconda ed. 1994), p. 40 e A.J. Greimas, T.M. Keane (a cura di), *La Renaissance*, Paris 1992, p. 37).

[53] N. Miller, *French Renaissance Fountains ...* cit., p. 229; Si veda Varrone, *De re rustica*, III, 5, 8-17.

[54] Sidonius Apollinarius, *Carmina*, 22, *Burgus pontii Leonti*, 206-10.

[55] Plinio il Giovane, *Epistolae*, 4, 30, 2.

[56] Publio Papino Stazio, *Sylvvae*, 1, 3.

[57] Si veda K. Dunbabin, *Convivial Spaces: Dining and Entertainment in the Roman Villa*, in: «Journal of Roman Archaeology», IX (1996), pp. 66-80; Eadem, *The Roman Banquet. Images of Conviviality*, Cambridge 2003, pp. 42, 95, 146, 169-79, 172.

[58] D. Ribouillault, *Le Salone de la Villa d'Este à Tivoli: un théâtre des jardins et du territoire*, in «Studiolo. Revue d'histoire de l'art de l'Académie de France à Rome», III (2005), pp. 65-94.

[59] Si veda M. Chatenet, *La cour de France au XVIe siècle. Vie sociale et architecture*, Paris 2002, pp. 116-118; 129.

[60] «Non si dilettava che molti lo seguissero ma voleva andar solo per stare in quiete senza esser molestato et darsi buon tempo con le dame» *Relazione de viaggi fatti dall nobile Zuanne Soranzo l'anno 1550*, Venezia, Biblioteca Correr, codice Cicogna 1134, ff. 18v-19r, cit. in M. Chatenet, *Chambord ...* cit., p. 243.

[61] Sul festino organizzato il 10 ottobre 1581 da Bourbon, che prevedeva un corteo fluviale con barche mascherate da animali marini, musicisti e fuochi d'artificio, si veda la descrizione di P. de l'Estoile, *Journal du règne de Henri III*, edizione moderna a cura di L.-R. Lefèvre, Paris 1943, p. 279. Sulle nozze e il loro significato politico si vedano J. Lavaud, *Les noces de Joyeuse*, in «Humanisme et Renaissance», II (1935), pp. 44-52; N. Le Roux, *La faveur du roi: Mignons et courtisans au temps des derniers Valois*, Seyssel 2000, pp. 486-489; M. Chatenet, L. Capodieci, *Les triomphes des noces de Joyeuse (17 septembre - 19 octobre 1581) à travers la correspondance diplomatique italienne et l'Epithalame de Jean Dorat*, in

«Bulletin de la Société de l'histoire de l'art français», (2006) 2007, pp. 9-54.

[62] A. Jouanna, *La France du XVIe siècle. 1483-1598*, Paris 1996, 2a ed. 1997, p. 403 ; si veda anche l'analisi di F. Joukovsky, *Introduction* ... cit., p. XXXI. È in errore la Miller pensando che il soggiorno del 1566 avvenga durante il suddetto assedio (*French Renaissance Fountains* ... cit., p. 245).

[63] Nel maggio-giugno 1571, con Carlo IX ancora vivo e poi nel 1576, con suo fratello Enrico III (G. Canestrini, A. Desjardins, *Négociations diplomatiques de la France avec la Toscane*, Paris 1859-1886, t. III, pp. 670-76 e t. IV, p. 73).

[64] Per un profilo del giovane Enrico di Valois e della percezione che se ne aveva in Italia cfr. N. Le Roux, *La faveur du roi* ... cit. e G. Benzoni, *Enrico III a Venezia; Venezia ed Enrico III*, in *Venezia e Parigi*, Milano 1989, pp. 79-112.

[65] Thomson, in base all'abbondanza di disegni e incisioni relative alla *Maison Blanche*, suppone che Du Cerceau abbia avuto accesso diretto o a un modello ligneo o a disegni di dettaglio (J.A. Du Cerceau, *Les plus excellents* ... cit., p. 151) mentre J.P. Babelon, *Château de France au siècle de la Renaissance*, Paris 1989, pp. 533-34, arriva a supporre che Du Cerceau sia addirittura l'autore della *Maison Blanche*.

[66] N. Filleul, *Les Théâtres de Gaillon* ... cit., p. 18, vv. 221-224.

[67] Antologia di fonti, 9.

[68] Biblioteca Apostolica Vaticana, *Stampati Chigi*, IV.2181, f. 125*r*

[69] E. Chirol, *Un premier foyer* ... cit., pp. 81-82.

[70] Si veda *infra*, Antologia di fonti.

[71] Di questo parere J.P. Babelon, *Châteaux de France* ... cit., p. 534, che data alla fine del Cinquecento la scomparsa dell'edificio. N. Miller, *French Renaissance Fountains*, p. 223, asserisce senza motivazione che l'edificio era di marmo.

[72] S. Frommel, *Primaticcio architetto in Francia*, cit., p.118. Si pensi anche alla *Galerie de portraicts* dell'Hôtel de Ville, realizzata su commissione di Caterina per la festa del 17 febbraio 1558 e descritta da Etienne Jodelle (A. Zvereva *«Par commandement et selon devys d'icelle dame»: Catherine de Médicis commanditaire de portraits*, in S. Frommel, G. Wolf (a cura di), *Il mecenatismo di Caterina* ... cit., pp. 215-228.

[73] M. Chatenet, L. Capodieci, *Les triomphes des noces de Joyeuse* ... cit., pp. 40, 51.

[74] L'ipotesi di una colorazione superficiale sembra più plausibile dell'altra teoria avanzata dallo studioso, basata, sulla lettura iconografica della seconda egloga, per cui il bianco sarebbe il colore delle vesti dei pastori che incarnavano la Pietà e la Giustizia (J.A. Du Cerceau, *Les plus excellents* ... cit., p. 150).

[75] Una sintesi in F. Bardati, *Un omaggio a Caterina?* ... cit., pp. 356-361,

[76] Su questo tema si veda R.E. Giesey, *The Juristic Basis of Dynastic Right to the French Throne*, in «Transactions of the American Philosophical Society», nuova serie, LI (1961), 5, pp. 3-47.

[77] «Tu as dedans son cœur, Sorgue, trouvé ta place./Et ta place toujours dedans son cœurs sera/Ne pense pas pour cela que de Seine il se laisse./Car plus qu'il ne te fait sa Seine il aimera» ivi, vv. 225-228.

[78] Per la discussione delle tesi di Miller e Thomson si veda F. Bardati, *Un omaggio a Caterina?* ... cit., pp. 365-366. Si vedano anche i disegni di Du Cerceau (ivi, pp. 503-504) che presentano migliori dettagli delle parti scultoree.

[79] Il dettaglio è riconoscibile soprattutto nel disegno del British Museum.

[80] Levitico, 16, 20-26. La veste è corta poiché dopo questa operazione Mosè deve lavarsi nell'acqua del fiume, gesto che spiegherebbe anche la presenza della fontana.

Conclusioni

Grazie all'ambizione di Georges d'Amboise nel giro di dodici anni, dal 1498 al 1510, il castello di Gaillon è stato radicalmente modificato, trasformando l'antica struttura militare in una residenza competitiva con tutte le dimore reali e con le grandi residenze italiane. Non a caso il mantovano Jacopo Probo d'Atri, che inizia una sua lettera a Isabella d'Este ricordando che la Francia è un paese «dove le littere et architettura poco hanno monstrato de curare», continua dichiarando che non mancano gli ingegni per fare qualunque cosa e, a dimostrazione, passa a dare «noticia de un palazo non anchora finito, ch'el magnanimo legato di Franza ogn'hora fa fabricare, in el quale esso Iove non se potria sdegnare de habitare insieme con la sua gelosa Iunone»[1].

A fronte dell'analisi della cronologia della fabbrica e dell'evoluzione del progetto è possibile di isolare due fasi principali, con un crescendo di risorse e innovazioni.

Durante la prima (1498-1503) Georges d'Amboise, novello cardinale e assunto ai massimi incarichi per il governo dello stato, si limita a restaurare l'esistente, probabilmente seguendo un progetto individuabile nella cosiddetta 'pianta di Poitiers' (fig. 22)[2]. I modelli di riferimento sono innanzi tutto francesi: l'edifico si sarebbe sviluppato intorno a una grande corte irregolare, come nel castello reale di Amboise, mantenendo un aspetto fortificatorio piuttosto accentuato. Influenze lombarde, desunte da fabbriche quali i castelli di Scaldasole, Vigevano, Pavia, Lomello e presenti negli stessi anni anche nel cantiere di Rouen, sono i profili quadrati delle torri e la presenza delle scale ad anima. La decorazione guarda alle ultime realizzazioni del *Flamboyant* normanno, particolarmente fiorente a Rouen, ma anche ai cantieri della valle della Loira, da cui proviene una parte delle maestranze.

Il soggiorno romano alla fine del 1503 segna un cambiamento radicale, tanto nel progetto d'insieme, che punta alla regolarizzazione della pianta con la creazione di una corte quasi quadrata, quanto nei dettagli ornamentali che, accogliendo il linguaggio classico, aprono la strada a un uso volutamente retorico dell'architettura, impregnato di riferimenti imperiali[3].

Questa seconda fase vede gli anni dalla fine del 1503 a tutto il 1506 concentrati sulle modifiche al progetto d'insieme a sulla realizzazione delle nuove strutture. Una volta terminati i cantieri di Rouen e Blois, dalla fine del 1506, il cardinale può concentrare tutte le sue risorse economiche e le maestranze a Gaillon, imprimendo una forte accelerazione alle attività di cantiere. Questo processo raggiunge l'apice nel corso del 1508, tanto per l'arrivo di nuovi artisti ed artigiani per la decorazione degli interni, quanto per la volontà di ospitare Luigi XII e la corte francese nel mese di settembre in una residenza degna del sovrano, la cui dominazione in Italia è comparata all'estensione dell'impero romano.

Il fasto nella decorazione degli ambienti d'apparato e la loro logica distributiva che rimanda sia ai modelli papali che a quelli reali francesi del XIV secolo[4] è completato dalla realizzazione di splendidi giardini e *dépendance* nel parco[5], in cui l'impegno costruttivo va di pari passo con quello dell'edificio principale. Quest'ultimo è concepito fin nei più minuziosi dettagli decorativi, lasciando poco spazio agli arcivescovi successori di Georges d'Amboise per ulteriori modifiche, che infatti si concentrano tutte negli spazi esterni di complemento del giardino e del parco[6]. Il dispiego di enormi risorse economiche permette l'afflusso di maestranze da buona parte del paese, con la collaborazione di artisti stranieri, italiani per la maggior parte, ma anche il superamento di problemi tecnici notevoli, come la realizzazione di importanti terrazzamenti, la demolizione di una collina, il capolavoro idraulico di Pierre Valence per il montaggio e il funzionamento della fontana della *grande-cour*[7].

L'analisi presentata in queste pagine è ancora lungi dall'essere esaustiva rispetto alle innumerevoli problematiche inerenti il castello di Gaillon che rimangono aperte. La morfologia della cappella superiore resta ancora da indagare più approfonditamente, sia per gli aspetti strutturali sia per il dettaglio della decorazione pittorica e scultorea[8], così come le trasformazioni effettuate nel corso dei secoli XVII-XVIII solo in parte affrontate da Elisabeth Chirol e, recentemente, da Guillaume Fonkenell per gli interventi di Jules Harduin Mansart[9]. Un passo avanti sarà consentito dalla pubblicazione del catalogo dei frammenti scultorei conservati nel deposito del castello, curato da Xavier Pagazani, e da uno studio ancora più approfondito e sistematico dei conti di costruzione al fine di precisare più minuziosamente la cronologia dei lavori ma anche il funzionamento del cantiere e i ruoli specifici dei suoi protagonisti.

Benché resti ancora molto lavoro, sulla base dell'analisi sin qui proposta si possono fare alcune considerazioni.

Circa il rapporto tra *Flamboyant* e Rinascimento, la netta contrapposizione che trapela dalla storiografia ottocentesca, italiana e francese, va contestualizzata rispetto alla situazione politica e culturale del XIX secolo[10]. Tanto l'immagine di un *milieu* francese ostile alla diffusione del Rinascimento quanto quella di una colonizzazione artistica da parte dell'Italia territorialmente conquistata sono anacronistiche. La fervente attività costruttiva che caratterizza i primi decenni del Cinquecento in Francia mostra una profonda volontà di integrazione tra tradizione e ricerca contemporanea, dove con l'aggettivo 'contemporaneo' vanno intesi tanto il *Flamboyant* che il Rinascimento. Più che negli aspetti formali, infatti, la tradizione è mantenuta nella priorità data alla funzionalità rispetto ai valori di proporzione e simmetria: gli aspetti dell'architettura che coinvolgono la vita sociale e il cerimoniale sono una componente fondamentale della progettazione che non può essere elusa. La scelta di affidare a una scala a lumaca fuori opera l'ascesa agli ambienti principali del castello, per esempio, è legata alla necessità di garantire il perfetto svolgimento di un cerimoniale di corte in cui determinati percorsi sono pubblici e devono essere immediatamente riconoscibili. Il fatto poi che questa scala adotti un linguaggio ornamentale *flamboyant* è dovuta in primo luogo a un fattore di convenienza, poiché il dinamismo della scultura tardogotica meglio si adatta a quello innato di una struttura che si svolge verso il cielo. Senza dubbio esiste anche un fattore di gusto che porta a prediligere le forme svettanti, l'abbondanza di decorazione, i profili frastagliati delle coperture e la messa in evidenza delle strutture verticali tramite l'abile scultura della pietra, che, non a caso, viene paragonata dagli osservatori italiani a un ricamo o a opere di oreficeria, tanto essa è sottile e delicata.

Questa predilezione per la dinamicità, la leggerezza e la sinuosità delle forme spiega anche perché, nel momento di costruire la *Porte de Gênes*, al modello delle grottesche lombarde, presente in cantiere grazie all'opera di Riccardo da Carpi nella cappella, viene preferito quello più delicato, toscano, di Jérôme Pacherot, formatosi nelle colline fiesolane, sulla scia delle opere di Benedetto da Maiano e Andrea Ferrucci.

La presenza sul cantiere di marmi scolpiti con motivi apertamente classicheggianti, infatti, aumenta la contaminazione tra *Flamboyant* e Rinascimento, tanto che molti artisti si muovono a proprio agio in entrambi i registri. La squadra di Pierre Fain realizza la *porte de Gênes* copiando i dettagli scultorei dell'altare di San Giorgio e adattandoli a modanature ancora influenzate dalle sinuosità tardogotiche. Pierre Delorme si impegna a preparare i sostegni per alcune medaglie fatte da Guido Mazzoni «à l'antique et à la mode françoise»[11], integrando i due generi senza tuttavia avventurarsi nell'uso del marmo: se le forme si diffondono velocemente le tecniche di lavorazione dei materiali restano gelosamente custodite, soprattutto nel caso che le detengano due italiani ambiziosi come Pacherot e Antoine Juste, che si sono guadagnati la fiducia reale grazie a queste prerogative.

Le descrizioni di Gaillon permettono di toccare con mano la perfetta compatibilità tra *Flamboyant* e Rinascimento nel primo Cinquecento ma anche la graduale costruzione di una mentalità classicista, per cui con il passare degli anni le componenti tradizionali e quelle tardogotiche assumono sempre più valenze negative. Se un uomo di gusto quale Alberto III Pio scrive ogni bene delle architetture del cardinale e Bonaventura Mosti definisce Gaillon «il più bello et superbo luoco sia in tuta la Franza»[12], Jacopo Probo si addentra nella descrizione dei dettagli *flamboyant* senza reprimere una smodata ammirazione: «Alli cantoni sonno quattro scale a lumacha per montar in le stanze del palatio alte sopra li altri tecti, tutte in cima coperte di piombo lavorate et dorate con arme et diverse altre imprese, ma una d'esse, ciò è quella che è in man dextra a l'intrare che conduce alla capella et alle camere principale, è tutta di preta lavorata dentro et fuora et trasforata con lavorari tanti subtili et zentili che non se faria meglio d'argento o oro, che a vederli pare cosa stupenda [...] Intorno ad esso cortile da ogni quadro in cima gli è un corridore de preta lavorato et transformato subtilmente ad similitudine de la scala principale, che non se potria dire quanto vista et quanto gratia dona a tutto lo edificio, con li conducti di piombo lavorati et depincti, che giongono insino in terra, ad certi altri conducti de preta, dove l'aqua è portata fuora senza impedire cosa alcuna»[13].

Ma già alla fine del decennio successivo Antonio de Beatis non può impedirsi dal segnalare la mancanza di simmetria e regolarità geometrica dell'impianto, pur restando anch'egli affascinato dalla raffinata scultura *flamboyant*: «El prefato palazzo ancora che sia bellissimo et cussì vago maxime for via de intaglie de pietre, d'ornamenti de octono et ordine de tecti, come cosa habia visto mai [...] non si può però denegare, che si de stantie come de le facciate che respondeno al cortile, non sia stato male inteso»[14].

Sessant'anni più tardi Jacques Androuet Du Cerceau, rappresentante della nuova generazione di architetti che ha ormai metabolizzato il linguaggio degli ordini, il trattato di Serlio e dato vita a un rinascimento francese maturo, non esita a lamentare che il castello «est fort bien basty, de bonne maniere, & d'un riche artifice, toutefois moderne, sans tenir de l'anticque, sinon en quelques particulatitez, qui depuis y ont esté faites. En la court est une grande fontaine de marbre blanc, bien enrichie d'oeuvre....»[15]: Du Cerceau è talmente prevenuto contro i *moderni*, che inserisce la fontana di Pace Gagini e Antonio della Porta tra le aggiunte posteriori, in virtù delle sue forme classiche!

La ricchezza e l'internazionalità del cantiere di Gaillon permettono anche alcune riflessioni sulla trasmissione delle forme e delle tecniche nell'Europa del primo Cinquecento. Grazie agli stretti rapporti con Luigi XII, Georges d'Amboise ottiene di avere a Gaillon le maestranze già attive nei cantieri reali della valle della Loira, guidate da Colin Byart e Guillaume Senault, ma anche il giardiniere Pacello da Mercogliano, napoletano. Ciò che di nuovo era apparso negli ultimissimi anni del Quattrocento nel castello di Amboise è quindi trasmesso a un cantiere normanno. I *maître-maçon* della Loira, però, a partire dal 1506 vengono affiancati da quelli provenienti dal cantiere di Rouen, senza che questa compresenza generi competizione: al contrario li troviamo agire in società per la costruzione delle nuove cucine. Accanto alle opere fatte arrivare direttamente da Milano o da Genova (che senza dubbio hanno costituito modelli importanti per gli artisti francesi presenti a Gaillon), le sculture e il marmo di maggior pregio sono affidati a Michel Colombe, Guido Mazzoni, Jérôme Pacherot, tutti reduci dai monumenti funerari commissionati dalla regina Anna[16], e ad Antoine Juste, strettamente legato a Pacherot.

Chiuso il cantiere di Gaillon, le maestranze si disperdono e confluiscono in altre fabbriche. Tra queste spicca quella della torre della cattedrale di Bourges, attiva dal 1508, in cui troviamo in primo luogo *maistre* Colin Byart, che assume sempre di più il ruolo di architetto a tutti gli effetti[17]. Anche Jean Chersalle, lo scalpellino italiano che collabora con Jérôme Pacherot per l'altare della cappella superiore di Gaillon è a Bourges tra il 1511 e il 1515, tra gli assistenti dello scultore locale Marsault Paule[18]. In questo stesso gruppo lavorava anche lo scultore inglese John Hudde, più tardi coinvolto nell'esecuzione della cappella di Enrico VII nell'abbazia di Westminster. Helen J. Dow è propensa a credere che Jean Chersalle abbia accompagnato Hudde in Inghilterra, alla ricerca di nuove commesse[19]. Se questa ipotesi venisse confermata, un simile caso confermerebbe una estrema mobilità degli artisti, mostrerebbe che i cantieri rinascimentali erano aperti al reclutamento di ogni tipo di operaio specializzato, stranieri compresi, e, allo stesso tempo esemplificherebbe il processo di trasmissione delle forme e delle tecniche: come collaboratore di Jérôme Pacherot, Jean Chersalle trova una collocazione a Bourges e poi, forse, in Inghilterra a seguito di un collega, grazie alla sua capacità di veicolare forme alla moda e lavorare materiali pregiati, inconsueti nelle tradizioni costruttive dei paesi in cui si trova ad agire.

Gettando uno sguardo all'insieme della committenza architettonica di Georges d'Amboise, senza dubbio la stretta frequentazione dei cardinali Sforza e della Rovere – due tra i più ricchi e potenti esponenti dell'intero collegio – ha costituito lo stimolo principale per mettere in atto una politica di costruzione dell'immagine cardinalizia senza pari nella Francia di fine Quattrocento e primo Cinquecento.

L'unico connazionale che può aver costituito un precedente è Guillaume d'Estouteville, senz'altro più vicino ai porporati italiani nella sua veste romana ma completamente mimetizzato tra la nobiltà normanna nella sua committenza francese.

Egli ha costituito senz'altro un modello politico per Georges d'Amboise, senza tuttavia divenirlo per la committenza e per la volontà di creare una corte cardinalizia degna di Roma in patria.

A giudicare dai commenti dei contemporanei, su questo punto certamente l'arcivescovo di Rouen ha ottenuto i risultati sperati, benché sia sul piano politico che su quello del mecenatismo egli rimanga una figura periferica rispetto ai principi della chiesa italiani, pienamente inseriti nel contesto romano. La gran quantità di descrizioni contemporanee è infatti già di per sé indice del successo internazionale di Gaillon, per parafrasare le parole di Chastel e Rosci[20]. Il giudizio positivo di Alberto Pio e l'interesse che Gaillon doveva suscitare nelle corti italiane sono testimoniati dal fatto che «il signor Alberto il fa ponere in disegno ad uno pictore per mandare a Vostra Excellentia», come scrive Bonaventura Mosti nella sua lettera del 1508[21].

La volontà di affermarsi agli occhi dei visitatori italiani come il più magnanimo e aggiornato committente di Francia, risulta tanto più riuscita tramite queste descrizioni, se si considera che all'epoca la società francese di corte non godeva certo di buona fama quanto a cultura.

L'entità dei lavori svolti, il carattere internazionale dei suoi cantieri e prestigio personale del cardinale hanno contribuito in maniera decisiva alla diffusione del Rinascimento in Francia. Il castello di Gaillon nei primi anni del Cinquecento è la residenza più aggiornata e lussuosa di Francia, superando la committenza reale ad Amboise e a Blois: bisognerà attendere l'avvento di un sovrano illuminato e *connaisseur des arts* come Francesco I perché l'innovazione in architettura torni di nuovo nelle mani della corona.

NOTE

[1] *Antologia di fonti*, 3.
[2] Archives Départementales de la Vienne, *Carton 37*, pièce 8 (si veda *supra*, cap. 3).
[3] Si veda *supra*, cap. 5.
[4] Si veda *supra*, cap. 4.
[5] Si veda *supra*, cap. 7.
[6] Si veda *supra*, cap. 8.
[7] Si veda *supra*, cap. 6.
[8] M.H. Smith, *Rouen-Gaillon: témoignages italiens sur la Normandie de Georges d'Amboise*, in B. Beck, P. Bouet, C. Etienne, I. Lettéron (a cura di), *L'Architecture de la Renaissance en Normandie*, t. I, Caen 2003, pp. 41-58; *L'art des frères d'Amboise. Les chapelles de l'hôtel de Cluny et du château de Gaillon*, catalogo della mostra (Parigi-Ecouen, ottobre 2007-gennaio 2008), Paris 2007.
[9] E. Chirol, *Un premier foyer de la Renaissance en France: le château de Gaillon*, Paris-Rouen 1952, pp. 75-91; G. Fonkenell, *Les travaux de J. Hardouin Mansart pour les archevêques de Rouen*, cat. expo. *Jules Hardouin Mansart*, in corso di stampa.
[10] Il punto in F. Bardati, *Anticiviltà del Rinascimento. Riflessioni su metodi e posizioni della storiografia francese di fine Ottocento*, in Sabine Frommel e Maurizio Ghelardi (a cura di), *L'idée du style dans l'historiographie artistique / L'idea di stile della storiografia artistica*, atti del Convegno (Cortona, 16-18 maggio 2007), in corso di stampa.
[11] A. Deville, *Comptes des dépenses de la construction du château de Gaillon*, Paris 1850, p. 405.
[12] *Antologia di fonti*, 2.
[13] *Antologia di fonti*, 3.
[14] *Antologia di fonti*, 4.
[15] *Antologia di fonti*, 6.
[16] Guido Mazzoni è l'autore della perduta tomba di Carlo VIII, mentre quelle dei duchi di Nantes e dei figli di Carlo morti prematuramente sono affidate a Michel Colombe e assistenti per la parte scultorea e a Pacherot e un altro italiano ancora non individuato per la parte architettonica.
[17] E. Hamon, *La cathédrale de Bourges: bâtir un portail sculpté à l'époque flamboyante*, in «Revue de l'art», (2002) 138, pp. 19-30
[18] Ivi, p. 26.
[19] H.J. Dow, *John Hudde and the English Renaissance*, in «Renaissance News», (1965) 18, pp. 289-294, in particolare p. 292.
[20] A. Chastel, M. Rosci, *Un «portrait» de Gaillon à Gaglianico*, in «Art de France», III (1963), pp. 103-113, p. 113.
[21] *Antologia di fonti*, 2.

FLAMINIA BARDATI

TAV. I. Cronologia dei cantieri di Déville-lès-Rouen, Rouen, Gaillon e Vigny.

	Déville-les-Rouen	palazzo di Rouen	castello di Gaillon	castello di Vigny
1493	■			
1494	■			
1495	■	■		
1496	■	■		
1497	■	■		
1498	■	■	■	
1499	■	■	■	
1500	■	■	■	
1501	■	■	■	
1502	■	■	■	
1503	■	■	■	
1504	■	■	■	■
1505	■	■	■	■
1506	■	■	■	■
1507	■		■	■
1508	■		■	■
1509	■		■	■
1510			■	■

TAV. II. Confronto tra le spese di costruzione dei cantieri di Déville-lès-Rouen, Rouen e Gaillon, dal 1594 al 1509, sulla base delle somme riportate nei consuntivi arcivescovili.

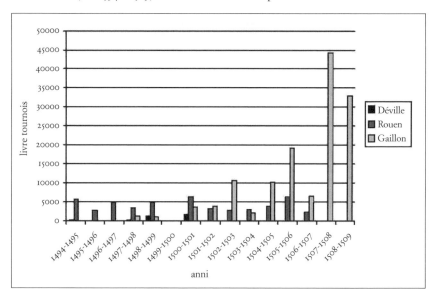

TAV. III. Distribuzione delle spese della fabbrica di Gaillon tra il 1498 e il 1509

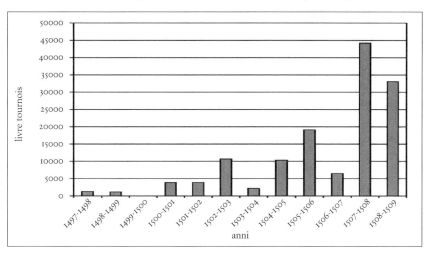

TAV. IV. Giornate lavorative di Jérôme Pacherot a Gaillon, relative al 1508
= livre   s = sou   d = denier

Giorno	Mese	Oggetto	Salario	n°giorni
1	aprile	Pacherot è ingaggiato ad Amboise per eseguire lavori non specificati nel castello di Gaillon	----	----
(tra 6 e 20)	maggio	Trasporto a Orléans della tavola di marmo per il S. Giorgio	40#	forfait
3	luglio	lavori alla fontana (seguono pagamenti senza nome)	37s	
20	luglio	Sei rosette in bronzo della fontana	4#10s	
29	luglio	*l'apuy* del portale nuovo, con contratto di 7# 10s la *toise*	100s (5#)	
(tra 17.7 e 12.8)	luglio/ agosto	Sei rosette in bronzo dorato per la fontana	4#10s	
5	agosto	*l'apuy* del portale nuovo, con contratto di 7# 10s la *toise*	7#	
12	agosto	*l'apuy* del portale nuovo, con contratto di 7# 10s la *toise*	100s (5#)	
19	agosto	*l'apuy* del portale nuovo, con contratto di 7# 10s la *toise*	100s (5#)	
26	agosto	*l'apuy* del portale nuovo, con contratto di 7# 10s la *toise*	4#	
19	settembre	saldo per lavori al perimetro della corte	12#	
27	settembre	saldo sulle 57# 7s 6d globali per il trasporto della tavola di marmo	17# 7s 6d	forfait
13	ottobre	anticipo sull'altare della cappella	20#	
27	ottobre	altare della cappella a 7s 6d al giorno	37s 6d	5
5	novembre	pagamento per l'arc triumphant	6#	15
11	novembre	altare della cappella a 7s 6d al giorno	[3# 7s 6d]	9
3	dicembre	altare della cappella a 7s 6d al giorno	[5# 12s 6d]	15
16	dicembre	altare della cappella a 7s 6d al giorno	[3# 15s]	10
23	dicembre	altare della cappella a 7s 6d al giorno	[1# 17s 6d]	5

TAV. V. Pagamenti e lavori di Pacherot tra il 26 agosto e l'11 novembre 1508

SA 26	agosto	*grande cour*	*appuy* del nuovo portale
LU 28			
MA 29		*appuy*	
ME 30		portale	
GIO 31			
VE 1	settembre	15 giorni lavorativi	
SA 2		disponibili	
LU 4		per realizzare	
MA 5		l'arco trionfale	
ME 6		pagato il 5 novembre	
GIO 7			
VE 8			
SA 9			
LU 11			
MA 12			
ME 13			
GIO 14			
VE 15			
SA 16			
LU 18			
MA 19			saldo lavori *grande cour*
ME 20		cantiere	
GIO 21		chiuso	
VE 22		per visita	
SA 23		reale	
LU 25			
MA 26			
ME 27			saldo trasporto lastra di marmo
GIO 28			inizio lavori cappella
VE 29			
SA 30			
LU 2	ottobre		
MA 3			
ME 4		cappella	
GIO 5			
VE 6			
SA 7			
LU 9			
MA 10			
ME 11			
GIO 12			
VE 13			20 libre, materiali e mano d'opera
SA 14			
LU 16			
MA 17			
ME 18			
GIO 19			
VE 20			
SA 21			
LU 23			
MA 24			
ME 25			
GIO 26			
VE 27			37 soldi, 6 denari = 5 giorni
SA 28			
LU 30			
MA 31			
ME 1	novembre		
GIO 2			(26 giorni)
VE 3			
SA 4			
DO 5			saldo arc triumphant
LU 6			
MA 7			
ME 8			
GIO 9			
VE 10			
SA 11			3 libre, 7 soldi, 6 denari = 9 giorni

TAV. VI. Periodi coperti dai conti di costruzione dettagliati (1501-1509) relativamente agli edifici

	X	XI	XII	I	II	III	IV	V	VI	VII	VIII	IX
1501-1502												
1502-1503												
1503-1504				pervenute solo le spese per il giardino e il parco								
1504-1505												
1505-1506												
1506-1507												
1507-1508												
1508-1509												

TAV. VII. Distribuzione delle risorse tra materiali, costi di approvvigionamento e mano d'opera tra il 1501 e il 1503

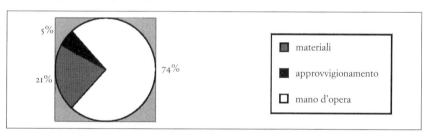

5%
21%
74%

■ materiali

■ approvvigionamento

□ mano d'opera

TAV. VIII. Distribuzione delle spese per la pietra della fabbrica di Gaillon tra il 1501 e il 1503

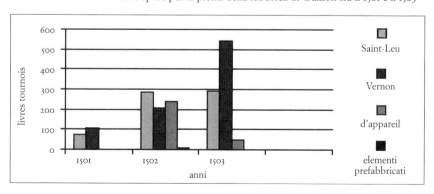

livres tournois

600
500
400
300
200
100
0

1501   1502   1503

anni

■ Saint-Leu

■ Vernon

■ d'appareil

■ elementi prefabbricati

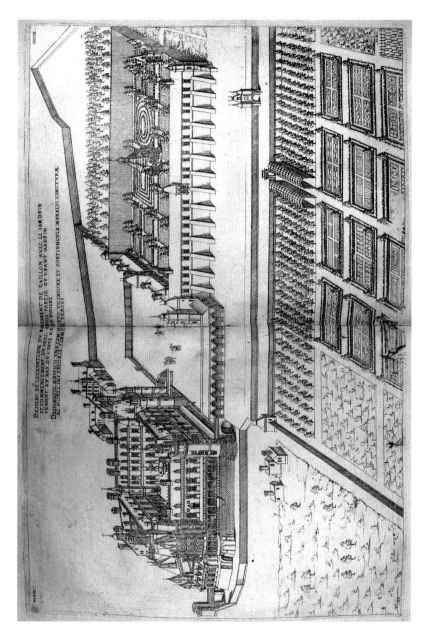

1. Jacques Androuet Du Cerceau, *Desseng de l'elevation du bastiment de Gaillon*
  (*Les plus excellents bastiments de France*, Paris 1576)

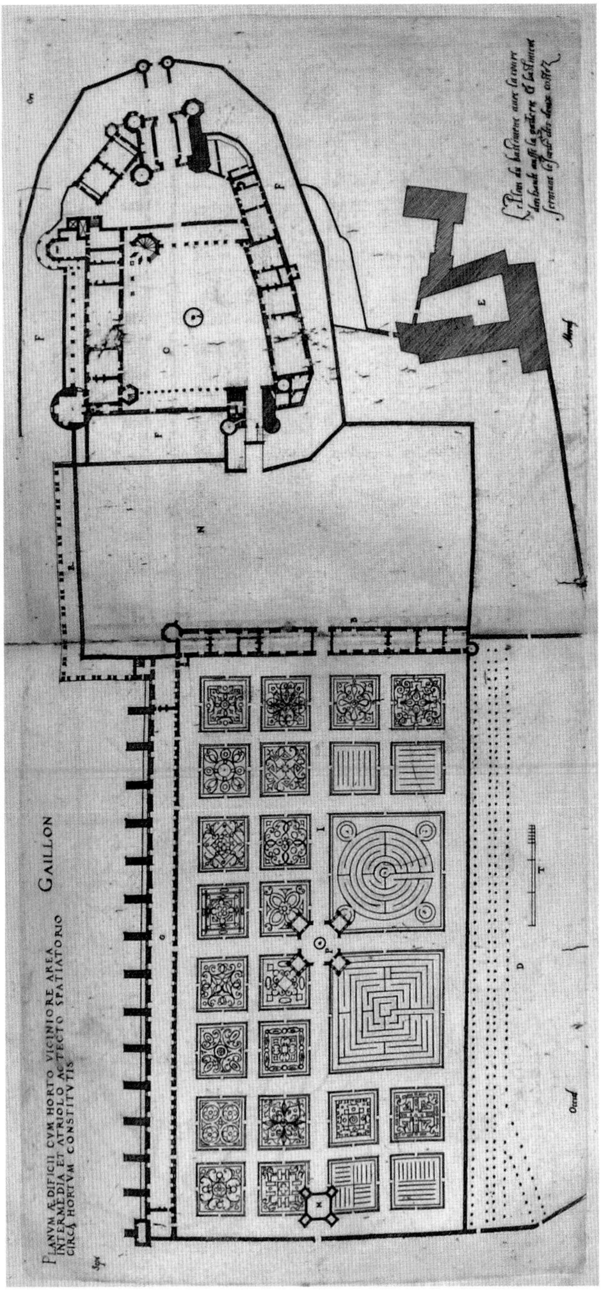

2. Jacques Androuet Du Cerceau, *Plan du bastiment avec la court* (*Les plus excellents bastiments de France*, Paris 1576)

3. Jean Cousin (?), ritratto del cardinale Georges Ier d'Amboise (Paris, Bibliothèque nationale de France)

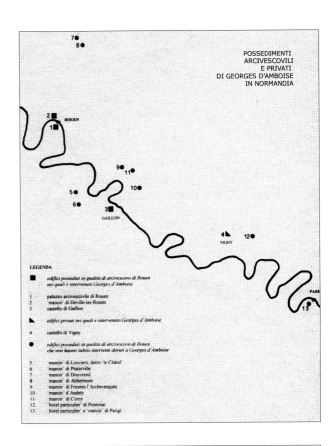

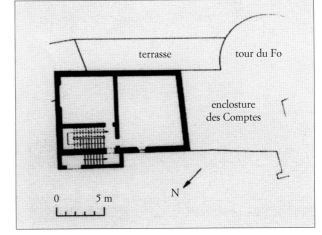

terrasse   tour du Fo

enclosture
des Comptes

0   5 m

N

4. Il castello di Gaillon
allo stato attuale.
Veduta della *Grant'
Maison* da valle

5. Possedimenti di
Georges d'Amboise
in Normandia

6. Blois, Hôtel
particulier di
Georges d'Amboise

7. Israël Silvestre,
*Veue et perspective
du chateau de
Gaillon apartenant
à Monseigneur
l'archeveque de
Rouen*, 1658
(Paris, Bibliothèque
nationale de France)

8. Rouen, il palazzo
arcivescovile nella
pianta di Jacques
Le Lieur (1525)

9. Rouen, restituzione
del piano nobile
del palazzo
arcivescovile

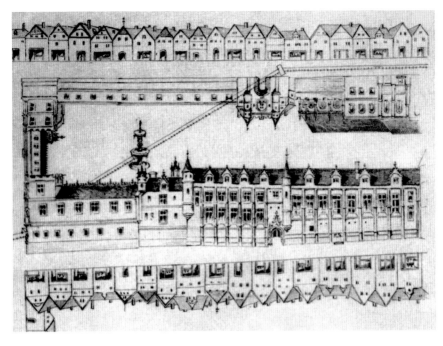

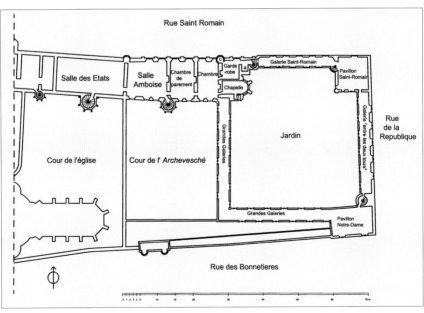

10-11. Pace Gagini e Antonio della Porta (attr.), *Festa di Cerere* e *Baccanale*,
Musée des Antiquitées de Rouen

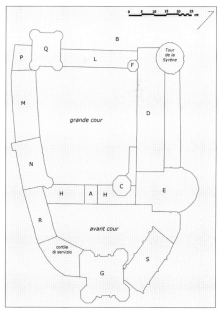

12. Vigny (Val d'Oise), facciata principale del castello costruito da Georges d'Amboise (ca. 1504)

13. La signoria di Gaillon affacciata sulla valle della Senna, da: *Carte Géographique de l'Élection ou Chastellenie d'Andely*, 1683 (Paris, Bibliothèque nationale de France)

14. Localizzazione dei principali elementi del castello di Gaillon:
A: *porte de Gênes*; B: *Jeu de paume*;
C: *grande vis*; D: *Grant' Maison*;
E: cappelle sovrapposte; F: *petite vis*;
G: *châtelet*; H. galleria sud-est o *galerie de Gênes*; L: galleria nord-ovest;
M: corpo di fabbrica edificato da Pierre Delorme; N: *Logis Estouteville*;
P: cucine di Mainville; Q: portale verso il giardino; R: edifici di servizio;
S: cucine di Fain, Senault e Fouquet

15. Lo *châtelet* che domina il villaggio di Gaillon
16. Lo *châtelet* con le torrette angolari

17. Il *Logis d'Estouteville*, particolare della *tour d'escalier*
18. I due prospetti del portale verso il giardino nei disegni dell'epoca della demolizione

19. Michel Colombe (scultura) e Jérôme Pacherot *et al.* (architettura), Altare della cappella superiore del castello di Gaillon (Paris, Musée du Louvre)

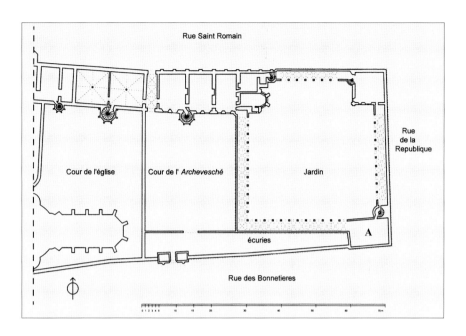

20. Rouen, restituzione del piano terra del palazzo arcivescovile
21. Scaldasole, le torri quadrate del castello

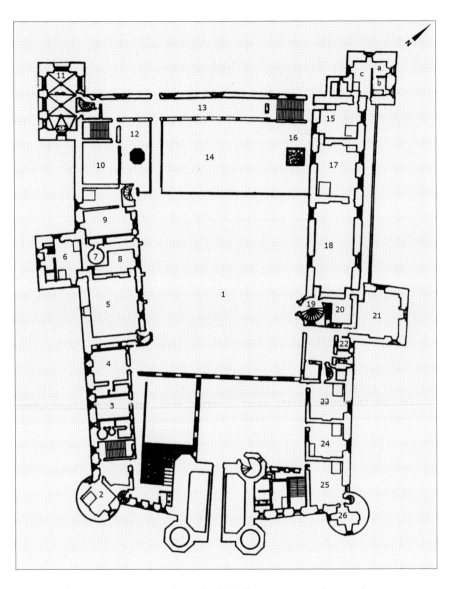

22. *Pianta di Poitiers*: progetto per il castello di Gaillon eseguito tra il 1494 e il 1501, ridisegnato da René Crozet (Archives Départementales de la Vienne).

1: *Grande cour*; 2: *chambre pour la lingerie*; 3: *petite boullengerie*; 4: *cuisine*; 5: *salle*; 6: *chambre basse*; 7: *grant four*; 8: *bourrellerie*; 9: *grant boullengerie*; 10: *pavillon*; 11: *chapelle*; 12: *petit jardin*; 13: *gallerie*; 14: *jardin*; 15: *chambre*; 16: *fontaine*; 17: *chambre à parer*; 18: *salle*; 19: *grand viz*; 20: *bouteillerie*; 21: *cuisine*; 22: *chambre*; 23: *chambre*; 24: *chambre*; 25: *chambre*; 26: *garde robe*; a: *estudde*; b: *oratoire*; c: *garde robe*

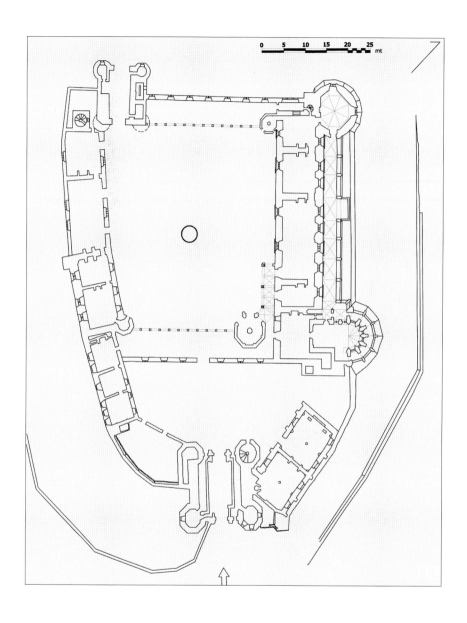

23. Gaillon, ipotesi di restituzione del piano terra verso la fine del 1509

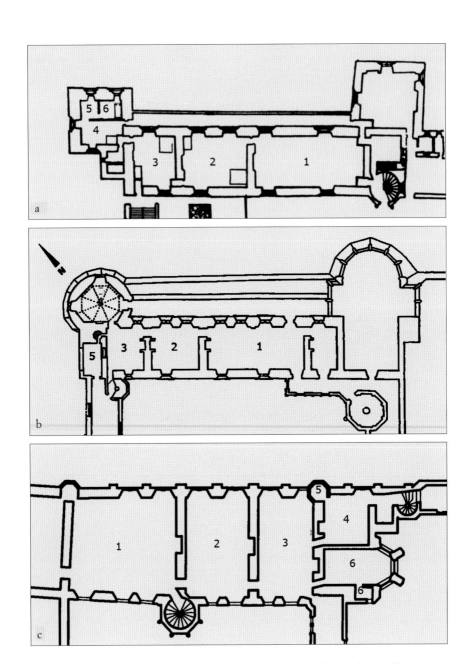

24. L'appartamento cardinalizio nella *Pianta di Poitiers* (a) nell'edifico realizzato (b)
e nel palazzo di Rouen (c)

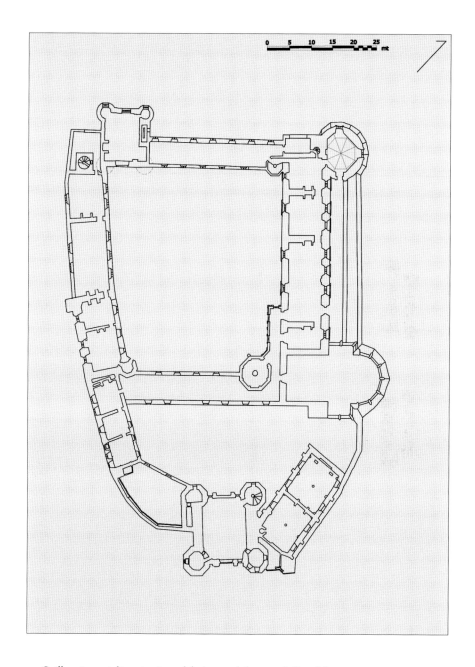

25. Gaillon, ipotesi di restituzione del piano nobile verso la fine del 1509

26. Gaillon, la fontana commissionata a Genova, all'atelier di Pace Gagini e Antonio della Porta (J. Androuet du Cerceau, *Les plus excellents bastiments de France*, Paris 1576-79)

27. Gaillon, la *porte de Gênes* rimontata *in situ*

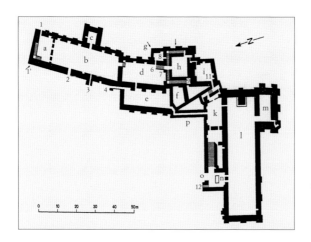

28. Avignone, palazzo dei
papi nella seconda metà
del trecento.
Restituzione da B.
Schimmelpfennig (1994).

*Les espaces utilisée par le
pape au premier étage*
a: *Dressatorium;* b: *Tinellum
magnum;* c: *Capella parva;*
d: *Camera paramenti;*
e: *Tinellum parvum;*
f: *Coquina secreta;*
g: *Studium pape;* h: *Camera
pape;* i: *Camera cervi;*
k: *Sacristie;* l: *Capella
magna;* m: *Vestiarium;*
n: *Cadafalcum;* o: *Fenêtre
de l'Indulgence;* p: *Pons.*
1: *Dressatorium - coquina
nova;* 1': *Dressatorium -
coquina vetus et buticularia;*
2: *Tinellum magnum -
deambulatorium;*
3: *Tinellum magnum* - aile
des hôtes; 4: *Tinellum
parvum - deambulatorium;*
5: *Tinellum magnum -
camera paramenti;* 6: *Camera
paramenti - studium pape;*
8: *Camera pape - studium
pape;* 9: *Camera pape* -
Trésor supérieur (escalier)*;*
10: *Camera cervi - sacristie;*
11: *Camera cervi - sacristie;*
12: *Capella magna -* «galerie
du conclave»

29. Napoli, l'arco di
Castelnuovo

30. La decorazione di una
delle finestre laterali
dello *châtelet*

31. L'arcata superiore del fronte esterno dello *châtelet*, in cui erano alloggiate le statue del committente e del sovrano

32. Un capitello dello *châtelet*

33. Il fronte posteriore dello *châtelet* prima dei restauri che hanno eliminato le aggiunte ottocentesche

34. L'arcata superiore della *porte de Gênes*

35. L'intradosso dell'arcata inferiore della *porte de Gênes*

36. Le paraste raddoppiate lateralmente che inquadravano il bassorilievo di Antoine Juste

37. Antoine e Jean
Juste, *Tomba di
Luigi* XII *e Anna
di Bretagna*, Saint-
Denis basilica.
Particolare della
Presa di Genova

38. Israël Silvestre,
*Veüe du Chateau
de Gaillon en
Normandie*, (1658)
(Paris, Bibliothèque
nationale de France)

a   a   b   b

39. Particolari dell'altare di San Giorgio (a)
    e della porte de Gênes (b)

40. Particolari dell'altare di San Giorgio (a)
    e della porte de Gênes (b)

41. Lo stemma di Georges d'Amboise
    scolpito all'imposta dell'arcata superiore
    esterna dello châtelet

42. Capitelli dell'altare di San Giorgio (a),
    del fronte esterno dello *châtelet* (b),
    della porte de Gênes (c) e della galleria
    sud-est (d)

43. Coppia di draghi incatenata, particolari
    dell'altare di San Giorgio (a) e del fronte
    esterno dello *châtelet*

a

b

c

d

a

44. Veduta attuale
della corte di
Gaillon dal piano
superiore dello
châtelet. In primo
piano la *porte
de Gênes*; sulla
sinistra i resti
del portico della
galleria sud-est
e il corpo
d'Estouteville; sulla
destra il volume
della *Grant'
Maison* con la
loggia addossata;
sul fondo edifici
ottocenteschi
costruiti al posto
della galleria nord-
ovest e del portale
verso il giardino

45. La loggia addossata
alla *Gant' Maison*,
rimontata *in situ*

46. Israël Silvestre,
*Veüe de la cour
de Gaillon*, in
controparte
per adeguare
l'orientamento
rispetto alla realtà

47. La caduta di elementi
    all'antica inserita nel
    pilastro *flamboyant*
    della loggia addossata
    alla *Grant' Maison*

48. La medaglia evocatrice
    del conclave del 1503
    (Paris, Bibliothèque
    nationale de France)

49. Uno dei medaglioni superstiti

50. L'ubicazione delle cave di Louviers, Vernon e Saint-Leu d'Esserent rispetto a Gaillon

51. Una delle cantine della *Grant' Maison*

52. La muraglia di contenimento del giardino

53. *Arc-diaphragme* e *voûte-plate* nella cappella inferiore

54. La signoria di Déville-lès-Rouen a nord di Rouen, da: *Carte Géographique de l'Élection de Rouen*, 1683 (Paris, Bibliothèque nationale de France)

55. Mappa della signoria di Déville-lès-Rouen, dettaglio (Archives Départementales de la Seine-Maritime)

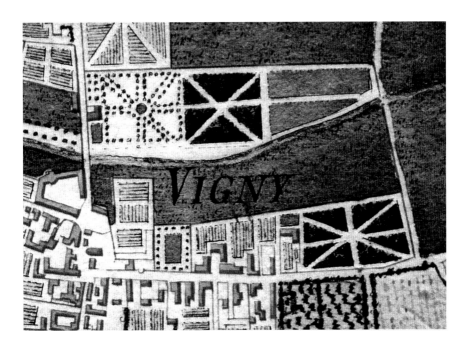

56. Il castello di Vigny in una mappa
catastale del XVIII secolo
(Paris, Archives Nationales)

57. La signoria di Vigny a est di
Pontoise, da: *Carte Géographique de
l'Élection de Ponthoise*, 1683 (Paris,
Bibliothèque nationale de France)

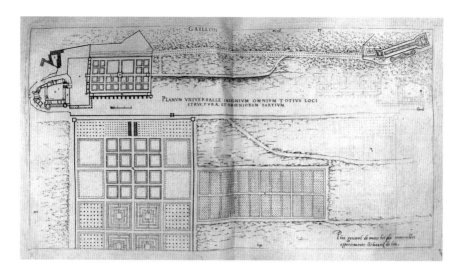

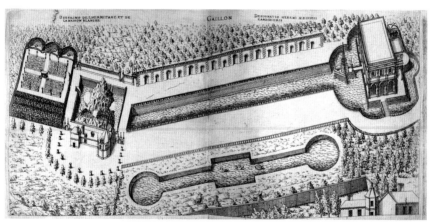

58. Jacques Androuet Du Cerceau, *Plan general de toutes les plus remarcables appartenances et beautez du lieu* (*Les plus excellents bastiments de France*, Paris 1576)

59. Jacques Androuet Du Cerceau, *Desseing de l'hermitage et de la Maison Blanche* (*Les plus excellents bastiments de France*, Paris 1576). Sulla sinistra le parti costruite sotto Georges d'Amboise

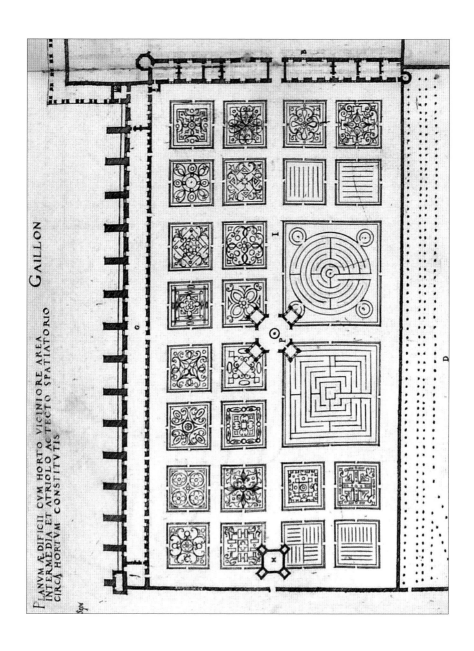

60. Jacques Androuet Du Cerceau, pianta del giardino superiore di Gaillon
(*Les plus excellents bastiments de France*, Paris 1576)

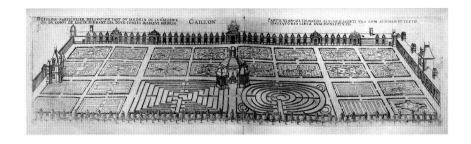

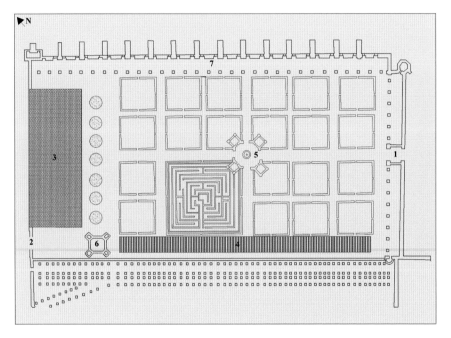

61. Jacques Androuet Du Cerceau, il giardino superiore visto dal monte (*Les plus excellents bastiments de France*, Paris 1576). Il partito adottato nella galleria appartiene alla campagna di lavori commissionata da Charles de Bourbon intorno al 1565

62. Ipotesi di restituzione schematica dell'assetto del giardino intorno al 1510 sulla base della pianta di Du Cerceau
1. portale verso il castello; 2: portale verso il parco; 3: voliera; 4: *tonnelle*; 5: padiglione della fontana; 6: padiglione di fondo; 7: galleria affrescata

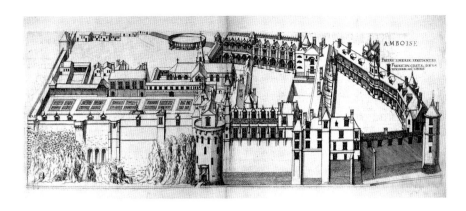

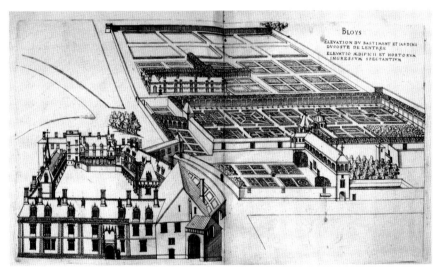

63. Jacques Androuet Du Cerceau, il castello di Amboise
(*Les plus excellents bastiments de France*, Paris 1576-79)

64. Jacques Androuet Du Cerceau, il castello di Blois
(*Les plus excellents bastiments de France*, Paris 1576-79)

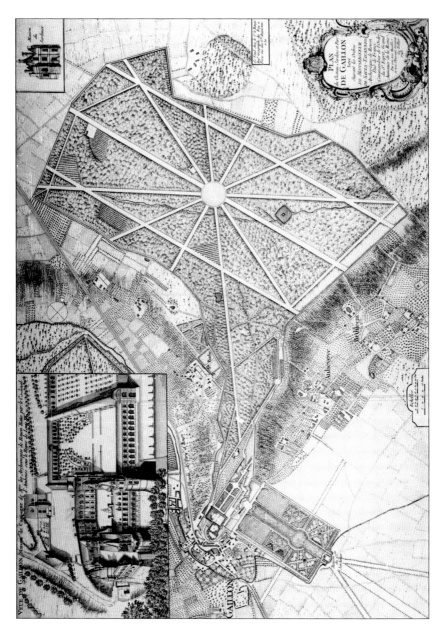

65. Le Tellier, *Plan du Château Jardin et Parc de Gaillon levé suivant les ordres de Monseigneur de Saulx-Tavannes* (1748) (Paris, Bibliothèque nationale de France)

66. Il nuovo corpo di fabbrica che chiude a sud-est il giardino costruito nel XVII secolo

67. Israël Silvestre, *Veue du chateau de Gaillon du costé du parc*, (v.1658)
(Paris, Bibliothèque nationale de France)
68. Israël Silvestre, *La chapelle de Gaillon*, (v.1658) (Paris, Bibliothèque nationale de France)

69. Jacques Androuet Du Cerceau, *La face du devant de la Maison Blanche*,
(*Les plus excellents bastiments de France*, Paris 1576)

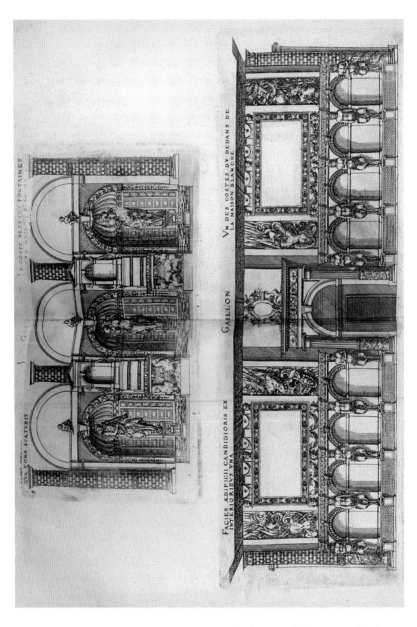

70. Jacques Androuet Du Cerceau, *Le costé vers les fontaines de la Maison Blanche* (a) e *Un des costes du dedans de la Maison Blanche* (b), (*Les plus excellents bastiments de France*, Paris 1576)

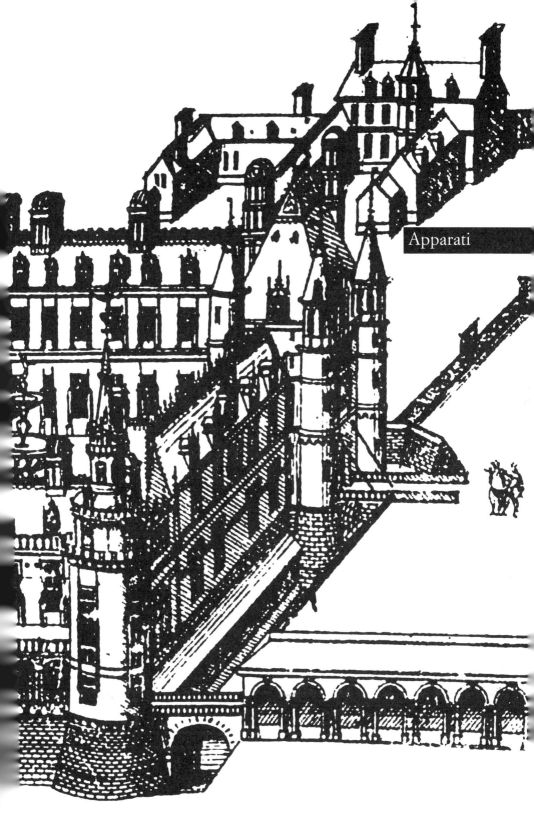

Apparati

Antologia di fonti

Il castello di Gaillon è stato oggetto di numerose visite e descrizioni a opera dei viaggiatori dei secoli scorsi, regalandoci una messe di notizie sull'edificio e sui suoi giardini. Il tipo di informazioni desumibili da queste testimonianze varia in funzione di diversi parametri, dalla tipologia del testo (lettera, diario, presentazione), alla funzione (privata, destinata alla pubblicazione), alla posizione sociale del redattore, al destinatario.

Le sintetiche lettere di Alberto Pio (1507) e Bonaventura Mosti (1508) danno informazioni generali sull'insieme dell'edificio ancora in costruzione, elogiandone la ricchezza e sottolineando pochi ma sintomatici elementi: il bassorilievo con la presa di Genova di Antoine Juste, la fontana della corte di Pace Gagini e Antonio della Porta, le colonne e altri ornamenti giudicati di provenienza italiana, il numero degli appartamenti con i ricchi soffitti a cassettoni dorati, l'ampiezza e la ricercatezza del giardino e del parco con le loro dipendenze.

La lettera di Jacopo Probo d'Atri (1510) è l'unico testo in cui lo scopo è quello di fare una descrizione il più completo possibile del castello e delle sue pertinenze, destinata a un'appassionata collezionista e amante delle arti quale Isabella d'Este. L'autore sa che la sua lettera sarà probabilmente letta da un pubblico più vasto che non la sola Isabella e mantiene un tono molto diplomatico, lodando il castello senza mai dare impressioni troppo personali. Cerca al contempo di fornire un'immagine esaustiva, affrontando tutte le parti dell'edificio con dovizia di particolari.

I diari di viaggio della prima metà del secolo sono più spontanei e presentano le opinioni personali dei redattori.

Antonio de Beatis, segretario del cardinale d'Aragona (1517), attento a tutte le particolarità sociali prima che artistiche dei paesi che attraversa, dedica molto spazio ai giardini e alle loro dipendenze, raccontando meno estesamente il complesso del castello, del quale dà un quadro d'insieme, annotando alcuni particolari della decorazione. Si sofferma sulla cappella e sui ricchi ornamenti degli interni, per poi sottolineare che l'edificio, benché bellissimo, manca di simmetria e regolarità geometrica.

L'anonimo mercante milanese (1518) non si cura dell'irregolarità della pianta ed è invece affascinato dalla ricchezza e dall'estensione del complesso. Egli tende a quantificare tutto ciò che vede, valutando dimensioni e costo di ogni elemento, cercando sempre di fornire paragoni lombardi.

Più vaghi sono i diari della fine del Cinquecento e del primo decennio del Seicento. In quello di Alvise Meraviglia, che visita la Francia nel 1577 al seguito del-l'ambasciatore veneziano Girolamo Lippomanno, si cita due volte il castello di Gaillon, definendolo un luogo stupendo ma senza addentrarsi in alcuna descrizione. Sembra trattarsi più di un omaggio dovuto all'arcivescovo di Rouen (allora il potente cardinale di Bourbon) che non un commento spontaneo[1].

Francesco Gregori da Terni, che accompagna il cardinale Alessandro de' Medici nel febbraio 1597, sembra più interessato all'accoglienza riservata loro che non al-l'edificio, di cui dà poche indicazioni che testimoniano però ingenti trasformazioni operate del corso della seconda metà del Cinquecento.

Più generoso di commenti personali è Bernardo Bizoni, al seguito di Vincenzo Giustiniani (1610 circa), che si sofferma sull'ornamentazione, anche *flamboyant*, rilevando che è stata fatta «con disegno» e riportando il giudizio del marchese Giustiniani secondo cui il drago della pala d'altare di Michel Colombe è «troppo grande e sproporzionato». Informa anche che l'arcivescovo François de Joyeuse (1605-1614) «ci fa molti ed utili miglioramenti, in specie un gioco di palla alla francese, una galeria per tenerci lo studio suo».

La puntuale descrizione della visita dei membri dell'Académie Royale d'Archi-tecture nel 1678 denota uno spirito completamente diverso. Non si tratta di una relazione di viaggio ma di un sopralluogo mirato allo studio del patrimonio archi-tettonico nazionale, con particolare attenzione ai materiali lapidei impiegati, sia dal punto di vista formale che da quelli strutturali e della conservazione. Vengono descritte con minuzia di dettagli le due statue dell'arcata superiore dello *châtelet* e i tre busti marmorei scolpiti a Milano che si trovano sul prospetto su corte della *Grant' Maison*[2] mentre per gli elementi costruttivi, come la scala, più che gli aspet-ti formali si rileva che il tipo di pietra di Vernon[3] è almeno di due tipi, uno più chia-ro degli altri, e che la durezza non è sempre la stessa, ipotizzando che sia stata cava-ta da banchi diversi. Parimenti si pone l'attenzione allo stato di conservazione dei parapetti della terrazza verso la Senna, sempre in pietra di Vernon, mal conserva-ti, con problemi di sgretolamento, rilevando che invece il materiale usato per le parti delicatamente scolpite è integro, non solo a causa della provenienza da un banco diverso ma forse anche per una diversa stagionatura dello stesso.

Nuovamente di un diario, ma scritto con l'intenzione di darne pubblica lettura, si tratta nel caso di Ducarel (1767), che viaggia nel nord della Francia alla ricerca delle antichità anglo-normanne, riportando con ordine le notizie inerenti sia l'edi-ficio che la storia dei suoi committenti. Il pregio maggiore consiste nel poter data-re la rimozione della fontana di Pace Gagini e Antonio della Porta (1764); è inoltre interessante che Ducarel parli di due corti, non più l'*avant-cour* e la *grande-cour*, ma la corte vecchia e quella nuova (cioè quella creatasi con la costruzione della gal-leria di Charles de Bourbon).

L'ignoto viaggiatore francese che visita il castello nel 1777, fa riferimento a un quadro e dichiara di seguire una descrizione del luogo e, quasi turista moderno, an-nota i propri commenti rispetto alle aspettative suscitate dal testo che lo accompa-gna[4]. Egli descrive tre corti, la prima dedicata ai servizi e immaginata come le vesti-gia del castello medievale, quindi la *grande-cour* identificata con la residenza di

Georges d'Amboise, infine la nuova corte. Tra le informazioni più importanti è che il corpo di fabbrica della galleria della *porte de Gênes* è in cattive condizioni e l'arcivescovo de la Rochefoucauld medita di trasformarla per ricavarne appartamenti, benché ancora a questa data il bassorilievo con i *Trionfi* sia ancora in buone condizioni. Un'altra galleria, non è chiaro quale, è invece in stato di abbandono. Il visitatore, di cui si ignorano stato sociale e formazione, giudica l'ornamentazione *flamboyant* molto delicata nell'esecuzione ma poco corretta nel disegno «comme c'est l'ordinaire dans les monuments gothiques». L'elemento su cui si sofferma maggiormente è però la cappella, sulla cui descrizione si sono basati gli studi di Blanquart[5].

La descrizione di Jacques Androuet Du Cerceau (ante 1576) costituisce un documento completamente diverso, poiché è stata concepita nella consapevolezza di una pubblicazione da parte di un architetto che mentre documenta lo stato delle più belle fabbriche di Francia non esita a promuovere la propria attività di progettista, inserendo commenti sui miglioramenti che si potrebbero apportare. Accompagnata dalle incisioni essa costituisce il fondamento per lo studio delle trasformazioni del secondo Cinquecento, su cui Du Cerceau si sofferma più diffusamente.

I testi riportati di seguito in ordine cronologico rispettano le scelte di trascrizione e di edizione dei vari studiosi che le hanno pubblicate, a eccezione dell'ultima ancora mai apparsa integralmente. Sono stati eliminati però note e commenti specifici, rimandando per questi alle prime edizioni.

1. Lettera di Alberto Pio da Carpi a Francesco Gonzaga,
   Rouen, 19 dicembre 1507.
   (A. Sabattini, *Alberto III Pio. Politica, diplomazia e guerra del conte di Carpi. Corrispondenza con la corte di Mantova, 1506-1511*, Carpi 1994, pp. 165-166).

«Como partemo di qua anderemo a Gaglione, loco di monsignor lo legato, situato in loco da haver piacere di volaria e cace di ogni sorte, nel qual loco sua signoria per suo piacere li ha speso piú de centomillia scudi in hedificarlo, cum barco, giardino facto al modo di quel del re, castello cum allogiamenti dorati, facti al modo de Italia, cum fontana di marmore ne la corte, et ogni altra gentileza. Ancora qua in Rhoano sua signoria ha facto giardino e hedificii bellissimi, che ben dimostra in tute le cose ch'el fa la sua excellente magnanimità. Certifico però a la excellentia vostra che in niun de quisti lochi, né in Franza, è alcuno allogiamento da comparare a la casa nova ha facto vostra excellentia a San Sebastiano, il qual non ho visto compito, ma iudico dal principio ne vidi il quello debe essere».

2. Lettera di Bonaventura Mosti al duca di Ferrara,
   Louviers, 24 settembre 1508
   (M.H. Smith, *Rouen-Gaillon: témoignages italiens sur la Normandie de Georges d'Amboise*, in B. Beck, P. Bouet, C. Etienne, I. Lettéron (a cura di), *L'Architecture de la Renaissance en Normandie*, t. I, Caen 2003, pp. 41-58).

«Gaglione, illustrissimo signore, è luogo de ragione de lo archiepiscopato de Roanno, quale era andato in ruina. Et per essere in luogo de grande piacere per ogni generatione de caza, il reverendissimo signor legato lo ha facto il piú bello et superbo luoco sia in tuta la Franza. Sopra la porta de la intrata vi è de bronzo ha [*leggere* la] impresa, exercito et intrata fece il christianissimo signor re a Zenoa. In mezo il cortile è una fontana facta fare a Zenoa, la piú bella habii mai veduta ; cum colone in [torno a dicto *cancellato*] dicto cortile et altre cose excellentissime havute in Italia et poste qui, che non poteriano correspondere meglio ; li solari de le sale et camare posti ad oro variamente. Quaranta otto allogiamenti vi sono, tuti atapezati de tapezarie del reverendissimo signor legato. A le lectiere, apparamenti richissimi, et quilli migliori erano in la corte de Milano vi sono, cum qualche giunta, etc. Vi è uno zardino bellissimo, piano, facto per forza in spianare uno pezo de monte, cum una galaria belissima lunga vargi 244, cum uno bello pavaglione in mezo dicto zardino et una fontana sotto, facta in Zenoa. Apresso dicto zardino vi è uno bello barcho cum salvadicine de ogni sorte, et in mezo una capella da re. Se dice che soa reverendissima signoria li ha speso ottantamila scudi. Il signor Alberto il fa ponere in desegno ad uno pictore per mandare a Vostra Excellentia».

3. Lettera di Jacopo Probo d'Atri a Isabelle d'Este, 1510

(R. Weiss, *The castle of Gaillon in 1509-1510*, in «Journal of the Warburg and Courtauld Institutes», 1953, pp. 1-12).

Descriptione d'uno palazo del reverendissimo cardinale di Ambasia nel loco ditto Gaglione in la provincia di Normandia, notata per lo signore conte de Pianella, nel tempo chi l'era in Franza per ambasciatore dil illustrissimo signor marchese di Mantua.

Lo principale intento et professione de li nobili franzesi, virtuosissima signora, communamente è stato le arme et le caze, et le mercantie alli populari. Dove le littere et architectura poco hanno monstrato de curare, se ben questo paese de docti homini et richi templi se vede ornato. Non di meno acciochè tu sappi che de fare tutte le cose degne, che in qualuncha altra regione se possa o sappia fare, qui non manchano ingegni, me pare darte noticia de un palazo non anchora finito, ch'el magnanimo legato di Franza ogn'hora fa fabbricare, in el quale esso Iove non se potria sdegnare de habitare insieme con la gelosa sua Iunone.

In la famosa et richa provincia de Normandia è un loco chiamato Gaglione, di l'archiepiscopato de Rohano, posto in un monticello pur assai fertile et ameno, dal nobile fiumme de Sena non molto distante, dove il sapientissimo cardinale de Ambosa fa edificare il bel palatio in forma di castello, de grande fosse con profunda aqua circundato, de tanto magisterio et richeza che non solo in Franza, ma per aventura in tutto il corno de l'Europa, il più magnifico et superbo a pena se potria retrovare.

Avante il castello è un forte et grande belloardo, sive rivellino in nostra lingua, de preta intagliato con fenestre et arme sopra modo ornato, et dentro un loco ben apto, bellissime cocine, con assai stantie et camere commode per officiali.

La porta principale è de marmora, de mano de bon maestro lavorata, et di sopra è sculpito la historia quando il grande re di Franza debellò Genua, messa ad oro con figure picole tutte de naturale.

In lo entrare d'essa porta se trova un spatioso et ben quadrato cortile silicato de marmoro biancho et rosso con debita misura, et in mezo una fontana abundantissima d'aqua tutta di lactato marmoro, de grandeza et articifio tale che in parte alcuna non se vede la simile, alta più de XXX braza con tri ordini de conche pur de marmoro, lavorate con figure, epigramme, arme et imprese in tutta perfectione, et in cima alcuni spiritelli et altre figure picole de tanta belleza che seria impossibile ad megliorare, sopra de li quali più de due o tre altra braza ancora monta l'acqua chiara, fresca et salubre quanto se possa al mondo desiderare.

Da basso al piano dil cortile sonno due loggie aperte, l'una et l'altra depincte et ornate de molte figure.

Alli cantoni sonno quattro scale a lumacha per montar in le stanze del palatio alte sopra li altri tecti, tutte in cima coperte di piombo lavorate et dorate con arme et diverse altre imprese, ma una d'esse, ciò è quella che è in man dextra a l'intrare che conduce alla capella et alle camere principale, è tutta di preta lavorata dentro et fuora et trasforata con lavorari tanti subtili et zentili che non se faria meglio d'argento o oro, che a vederli pare cosa stupenda.

Del medesimo lavoro è la fazata ad man dextra, dove sonno le camere deputate per la persona del re, et similmente una galaria, sive loggia, che va da la cappella alla scala, che più bella non se potria fare; dove per magiore ornamento sonno messe tre statue de marmora: una dil re, l'altra de monsignore legato et l'ultima dil grande maestro di Franza, da la cintura in su facte dil naturale.

Et in ogni lato d'esso cortile son messe teste de imperatori romani pur di marmoro ben lavorate, et in molti luochi de le quattro fazate è sculpito il motto del legato, cioè "non confundas me Domine ab expectatione mea", con litere grande maiuscule franzese.

In el quadro de la prima porta gli è sculpito tutto il triumpho de Iulio Cesare, ne la forma ch'el famoso Mantinia lo depinse, de non troppo grande figura ma ben et con bona gratia intagliato, et da l'altri lati de diverse imprese, arme et fenestre ben acconcie et ornate.

Intorno ad esso cortile da ogni quadro in cima gli è un corridore de preta lavorato et transformato subtilmente ad similitudine de la scala principale, che non se potria dire quanto vista et quanto gratia dona a tutto lo edificio, con li conducti di piombo lavorati et depincti, che giongono insino in terra, ad certi altri conducti de preta, dove l'aqua è portata fuora senza impedire cosa alcuna.

La capella è de conveniente grandeza secondo il loco, facta in croce, tucta in volta dentro e fuora, da capo al pede de preta lavorata et transforata con sì belli et subtili lavoreri, che de argento o d'oro a pena se haveria possuto fare più bella. L'altare et ornamenti de fino marmore lavorati de gli più degni maestri se possino retrovare, con la sacristia et uno piccolo oratorio et lo choro in legno, lavorato de picole figure et fogliame, ultra misura bello; et tutte le cose d'essa, tanto de marmora quanto de preta et de legno, sonno facte con grandissimo artificio et rasone senza alcuno sparagno de spesa, et se pò dire che, per la sorte che l'è, in Franza né in Italia a pena se potria retrovare la più bella né la più ornata; et sopra il tutto il campanile de una nuova fogia con lavori subtili et excellenti, coperto de piombo et dorato, che il più bello non se vide già may.

In capo de la loggia se retrova la sala principale, alla quale la grandeza con l'alteza ben corresponde, con ciminere grande et magnifice, silicata de petra cocta et il celo suffittato alla italiana, messo ad oro con vaghi et ricchi lavori, et le fenestre de vedro historiate et le figure si belle et perfecte che non scio quale pictore le potesse megliorare, et le porte et fenestre de legno da ogni canto lavorate in tutta bellezza.

Tacio li panni richamati d'oro facti ad aco et tapezarie, et li baldachini che sonno sopra la sedia regale, però che sonno di quella richeza et belleza che se possa imaginare: ma solamente de un picolo me pare de parlare como de cosa rara, cioè de un poriale lavorato d'oro ad aguchia, dove è un Marte a cavallo armato che se retrova haver rotto la lanza et lo troncone anchora gli resta in mano et li pezi in terra, de tanta vivacia et perfectione che a pena la natura lo potria far meglio, et il simile il cavallo, che se diria fossero l'uno et l'altro vivi. Intorno sonno trophei, arme et spoglie da non poterseli apponere in parte alcuna. Pare che fosse fatto fare da Lorenzo di Medici per donar al duca de Milano, che ben se conosce essere stato presente da grande homo et degno de conservarse fra cose pretiose et degne.

Seguita poi una ben proportionata camera col cielo d'oro a similitudine de quello de la sala, con le fenestre de vedro simile, coperta de velluto verde con le arme del legato et il lecto de panni d'oro et con molti altri panni rachamati.

Da questa se va in un'altra bellissima camera dentro lo turrione, tutta da capo a pedi fodrata de legno lavorato de picole figure, ma con tanto artificio che più de XXV^m franchi dice esser constata, et il lecto secondo la qualità ornato.

Se uscisse de lì poi in una bellissima logia discoperta con li pogioli de marmoro et silicata de marmo bianco et negro alla musaycha, et intorno sonno teste de imperatori naturali de fino marmoro et li corridori de sopra di bronzo, che circundano intorno dal canto di fuora tutto il palazzo.

Da questa logia se vede la nobile rivera de Sena et intorno cinque o sey leghe de possessione dil legato con garane, sive conigliere in nostra lingua, columbare, peschiere et altri luochi delicati et molli, per modo che la vista non potria esser più bella et delectevole.

Tutti li colmi dil palatio, tanto sopra il turrione quanto sopra le scale et sopra le porte et altri luochi eminenti, sonno coperti per la magior parte de piombo dorato con arme, pinelli et altri ornamenti, che ad guardarli da longe fa bello vedere.

In un altro quadro, cioè incontro alla prima porta, è la libraria con la volta de legno messa ad oro, con alcuni quadri de pictura facti de mano de boni maestri, et lì contigue è un gabionetto, o vero studiolo, lavorato d'oro con gioie de bon mercato ma di grande vista e belleza, dove sonno grande quantità de libri scritti a penna in carta bona et coperti de veluto et d'oro.

Le camere de sotto sonno de la medesima forma ma non de tanto ornamento, dove è solito alloggiare Monsignore de Angulemo et altri grandi signori, et così di sopra gentilhomini, convenientemente ornate.

Da basso dal lato de fuora è un'altra loggia coperta, simile a l'altra di sopra, in la quale sono reposte alcune statue de terra cocta de naturale, dove è il re alla man destra et il re Carlo, et alla sinistra la nobile regina et appresso monsignor legato, il duca et madama di Borbone et molti altri, et ultimamente una gentildonna de tanta bellezza et gratia, che a pena la Franza per gran tempo hebbe la simile, piena de gentileza et d'honestà, Maria Turina nominata; quella che per aventura molti non ambiscono richeze, desiderariano così presto haver la sua gratia come essere signore de sì ornato et superbo palatio.

Al terzo quadro ad man sinistra a l'intrare de la porta, sonno le semegliante sale et camere d'alto et basso che è al primo quadro, ma non de tanto ornamento, et l'ultimo quadro al modo pur de quello dove è la libraria, se ben anchora non è finito.

La porta che va al zardino è molto bella et magnifica con pur assay ornamenti, dove è un cervo che porta attaccato al collo il scudo di Franza, et sopra d'essa porta alcuni boni et comodi alloggiamenti, et la cima è coperta di piombo con molte arme et galantarie messe ad oro.

In uscire de la porta è un ponte levatoio con cadene de ferro et il fosso murato sotto et intorno, dove è un loco fatto per giocare alla balla picola.

El zardino è contiguo al palatio, grande quanto se può guardare et di bona latitudine, cavato dal monte con fatiga et spesa inextimabile, ha da duo lati ad man dritta le logie coperte dove sonno depincti il re, monsignore legato con li principi et signori de Franza che vanno a caza con falconi, livereri et con rhete, et altre damiselle che vanno in carretta ad piacere et che pescano et uccellano ad pernice et fasani, et appresso chi danzano, chi giocano et chi magnano et fanno bona cera, et de varie altre sorte de picture per dar spasso alli reguardanti, insino ad alcune donne italiane de naturale, vestite alla foggia che hora se costumma in Lombardia.

Da l'altro lato ad man sinistra gli è la sponda dil monte, sopra il quale è uno corredoro coperto di legno fatto a gelosie, et dal lato che è incontro alla porta è tutto coperto de rhete di ferro, pieno de ucelli d'ogni sorte et qualità et maxime de li rari, come sonno le galline de India et tortore bianche, che pare siano in libertà per il grande spatio et per essergli dentro arbori verdi et fontana viva.

A costo ad questi ucelli in capo dil zardino è facta una bella stantia de legno, tutta depincta de verde de fuora con molte comode stantie dentro, ben fornita et acconcia, dove è solito allogiare monsignor legato.

In mezo dil zardino è un grande et superbo pavaglione de legno dil più bello sexto che se possa fare, dentro et fuora ornatissimo con arme et altre varietà, coperto de lastre et in cima la lanterna de vedro coperta di piombo dorato con tutti quelli ornamenti che conviene.

Dentro è un'altra fontana de lactato marmoro de maraviglioso artificio et bellezza et con grande abundantia de aqua, la quale suplisse al bisogno di tutto il zardino.

El zardino in quattro parte è partito et cincto de legname lavorato, con le porte ben facte et dcpincto de verde con molte sorte de arbori, como son persiche, pomi, peri, cerise et delicate brogne et de tutti li fructi excepto che fiche et meloni, che questo paese de sua natura non le produce.

Il loco è così ben coltivato che se gli vede de ogni qualità de herbe, divisate con le arme de Franza et altre belle varietà.

In alcuni quadretti son prati con herbe fresche et odorifere con li più delicati fiori che se possano desiderare, et oltra di questo bussi et rosemorini facti in forma de navi, fontane in castelli et in altre belle foggie, et appresso un bello et artificioso labirintho"

In l'uscire dil zardino se trova il parco murato che più de due leghe circunda, pieno di bellissimi boschi, quale pare la natura l'habiano facti a posta per caza et per delectatione, et dentro pieno di cervi, caprioli, dayni, lepori, porci et ogni altro animale. Una ayroniera, bugni et guazi assai per caza, da due belle et ornate case da potersi retirare per pioggia o per magnare, molto commodo, et una bella chiesa non troppo grande ma ben devota et uno solitario heremitagio et tanti altri loghi da spasso et da piacere, che uno paradiso terrestre se po' chiamare.

In questo loco perché Bacho non resti inhonorato, non essendo sua deytà ponto da negligere, non restarò dirve, acioché questa nostra naratione finisca in comedia, che sotto al nobile palatio è una grande et bella caneva facta in volta distesa, dove commodamente se potria giostrare, tutta fornita dal capo et pede che a pena gli resta il camino per andargli intorno, et appresso tre o quattro altri picoli luoghi, dove se servano li delicati vini come è il nectare de Iove.

4. Antonio de Beatis, *Itinerario di Monsignor reverendissimo et illustrissimo il cardinale di Aragona* (1517)

(L. von Pastor, *Die Reise des Kardinals Luigi d'Aragona durch Deutschland, die Niederlande, Frankreich und Oberitalien, 1517-1518, beschriessen von Antonio de Beatis*, Fribourg im Breisgau, 1905, pp. 128-130).

Da Ponte d'Arce sia ill.^ma parti do poi disnare pur in lectica per andare ad trovare el re predicto in Gaglione che è distante IV leghe per dispedirse da Sua M^tà. Et intrando al parco dove se spectava la predicta Maestà per correre certi cervi ad forza, sua ill.^ma smontò la lectica et cavalcò un cavallo, et venendo Sua M^tà se corsero più cervi, ma per essere stata l'hora tarda non se ne ammazzò niuno. Da qua sua ill.ma accompagnata dal cardinale di Boysi fratello di monsignor il Gran Maestro de Franza et da monsignor de Lutrech, andò per il parco ad intrare nel zardino del palazzo predicto, et passando per dentro quello se ne calò al villaggio ad suo posamento com parte di servitori, perché nel palazzo sua s. ill.^ma non possea stare per la moltitudine de signori et donne vi erano con la regina et matre del Roy, etiam che in quello fussero de multe stantie. L'altra gente nostra con la magior parte di cavalli andarno ad allogiare in Toni, villaggio sopra la riva sinistra de la Sena, distante una legha et mezza. De quali lochi et giornata io, che ad vedere et non vedere essendo allogiato nel villaggio con monsignor r^mo appresso una hora de nocte mi fu tolta dal arcione la mia bugecta con alcune supellectile usuali, scripture et dinari che montavano dicine de ducati, ne tengo bona memoria. [...]

El decto palazzo over castello fu edifficato da monsignor rev^mo di Rohano sopra un monte, donde verso levante ha la più bella prospettiva de pratarie, acque et monti, che se potesse desiderare.

Lli è un parco che gira due leghe, murato de grosse et alte mura, quale viene ad serrare con lo zardino de decto palazzo. La moraglia perche se vedesse de la parte del basso tira per la costera del monte. In esso sono più pezzi di belli et folti boschetti et pianure de correre animali; vi sono anche molti palazzocti per dentro et belli cervi, caprii, daini communi et anchora de bianchi, lepri et conegli infiniti.

El zardino è de un gran quatro, quale è ornatissimo de strate dispartito in quatri con certe cancellate de legnamo ben lavorato et colorito de colore verde, et con sue porte galante in ciascun quatro. Ad uno lato, che è la tirata del muro verso il parco, ha una sua ucellera bellissima fornita de multi ucelli, maxime di fasani, pernici et starne et di altri varii ucellecti, quali hanno per mezzo un rivo de acqua de fontana; et in tucta la meta de la logia verso il zardeno, che è scoverta dal aere benché serrata di reti di ferro filato, una piantata de arbori et socto alcune herbette per piacere de decti ucelli. Da doi altri lati in fine a la porta grande, che riesce in una gran piazza di prataria, per donde se entra nel cortile del palazo, ha due strate larghissime et molto longhe intemplate et foderate con septo celo lamiato sequitamente et lavorato tucto de legno de rovere con si limpio lavoro che pare de argento.

Li tecti son converti ad una acqua de certe tavolecte di pietre negre che pareno de piumbo vero. Le mura son tucte hystoriate di diverse fantasie et di bella pictura. Verso il zardino sono aperte con uno ordine de collonne de legnamo pur tento de verde, sopra soi pogi et bene pavimentate. In Franza simili strate coperte chiamano gallerie, in Italia claustri o logge. De la dicta porta infine all'altra chi esce al parco donde incomincia la ucellera mancano le dicte gallerie, quali secondo il desegno deveno sequire.

In mezzo del decto zardino è una bellissima fontana con vasi marmorei intagliati de figure et in cima un puctino chi gecta acqua da più lochi et molto alto; et quella se copre de un gran pavaglione lavorato de legnamo intagliato et molto ricco de azzurro fino et d'oro; lui è di octo faccie et in ciascuna ha la mezza cuppola sua, cuperto pure al modo de le galerie molto aeroso et superbo. Dentro il prefato zardino per incontro la porta del parco è facta una camera pur ad octo faccie de legnamo investita de fabrica de mactoni, pintata di bona mano et tucta posta d'oro et de azzurro con octo fenestre conveniente a le dicte fazziate con vitreate bellissime, et coperta del modo del paviglione, et così anche tucto il palazzo; dicta camera serve per dormire di mezzo il giorno la estate. In li quatri de decto jardino sono alcuni arbori, ma per la maggiore parte herbe, bussi et rosmarine. In che son lavorate mille fantasie, come son huomini ad cavalli, navi et altre sorte de ucelli et animali; et in un quatro in certe herbecte terrene sono signate le arme del roy et alcune lettere antiche molto artificiosamente. Dal zardino si esce in una piazza di praterie, donde, come è decto, si entra nel cortile che è nel mezzo del palazzo per ponte levaturo.

El decto palazzo tira un gran quatro, et lo cortile, chi è in mezzo, anche è spacioso, et tanto dentro come di fora appare tucto è di pietre et ben lavorato. Et vi sonno tucti conzi di fenestre e porte con teste retracte dal antiquo de marmi, et quelle sonno fabricate sopra dicte porte e a le fazziate che respondeno al cortile, in mezzo de chi è un fonte sumptuosissimo marmoreo con grandissimi pili de un pezzo et intagliato con molte et belle figure, et butta molto forte.

In decto palazzo, quale è posto in fortallezza per un gran fosso che li va intorno, sono infinite stantie, et due logge l'una sopra l'altra in la banda de la sopradecta prospectiva ornatissime, grandi et con colonne marmoree molto alte et airose; in una de le quali loggie sono per ordine de naturale l'effigie del roy Carlo, roy Ludovico et regina, di monsignor rmo die Rhoano, di monsignor rmo il cardinale di San Severino, naturalissima de la principessa de Bisignano, et de alcuni altri signori et madonne Franzese, et tucti de relievo colorati, non so però si son facte di legno o di pietra.

Vi è anche una cappella bellissima et di grandezza conveniente al palazzo, intorno de la quale di dentro vi sonno de naturale in pietra tucti li signori de casa Ambois, di che era il predicto di Rohano. Le intemplature de le sale, camere et retrecti sonno variamente lavorate con molto artificio et ricchissime, et una vi è in la camera dove alloggiò el signore una nocte do poi che partì el Re Christianissimo recercato dal arcivescovo di Rohano nepote del predicto cardinale, tucta intagliata de legnamo de rovere in modo di lamia ad spiculo, con foderatura per tucte le mura de decta camera del medesmo legnamo tanto articifiosamente, che benché non sia gran quatro constò XII milia franchi.

Le sale son dubate ad non mancare niuna di bellissimi razzi et camere de velluti, rasi, damaschi et de burchati in ciascuna sua trabaccha conforme. Le vitreate son tante et così belle historiate, che costorno XII milia scuti. Ve vedimo etiam una bella libraria per quello tanto che è; dove sonno alcuni libri con l'arme di casa de Aragona, quali furno de la fe. me. di re Ferrando primo et venduti lli per extrema necessità de quella infelicissima regina muglie di re Federico di sancta gloria. El prefato palazzo ancora che sia bellissimo et cussì vago maxime for via de intaglie de pietre, d'ornamenti de octono et ordine de tecti, come cosa habia visto mai, et per essere stato fabricato su un monte, come è dccto, quale fu necessario spianare per gran parte, habia constato (secundo la relatione de Franciosi et de auctorità) septecento miglia franchi, el che ad chi lo ha visto non parera cosa incredibile, non si può però denegare, che si de stantie come de le facciate che respondeno al cortile, non sia stato male inteso. Monsignor rev^mo di Rohano fe fabbricare decto palazzo ad emulatione di quello del Vergero quale descriverò appresso. Et benché in la morte sua il lassasse al arcivescovato de Rohano, pur se ne fe conscientia, et havendo facta cussì gran spesa per vanità ne dimostrò grandissimo pentimento, dicendo: places a Dio che l'argento che ge dispesi in Gaglion l'haves bagliat ad povera gent.

5. Diario di un mercante milanese (1518)
(L. Monga, *Un mercante di Milano in Europa: diario di un viaggio del primo Cinquecento*, Milano 1985, pp. 64-65).

Galion, loco picolo come Venzaghello; et li he uno palazo in forma di forteza, quale fece fare el cardinale de Roanno. Et loro dicono che per una cosa non troppo grande, la he la più bella di Franza, et che in Italia anchora non he così bella cosetta. Il palazzo he così un pocho altetto et intorno ha una bellissima pianura ben lavoratta, et bona, circondatta tutta da monticelli non troppo alti, et ha li fossi intorno molto belli et ben lavorati, et di dentro tutti muratti di prede vive, grande et belle. Ha due portte: una verso la villa et l'altra verso uno giardino, et in ciaschuna ha uno bellissimo revellino. Dentro si trova una altra porta per la quale si va in la cortte, quale è quadrata et he circa de braza 100 per ogni latto et intorni halli portichi bellissimi. Le muraglie son tutte, et di dentro et di fora, di prede vive bianchissime, quale si usano in quello paese in loco di marmore, et li sono le figure de li imperatori et altri gran capitani romani et greci et de altri paesi sculpitti de dicte prede et bellissime.

Et li sono in quattro cantti de la cortte 4 toriette altte tutte intagliatte mirabilmentte; et glien'è una più grossa de le altre, quale è de marmore tutta ben intagliatta, le altre tre sono de dicta preda. In mezo de la cortte li he una grande et bellissima fontana di marmore finae cum sopra molti fanciuli intagliatti in marmore, et butta aqua continua da più di deci cantti et quando si stopa uno certto busso di sotto l'acqua salta alta in su, dritta più di 4 braza. Di sopra li sono moltte camere con li celi di legno lavoratti mirabilmente et adoratti tutti, et le camere sono foderatte in magiore partte di legnami lavoratti a figure bellissime.

Et li hera una bellissima libraria con circa libri 200, tutti in cartta et scripti a mane, e tutti copertti o di brochatto o di velutto, ma sopra tutto le he pur di sopra una chiesetta facta tutta di marmore, intagliatta et con innumerabile figure di marmore fine che he bella cossa quanto si veda. Entrando in dicta giesa a man destra li sono quelli sono statti di giesa de la casa di Ambosia; et da man sinistra quelli sono statti soldatti, tutti sculpiti in marmore fino. Et di sotto et di sopra tutte le finestre dil palazo, quale sono più de 150, hano tutte le invidriate bellissime, in le quale he depintto per ordine tutto il testamento vechjo et novo. Et tutti li uschij quali sono circa a 100 tutti sono di legname intagliatti a figure bellissime; et infine li sono tantte belle cosse che non se ne scrive la mittà. Et si crede non se ne faria uno simile a pagare il tutto con scutti (...), computtato il zardino et il muro dil barcho.

Atachatto ad esso palazzo li he uno giardino bellissimo, grande come he la corte de Milano, et muratto di muri grossi et alti con bellissimi portici intorno, et in mezo li he un hedifitiotto bellissimo con una fontana bellissima di marmore tutta intagliatta; et da uno cantto dil zardino li he uno loco serratto, longo circa a braza 200 et largo circa a braza 30, ove li sono de tutte sortte de ucelli che si ritrovano, zoè de non raptili.

Et poi da quello zardino si uscisse per una porta et si va in uno barcho muratto di circuito de circa a milia 2, quale he bellissimo: gli sono entro boschetti spessi et rari et praticelli et aque, et tutto a la comodità de li animali; et li sono cervi, caproli, dame, salvagi et domestici, et de tutti li animali terrestri; in mezo li he uno bello edefittio per quello [che] ne ha cura: he cosa bellissima et he discostta da Parixi leghe 20 et da Roanno 9.

[...] Il el fosso dil palazo di Galion li he uno bellissimo giocho di balla, facto a postta in tal loco, perché al verno he caldo et alla estate he frescho, perché il sole non li può.

6. Jacques Androuet Du Cerceau, *Le chasteau de Gaillon* (ante 1576)
(J.A. Du Cerceau, *Les plus excellents bastimens de France*, Paris 1576-79)

Ce bastimens est au pais de Normandie, distant de la ville de Rouen, capitale du pays, dix lieuës. Il est eslevé sur une tertre, ayant le regard fort beau du costé de l'Orient: auquel costé passe encore la riviere de Seine, à un quart de lieuë pres. Ce lieu fut ainsi dressé par un Cardinal d'Amboise, du vivant du Roy Loys douziesme: & est fort bien basty, de bonne maniere, & d'un riche artifice, toutefois moderne, sans tenir de l'anticque, sinon en quelques particulatitez, qui depuis y ont esté faites. En la court est une grande fontaine de marbre blanc, bien enrichie d'oeuvre. Au pied du Chasteau est le bourg, la montee duquel est assez malaisee, encore qu'il y ait moyen d'y faire des escalliers, qui se pourroyent pratiquer avec certaines terraces, qui se trouveroyent en hault au devant du bastiment.

Ce logis est accomodé de deux beaux iardins: l'un desquels est au niveau d'iceluy: & entredeux une place, en maniere de terrace, que monsieur le Cardinal de Bourbon à present fait appropier d'edifices, tant au niveau dudit logis, que au pied de la terrace, adioustant à ce bas une gallerie d'assez bonne ordonnance selon l'antique, qui regarde sur le val. Or est ce iardin accompli d'une autre belle gallerie & plaisante, digne d'estre ainsi appelee, à cause de sa longueur, & du moyen comme elle est dressee, ayant sa veuë d'un costé sur le iardin, & de l'autre sur ledit val, vers la riviere. Au milieu du iardin est un pavillon, où se voit encores une fontaine de marbre blanc.

Quant à l'autre iardin il est comprins en ce val, sur lequel la gallerie a son regard merveilleusement grand, & où se feroit facile faire des grandes beautez: iognant lequel est un Parc de vignes, dependant de la maison, non fermé. Outre plus au mesme val, tirant vers la riviere, ledit Sieur Cardinal a fait eriger & bastir un lieu de Chartreux, abondant et tout plaisir.

Il y a davantage en ce lieu un Parc, auquel si voulez aller, soit du logis, ou bien du jardin d'en hault, il faut souvent monter, tant par allées couvertes d'arbres, que terraces, qui toujours regardent sur le val: & continuant vous parvenez iusques à un endroit, où est dressee une petite Chapelle, & un petit logis, avec un rocher d'hermitage, assis au milieu d'une eauë, ayant la cuve quarree, & entour icelle des petites allees à se pourmener: pour auquel entrer il fault passer une petite bascule. Pres de là se voit un petit iardin, & dans iceluy force piedestaux, sur lesquels sont posees des figures entieres de trois à quatre pieds de hault, de toutes sortes de devises: avec ce quelques allees bercees, couvertes de couldres: estant la place de cest hermitage fort mignarde & jolie, & autant plaisante qu'autre qui se puisse trouver.

Passant oultre, vous venez à un autre lieu, basti sur une eauë, qu'on appelle la Maison blanche. Son premier estage est comme une salle, ouverte à arcs de trois costez, ayant son regard dans l'eauë. L'autre costé est une montee, avec quelques petites garderobbes. De ceste montee l'on va en hault, où sont pareilles commoditez que dessous, excepté qu'au lieu d'arcs ce sont fenestres quarres. En la salle basse, du costé du buffet, y a comme trois fontaines quarrees de deux ou trois pieds, dans lesquelles on descend pour avoir l'eauë: & tout se voit d'icelle salle, avec quelques murailles garnies de niches. Somme, en ce parc y a tant d'autres ioliuetez, & le lieu est si plaisant, que merveilles, comme le pourrez comprendre par l'ordre que i'ay tenu en la continuation des desseins que ie vous en ay figurez.

7. Descrizione di Francesco Gregori da Terni (1597)

(Francesco Gregori da Terni, Descrizione del viaggio del cardinale Alessandro de' Medici [ottobre 1596 - febbraio 1597] Parigi, Bibliothèque Nationale de France, *Ms. It.* 662, in parte pubblicata in M.H. Smith, *Rouen-Gaillon: témoignages italiens sur la Normandie de Georges d'Amboise*, in B. Beck, P. Bouet, C. Etienne, I. Lettéron [a cura di], *L'Architecture de la Renaissance en Normandie*, t. I, Caen 2003, pp. 41-58)

Il Sig.re cardinale legato alli 5 di febraro si partì di Roano de ritorno a Pariggi, facendo la medesima strada ne sudette barche, ancor che se venisse per aqua mettendovi doppie giornate. Dove la sera seguente s'arrivò al tardo a sudetto Gaglione, dove de incontro venendo su la riva il sudetto arcivescovo di Roano con carrozze, cavalli et torcie per condurre S. S. Ill.ma et prelati et altri della sua famiglia al detto luogo, come fece. Dove sia nobilissimo palazzo posto in collina, fatto dal Sig.re cardinale Ambasia antecessore del sudetto arcivescovo, dove S. S. Ill.ma dimorò la sera e tutto il giorno venente, che da detto fratello del re fu ciertamente regalato con superbissimi banchetti, e con tanto amor di benevolenza che più non si potrebbe dire. Poi si vedde il sontuoso palazzo, quale sia in fortezza con gran fossi atorno murati, et invero vi siano gran quantità di stanze bellissime adobbate di nobili et ricchi paramenti, conforme alla grandezza di detto arcivescovo, et im particolare un letto di broccato d'oro assai ben grande piú de l'ordinario, con varie storie, et doi superbi baldachini, dicono di valuta da 6 mila scudi. Et appresso la gran sala vi è una bellissima cappella fatta dal sudetto cardinale Ambasia, dove giornalmente si celebrano li divini offitii, essendovi un clero da 12 canonici. Nel detto palazzo vi sonno tre gallerie, dove nella minore vi siano gran quantità et bellissime pitture, et le due altre maggiori sonno sì lunghe come quella del papa in Belvedere, con loggie dinansi alla sala, di bellissima et vaga vista. Poi fuor del palazzo nella sudetta collina vi sia un gran bellissimo barcho cinto di mura de circuito circa 3 miglia, dove sonno infiniti animali d' caccia, di caprii, di daine, di lepre, conigli, che entrandovi dentro viddi certo tre branchi di daine et caprii, che parevano vedere branchi di pecore. Et appresso fuor di esso barcho vi è una chiesa piccolina bene antica che la chiamano Bettalem, fatta nel modello di Bettalem che è in Gierusalem. Poi, sotto a detto palazzo nella pianura e similmente di sopra, vi sono de' bellissimi giardini, in gran copia de frutti, nobilissime e diverse forme de spalliere, che veramente mi pare in questo mondo stanza di paradiso.

L'altra mattina seguente, partendosi S. S. Ill.ma dal sudetto Gaglione accompagnato da detto arcivescovo sino alle barche et avanti un miglio appresso si vedde anco la certosa con nova bella chiesa fatta ultimamente dal cardinale di Borbona, dove sonno molte relliquie, in particolare il legno della croce di Christo N. S., del latte della santissima Madre, et un gran convento, ben che non sia fenito. Quivi S. S. Ill.ma udí messa, poi da quei frati fu fatto una bella colatione assieme con li altri di corte. Poi detto Sig.re legato arrivò alla barcha et quivi detto arcivescovo restò ritornando al sudetto luogo et il Sig.re legato seguì il suo viaggio.

8. Descrizione di Bernardo Bizoni (1610 circa)

(B. Bizoni, *Diario di viaggio di Vincenzo Giustiniani* (1610 circa), edizione moderna a cura di B. Agosti, Bologna 1995, pp. 93-95).

Alli 25, domenica
[...]
Si gionse a Gaglione, scoprendo un pezzo da lontano le mura del parco e la chiesa del palazzo. Il signor Vincenzo mandò Giuseppe a trovare Francesco Serafi e, saputolo il cardinale, che allora si metteva a tavola, mandò il maestro di camera ed il segretario a levarlo all'osteria, solo, senza volere compagnia di nessuno di noi. Noi cenassimo con libertà, con vini buoni claretti e di Sitré.
Alli 26, lunedi
Il Pomarancio ed io viddimmo messa cantata da morto da un prete vecchio, con gli occhi sgarbellati, in una chiesola vicina, a man dritta dell'osteria, ove anche furono dette dieci messe. Se bene il signor Vincenzo mandò a dire che non s'andasse di sopra, io ci andai da me. Viddi due bellissime galerie longhe e larghe, vi erano da una parte tutti li duchi di Milano, dall'altra tutti li duchi di Toscana, e del Gran Turco e loro moglie.
Al piano di queste gallerie vi è un bel giardino con bei partimenti di verdure, belli viali e fontane, per dove allora spasseggiava il cardinale domesticamente. Il signor Vincenzo lo venne a trovare al giardino e subito montarono in carrozza a quattro cavalli. Il cardinale in portiera accanto al vescovo di [...], quale andava vestito di nero ed il cardinale gli dava la precedenza; dall'altra portiera, il signor Vincenzo solo. Andarono a spasso pel giardino, nel quale vi sono tre palazzi da loro dimandati padiglioni. Noi credevamo che andassero alla Certosa mezzo miglio lontano, in un piano bello con fontane e giardini, ove stanno sedici monaci.
Il palazzo di Gaglione fu fatto dal gran cardinal di Roano Giorgio Ambuesa in questo sito d'aria perfetta e commodo per la riviera, in mezzo tra Roano suo vescovato e Parigi, dov'egli era padrone e maneggiava tutta l'entrata di quel re (per quanto mi fu detto). Ebbe questi un altro fratello cardinale, che fabbricò Santa Cecilia di Roma.
All'entrata di questo palazzo si passa per un ponte levatore di legno, poi s'entra in un bel cortile, ove in mezzo è una bella fontana con un vaso doppio tondo, grande, mandatoli da' Genovesi d'Italia, quali, avendo in quel tempo disgustato il re, avevano bisogno del mezzo suo. Intorno per tutto in alto nicchi belli, ovati, pieni di teste di statue belle come quelle di Nonsicci, e le finestre tutte con piramidi ed altri lavori di pietra intagliata con disegno, portichi attorno con camere. Abasso, nell'appartamento a man dritta nell'entrare, mangiorno il cardinale, il vescovo e il

signor Vincenzo, ed altri al numero di otto. Al primo piano di sopra era l'appartamento del signor Vincenzo, con parati di velluto paonazzo, ricamato con gigli d'oro, com'anco il cortinaggio e portiera, ed a mano manca quello del cardinale con molte stanze tutte addobbate, ed a man destra, al pari delle finestre delle stanze, un bel corridore longo quanto tirano le stanze tutte, con li parapetti di pietra, donde si scopre bella e lontana vista, e particolarmente quella del gran giardino d'abasso del palazzo e d'un padiglione di esso fatto di disegno portato d'Italia, ed un parco che gira sei miglia, pieno di daini, cervi; una bellissima cappella piena di figure di rilievo e mezzo rilievo: in specie un quadro grande all'altare, di marmo intagliato, un San Giorgio a cavallo che uccide un dragone, se bene il drago fu tenuto dal marchese troppo grande e sproporzionato, e si disse che il detto quadro fosse stato fatto in Italia, e di là venuto in quel tempo.

Il cardinale di Gioiosa ci fa molti ed utili miglioramenti, in specie un gioco di palla alla francese, una galeria per tenerci lo studio suo, che è d'ottomila pezzi di libri, di valore di scudi trentamila. Si vide un camerino del cardinale, che egli chiama tesoro e perciò tien sempre la chiave appresso di sé, ove sono una croce, un secchio ed altri vasetti, e tra l'altre una navicella grande di cristallo di montagna, di prezzo di scudi seimila, quale è un poco fosca in luogo basso, per essere cascata pochi giorni sono. Uno studiolo di radiche di rose, che aprendo quelli secreti butta odore mirabile. Vi erano gallerie più piccole con quadri portati di Roma di diversi principi, papi e cardinali, e tra l'altri vi era il cardinal Giustiniano. Una bellissima guardarobba di paramenti ed altro, e tra l'altre cose un letto che vale ventimila scudi, con perle assai.

9. Descrizione della visita fatta dai membri dell'Académie Royale d'Architecture (1678)

(*Procès-verbaux de l'Académie Royale d'Architecture*, 1671-1793, edizione moderna a cura di H. Lemonnier, t. 1, Paris 1911, pp. 221-223).

Nous avons esté au *chasteau de Gaillon*, où nous avons veu, audessus de la de la première cour, deux figures posées dans deux niches, à costé l'une de l'autre et séparées par trois colonnes toutes percées à jour de différens ornemens. Les colonnes et les figures sont de pierre fort blanche et d'un beau grain. Une de figures représente Louis XII, vestu d'un corselet à la romain, avec des lambrequins tombans sur les cuisses, une toque sur la teste, les bras couvertes de manches, avec un grand manteau qui luy pend par derrière. L'autre représente le cardinal d'Amboise, vestu d'un habit long avec un rochet par dessus et son chapeau de cardinal qui luy pend derrière le dos, et dont les cordons luy passent sur les deux épaules et retombent par devant.

Tous le corps du chasteau est composé de quatre corps de logis de hauteur égale, qui forment une cour quarrée mais non régulière, au milieu de laquelle est une fontaine de plusieurs bassins de marbre blanc les uns sur les autres. A un des coins de la cour, à main droite en entrant, est l'escalier et la chapelle, le tout basti, tant dedans que dehors, de pierre de Vernon, les unes plus blanches que les autres et de dureté différentes, ayant esté prises de différens bancs, et, en quelques endroits, de Saint Leu. Toute l'architecture est enrichie de sculptures et d'ornemens appelez modernes, parfaitement bien taillez et bien conservez. Il y a dans la face du logis, à main droite, dans la cour, trois niches: dans celle qui est la plus haute et audessus de deux autres, est représenté Louis XII à my-corps, jusques au milieu des lambrequins, de marbre, vestu à la romaine, comme il est audessus de la porte; et audessoubz, dans la niche qui est à droit, est la figure, aussay à démy corps, du cardinal d'Amboise, ayant son bonnet sur la teste et son chapeau à la main. Dans l'autre est représenté de pareille grandeur Charles d'Amboise, grand maistre de France; ces deux figures sont de marbre blanc, pareilles à celles de Louis XII, et d'égale grandeur, qui est comme le naturel.

La porte de la chapelle est enrichie de colonnes de marbre blanc, avec des ornemens, et d'un corps à costé d'icelle aussy de marbre, enrichie d'entrelas et de grotesques, où est marqué l'année, qui est 1510.

Le dedans de la chapelle, et la voûte particulièrement, est fort travaillé dans les nerfs qui forment les ogives et dans les clefs.

Les vitres sont peintes d'un bel aprest et de beaux desseins; et, dans celles qui sont audessus de la porte, la famille du cardinal d'Amboise est représentée. Les chaises du cœur sont ornées de tableaux de bois de raport dans les dossiers, et tout le reste de la menuiserie de la chapelle, comme aussy toutes les portes, fenestres, cheminées et lambris de tous les appartemens du chasteau sont travailléz avec beaucoup d'art et de soin.

Les vitres aussy des sales, chambres et cabinets, sont peints de grisailles et couleurs qui représentent differens sujets.

Nous avons remarqué dans les galeries et sur les terrasses qui sont autour de la chapelle et proches les appartemens de ce costé là, que les pierres des balustrades et des appuis, qui sont de Vernon, sont fort endommagées en plusieurs endroits, quelques-unes s'en allant par écailles, et d'autres usées et mangées considérablement. Cependant, du mesme costé et dans les faces, il y a des pierres chargées d'ornemens très délicats, qui sont très entières et bien conservées, ce qui peut faire juger que toutes ces différences qui se recontrent dans des pierres qui viennent d'une mesme carrière n'arivent vraysemblablement que de la qualité des divers bancs dont elles sont tirées, et peut estre aussy de ce que les unes sont employées plus vertes les unes que les autres, quoyqu'en ces quartiers là ils croyent que les pierres n'ont pas besoin de se sécher.

Nous avons veu aussy la grande gallerie et les deux autres bastimens qui sont à costé du pavillon nommé le Parnasse, qui regardent le jardin, les quels sont de pierre de Saint Leu et ont esté faits par le cardinal de Bourbon et sont assez bien conservéz.

Nous avons esté aussy aux Chartreux, proche le dit Gaillon, dont le portail de l'église et les cloistres sont tous bastis de pierre de Saint Leu, hormis les premières assises, qui sont de pierre dure de Vernon, et les piédestaux et les bases, qui sont aussy de Vernon, le tout assez bien conservé.

Au milieu du cœur de l'église est le tombeau du compte se Soissons, où est aussi enterré le cardinal de Bourbon, qui a esté transporté de la chapelle où il estait.

10. Descrizione di Ducarel (1767)
(Ducarel, *Anglo-norman Antiquities, considered in a tour through part of Normandy,* London 1767, pp. 44-45)

Here I saw the fine palace belonging to the archbishop of Rouen, situated upon a very high hill, and commanding a most beautiful prospect of many miles extent. Here you have not only a view of the country, but a very fine one of the river Seine upon your left hand, from a beautiful terras of considerable length. At the entrance of this palace is an old gate, and near it a prison. Over the gate was a long inscription, which I did not think worth copying. The castle consists of two courts: the first, which is the oldest, is adorned with marble bustos of the twelve CAESAR, of Lewis XII. king of France, and also of the two cardinals D'Amboise, uncle and nephew; the former of whom expended a very large sum of money in repairing and improving this palace. A fine colonade of marble pillars, flutes and ornamented with fleurs de lys, takes up one whole side: and over it is a long basso rilievo in marble, done in Italy. It represents a triumph, and alludes to some part of the life of cardinal George d'Amboise, with which I am unacquainted.

In the middle of this court was a large hexagonal marble fountain (* This fountain was removed by the present archbishop of Rouen, in the year 1764), made in Italy, with a fine figure of St. George upon it, where I copied the following inscription, which is supported by two angels.

QVISQVIS PERPETVI FONTIS MIRATVR HONORES
ROTHOMAGI MVNVS PRAESVLIT ESSE SCIAT
LEGATI NOSTRO DVM JVRE GEORGIVS ORBI
PRAESIDET AMBASIAE PVRVPVRA PRIMA DOMVS
HESPERIAE ET GALLIS POST OCIA PARTA PERENNES
EXTERNO CINGI MARMORE JVSSIT AQVAS

From this court an handsome marble stair-case leads to the chapel, dedicated to St. George; where in, over the high altar, is another fine marble figure of the saint, who is well represented; but I thought his dragon but indifferently performed. The altar is one piece of Italian marble finely veined, eight feet by five; and the windows are decorated with good painted glass. There are a few stalls made of oak neatly fitted up, and a small organ. The tribune or closet of the archbishop is on the north side, and has a fire-place in it. This chapel is a Gothic stone building, and has on the out-side a greater quantity of ornaments that I ever yet saw, but so judiciously disposed, that they do not seem crouded (+ A dean of eight prebendaries were formerly founded in this chapel; but they were all suppressed by the late cardinal de Tavance, archbishop of Rouen).

The second court is a modern building, containing on one side a gallery erected upon piazzas, and on the other a large collection of orange-trees in tubs ranged in the form of an amphitheatre. In this palace there is a long string of apartments unfurnished and very dirty. The great gallery contains the pictures of the arch-bishops of Rouen for many years. Adjoining of it is a park, consisting of several acres, laid out in pleasant walks; but not deer, the word PARK, in France, not necessarily implying an inclosure for those animals, as it does in England. The people of Normandy have formed to themselves so high an opinion of the beauty and magnificence of this palace, that when they endeavour to give you an idea of the utmost elegance of any villa, of which they are speaking, they conclude their commendation by saying "In short, sir, it is a little Gaillon"

11. Descrizione di un anonimo viaggiatore francese (1777)
(*Nottes et remarques sur toutes les villes de la Haute-Normandie*, 1777, Bibliothèque municipale de Rouen, *fonds Montbret*, ms Y 19, ff. 225-231)

Voyage de Paris à Roüen par la route ditte d'en haut.
Gaillon est un bourg de 300 à 350 feux a lair très ancien est situé sur le penchaut et la cavée que forment deux costeaux [...].

Ce qu'il y a de plus remarquable a Gaillon est le magnifique château de l'arche-vêque de Rouen, seigneur de ce lieu; il est situé sur le coteau de la droite de Gaillon en venant de Rouen. La première entrée est basse et forme un quarré dont les angles sont arrondis en forme de tours. On prétend que c'étoit le castel des anciens seigneurs de ce lieu avant qu'il appartint aux archevêques de Rouen. On les a laissés subsister dans les réparations qu'on a fait, et c'est là que sont les cuisines et le commun.

On entre ensuite dans le grand château bâti par le Cardinal d'Amboise, premier ministre de Louis XII. Il forme un carré presque régulier entouré de bâtiments élevés, fort chargés de scultures délicates dans leurs exécution et peu correctes de dessein, comme c'est l'ordinaire dans les monuments gothiques. On a cependant tiré parti de l'intérieur, et il y a deux très beaux apartements sur le côté droit de la cour, en entrant au rez-de-chaussée. La face de la porte d'entrée est presque perdue par une grande galerie peu décorée que M. de la Rochefoucault, archevêque actuel, se propose de convertir en apartements de maîtres.

Les deux autres côtés de château forment un grand nombre de logemens qui se distribuent sur un grand corridor; mais la chapelle de ce château est ce qu'il y a de plus remarquable. Elle est d'une belle élévation, grande, mais obscure à cause de la peinture de ses vitrages, et d'ailleurs trop surchargée d'ornemens en pierres découpées. Sur les piliers sont les figures des apôtres, scultées de grandeur naturelle et peintes. On dit que ces statues sont un présent fait par le pape régnant alors au cardinal d'Amboise. Quoi qu'il en soit, toutes les têtes ont de bons carractères, bien variées, les draperies et les attitudes d'un bon stile et bien jettées. Ces figures sont d'un caractère de dessein qui se sent de la renaissance des arts. Il faut remarquer les peintures à fresque bien conservées qui sont sur les murs des deux côtées de la chapelle. En entrant à droite, sont représentés le cardinal d'Amboise, son neveu et les autres prélats de cette maison, à genoux, à la suite les uns des autres. Sur l'autel est un Saint-Georges, patron du cardinal, armé de toutes pièces et perçant de sa lance son dragon. Son palefroy feroit un fort cheval de coche et le saint paroit un enfant de 15 ans.

Dans l'intérieur de la cour du château, il faut remarquer une frise qui règne sur toute la longueur de la face où est la porte d'entrée, où on a représenté un triomphe. Dans la frise qui règne sur les trois autres côtés, on a placé des médaillons antiques de têtes d'empereurs romains en marbre blanc, et sur la face du bâtiment à droite en entrant, au-dessus de cette frise, le buste en bas-relief saillant du roy Louis XII, du cardinal d'Amboise et de son neveu Grand Maître de France. Au sortie de cette cour on voit l'orangerie qu'on dit avoir eté batie par M. Colbert archevêque de Rouen. C'est un bâtiment vaste dans le goût moderne et traitté très simplement. Il fait hache etant formé d'une grande aile et d'un corps en retour qui revient joindre le Chateau, comme le terrain est en pente elle paroît beaucoup plus elevée qu'elle ne l'est effectivement et fait un bon effet de la plaine au dessus de Gaillon faisant paroître le chateau une fois plus grand et semblant faire un seul tout avec lui a qui lui donne l'aspect d'une maison royale; cette orangerie est très belle et peut contenir 300 orangers.

Mais une des plus grandes beautés de Gaillon est la vue de la terrasse qui regne lelong de la face des grands apartements du Rez de chaussée et du 1er et qui s'etend ensuite le long de l'orangerie et du jardin d'ou l'on decouvre un plaine immense bien cultivée, peuplée de Villages et ou la riviere de Seine fait Canal. Audessous de ce terrasse est le potager qui contient 60 arpens sur lequel on plonge et qui commence agreablement le 1er plan de ce tableau.

La seconde terrasse a derriere elle des allées en salles d'arbres qui conduisent au grand parc qui est immense et est coupée par de grandes routes qui en rendent la promenade agreable et forment dans les toiles de leur réunion le plus grand effet. Ce parc a plus de 800 arpens clos de mur et s'etend en montant jusqu'au de la de Vieuvilles et Fontaine la Verte en formant un trapeze.

Il y avoit autrefois une superbe fontaine au milieu de la cour du Chateau, un groupe de figures placés sur une cuvette de marbre immense, jetaient de l'eau de tous côtés, mais comme elle demandait une grande reparation on la suprimé, ce qui en ottant a ce Palais un ornement bizarre rend sa cour plus belle. Le pavillon de la Ligue cité dans la description de Gaillon subsiste encore mais est fort negligé. Derriere l'orangerie et le Chateau du côté Nordouest est la bassecour ou sont les ecuries, remises, et tout l'accessoire necessaire a une aussi grande maison.

[1] *Viaggio del signor Girolamo Lippomanno ambasciator in Francia nell'anno 1577, scritto dal suo secretario*, in Niccolò Tommaseo (a cura di), *Relations des ambassadeurs vénitiens sur les affaires de France au XVIe siècle*, Paris 1838, t. II, pp. 278-647, con menzione di Gaillon alle pp. 374, 488-90. Trattandosi di commenti puntuali nell'ambito di discorsi più generali non sono stati inseriti in questa Antologia.

[2] È questa l'unica descrizione in cui i tre busti appaiono collocati in nicchie poste ad altezze diverse, mentre nelle altre sembra che tutte le statue si trovino al di sopra del fregio, si direbbe con lo stesso allestimento.

[3] Questa puntualizzazione smentisce l'ipotesi di diversi italiani che a causa della finissima decorazione scolpita pensano che sia in marmo.

[4] Purtroppo non dice di quale descrizione né di quale quadro si tratti. Nella parte finale si cita un *Pavillon de la Ligue*, che sembrerebbe alludere a una costruzione di Charles de Bourbon, quindi, forse alla Maison Blanche. Ma non può certo trattarsi della descrizione di Du Cerceau che cronologicamente non avrebbe potuto parlare di Ligue. Sembra potersi desumere che esisteva almeno un'altra descrizione francese, andata perduta, redatta dopo la morte di Charles de Bourbon. Quanto al quadro non pare potersi trattare di quello di Hubert Robert conservato attualmente nel palazzo arcivescovile di Rouen.

[5] F.M. Blanquart, *La chapelle de Gaillon et les fresques d'Andrea Solario*, in «Bulletin de la Société des amis des arts du département de l'Eure», 1898, pp. 26-53; Idem, *La chapelle de Gaillon et les fresques d'Andrea Solario*, Évreux 1899.

Bibliografia

Principali opere di riferimento sul castello di Gaillon

J. ANDROUET DU CERCEAU, *Les plus excellents bastiments de France*, Paris 1576-1579, edizione commentata da D. Thomson, Paris 1988, pp. 148-162.

DUCAREL, *Anglo-norman Antiquities, considered in a tour through part of Normandy*, London 1767, pp. 44-45.

A. DEVILLE, *Comptes des dépenses de la construction du château de Gaillon*, Paris 1850.

CH. DE BEAUREPAIRE, *Inventaire-sommaire des Archives départementales de la Seine-Maritime*, Série G, t. I, Paris 1868, pp. 26-29.

F.M. BLANQUART, *La chapelle de Gaillon et les fresques d'Andrea Solario*, in «Bulletin de la Société des amis des arts du département de l'Eure», 1898, pp. 26-53.

F.M. BLANQUART, *La chapelle de Gaillon et les fresques d'Andrea Solario*, Évreux 1899.

P. VITRY, *Les apôtres d'Antoine Juste à la chapelle du château de Gaillon*, in «Bulletin monumental», 1901, pp. 352-364.

L. VON PASTOR, *Die Reise des Kardinals Luigi d'Aragona durch Deutschland, die Niederlande, Frankreich und Oberitalien, 1517-1518, beschriessen von Antonio de Beatis*, Fribourg im Breisgau, 1905, pp. 128-13.

W.H. WARD, *French châteaux and gardens in the 16th century: a series of reproductions of contemporary drawings hitherto unpublished by Jacques Androuet du Cerceau*, Londres 1909, pp. 9-10.

Procès-verbaux de l'Académie Royale d'Architecture, 1671-1793, edizione moderna a cura di H. Lemonnier, t. I, Paris 1911, pp. 221-223.

L.A. JOUEN, *Le château de Gaillon*, Rouen 1922.

G. HUARD, *La chapelle haute du château de Gaillon*, in «Bulletin de la société de l'histoire de l'art français», 1926, pp. 21-31.

J.J. MARQUET DE VASSELOT, *Les boiseries de Gaillon au Musée de Cluny*, in «Bulletin monumental», 1927, pp. 321-369.

F. GEBELIN, *Les châteaux de la Renaissance*, Paris 1927, pp. 107-113.

M. ALLINNE, *Note sur un médaillon en marbre provenant du château de Gaillon*, Rouen 1933.

P. LESUEUR, *Pacello da Mercogliano et les jardins d'Amboise, de Blois et de Gaillon*, in «Bulletin de la société de l'histoire de l'art français», 1935, pp. 90-117.

P. LESUEUR, *Remarques sur Jérôme Pacherot et sur le château de Gaillon*, in «Bulletin de la société de l'histoire de l'art français», 1937, pp 67-87

W.E. SUIDA, *Andrea Solario in the Light of Newly Discovered Documents and unpublished Works*, «The Art Quartely», II, n. 1, winter 1945, pp. 16-23.

J. VALLERY-RADOT, M.-G. HUARD, *Un dessin de la Collection Cronsted du Musée national de Stockholm*, in «Bulletin de la Société nationale des antiquaires de France», 1950-1951, pp. 129-132.

E. CHIROL, *Un premier foyer de la Renaissance en France: le château de Gaillon*, Paris-Rouen 1952.

R. CROZET, *Un plan de la fin du Moyen Age*, in «Bulletin monumental», 1952, pp. 119-124.

R. WEISS, *The castle of Gaillon in 1509-1510*, in «Journal of the Warburg and Courtauld Institutes», 1953, pp. 1-12.

M.-G. DE LA COSTE-MESSELIERE, *Les médaillons historiques de Gaillon au musée du Louvre et à l'École des Beaux-Arts*, in «La revue des arts», II (1957), pp. 65-70.

E. CHIROL, *Nouvelles recherches sur un plan de château de la fin du Moyen Age. Projet pour le château de Gaillon*, in «Bulletin Monumental», 1958, pp. 185-195.

E. CHIROL, *Un dessin de stalles inédit du début du XVIe siècle. Projet pour le château de Gaillon*, in «Bulletin de la Société de l'Histoire de l'Art Français», 1958, pp. 55-59.

A. CHASTEL, M. ROSCI, *Un «portrait» de Gaillon à Gaglianico*, in «Art de France», III (1963), pp. 103-113.

P. BJURTSTROM, *French drawings, sixteenth and seventeenth centuries*, Stockholm 1976, cat. 82.

L. MONGA, *Un mercante di Milano in Europa: diario di un viaggio del primo Cinquecento*, Milano 1985, pp. 64-65.

S. BEGUIN, *Andrea Solario en France*, Paris 1985.

C. CIERI VIA, *"Galaria sive loggia": modelli storici e funzionali fra collezionismo e ricerca*, introduzione all'edizione italiana di W. Prinz, *Galleria, storia e tipologia di uno spazio architettonico*, curata da C. Cieri Via, Ferrara-Modena 1988 (ed. orig. Berlino 1977).

Y. LESCROART, B. MOUTON, *Le château de Gaillon*, «Monuments historiques», sett./ott. 1989, n. 165, *Haute Normandie*, pp. 36-42.

J.-P. BABELON, *Châteaux de France au siècle de la Renaissance*, Paris 1989, pp. 86-93 e 532-534.

G. TOSCANO, *Rinascimento in Normandia: i codici della biblioteca napoletana dei re d'Aragona acquistati da Georges d'Amboise*, in «Chroniques italiennes», XXIX (1992), pp. 77-87.

J. BAUDOUIN, *La sculpture flamboyante en Normandie et Île-de-France*, Nonette 1992.

Y. BOTTINEAU-FUCHS, *La sculpture ornementale en Haute-Normandie au début du XVIe siècle*, in *L'art en Normandie*, Caen 1992, t. I, pp. 119-136.

F. AVRIL, *Mécénats particuliers entre Rouen et Paris: le mécénat du cardinal Georges d'Amboise*, in *Les manuscrits à peinture en France 1440-1520*, Paris 1993, pp. 410-418.

A. SABATTINI, *Alberto III Pio. Politica, diplomazia e guerra del conte di Carpi. Corrispondenza con la corte di Mantova, 1506-1511*, Carpi 1994, pp. 165-166.

B. BIZONI, *Diario di viaggio di Vincenzo Giustiniani* (1610 circa), edizione moderna a cura di B. Agosti, Bologna 1995, pp. 93-95.

M.H. SMITH, *Les diplomates italiens, observateurs et conseillers artistiques à la cour de François Ier*, in «Histoire de l'art», XXXV-XXXVI (1996), pp. 27-37.

N. FRACHON, *Deux jardins de la première Renaissance: Blois et Gaillon*, Maîtrise d'Histoire de l'art sous la direction de Jean Guillaume, Sorbonne - Paris IV, 1996.

E. YU-LING LIOU, *Cardinal Georges d'Amboise and the château de Gaillon at the down of the French Renaissance*, Ph. D., History of Art, Pennsylvania State University, 1997.

M. CALLIAS BEY, *"A l'Escu de voirre": un atelier rouennais de peinture sur verre aux XVe et XVIe siècles*, in «Bulletin monumental», 1997, pp. 237-242.

E.-C. BLOCK, *La chapelle et les stalles du château de Gaillon: leurs secrets*, in *Château et société castrale au Moyen Âge*, Rouen 1998, pp. 107-125.

S. BEGUIN, *Andrea Solario en France*, in S. Fabrizio-Costa et J.P. Le Goff (a cura di), *Léonard de Vinci entre France et Italie «miroir profond et sombre»*, atti del convegno (Caen 3-4 octobre 1996), Caen 1999, pp. 81-98.

E.C. BLOCK, *L'influence italienne sur les stalles de chœur du château de Gaillon*, in S. Fabrizio-Costa et J.P. Le Goff (a cura di), *Léonard de Vinci entre France et Italie «miroir profond et sombre»*, atti del convegno (Caen 3-4 octobre 1996), Caen 1999, pp. 117-128.

G. TOSCANO, *La librarie du château de Gaillon. Les manuscrits enluminés d'origine italienne acquis par le cardinal Georges d'Amboise*, in S. Fabrizio-Costa et J.P. Le Goff (a cura di), *Léonard de Vinci entre France et Italie «miroir profond et sombre»*, atti del convegno (Caen 3-4 octobre 1996), Caen 1999, pp. 275-300.

M.P. LAFFITTE, *La librarie de Georges d'Amboise à Gaillon*, in S. Fabrizio-Costa et J.P. Le Goff (a cura di), *Léonard de Vinci entre France et Italie «miroir profond et sombre»*, atti del convegno (Caen 3-4 octobre 1996), Caen 1999, pp. 261-273.

F. BARDATI, *L'architettura francese di committenza cardinalizia nella prima metà del Cinquecento: i cardinali protagonisti delle guerre d'Italia*, tesi di Dottorato in Storia dell'architettura, Università di Roma "La Sapienza" e Université François Rabelais di Tours, Centre des Études Supérieures de la Renaissance, 2002, relatori Arnaldo Bruschi e Jean Guillaume, pp. 75-204.

F. BARDATI, *Italian "forms" and local masonry in early French Renaissance: the stone coffered ceilings called "voûtes-plates", from the castle of Gaillon to the Bouton Chapel in Beaune*, in S. Huerta (a cura di), *Proceedings of the 1st International Congress on Construction History*, (Madrid 2003), Madrid 2003, vol. I, pp. 313-323.

Y. BOTTINEAU-FUCHS, *L'ornementation à l'antique en Normandie au début du XVIe siècle*, in B. Beck, P. Bouet, C. Etienne, I. Lettéron (a cura di), *L'architecture de la Renaissance en Normandie*, Caen 2003, t. I, pp. 119-120.

J. GUILLAUME, *Le candelabre en Normandie. Les métamorphoses d'un ornement de 1500 à 1540*, in B. Beck, P. Bouet, C. Etienne, I. Lettéron (a cura di), *L'architecture de la Renaissance en Normandie*, Caen 2003, t. I, pp. 93-98.

M.H. SMITH, *Rouen - Gaillon: temoignages italiens sur la Normandie de Georges d'Amboise*, in B. Beck, P. Bouet, C. Etienne, I. Lettéron (a cura di), *L'architecture de la Renaissance en Normandie*, Caen 2003, t. I, pp. 41-58.

E. THOMAS, *Gaillon: la chronologie de la construction*, in B. Beck, P. Bouet, C. Etienne, I. Lettéron (a cura di), *L'architecture de la Renaissance en Normandie*, Caen 2003, t. I, pp. 153-162.

F. BARDATI, M. CHATENET, E. THOMAS, *Le château de Gaillon*, in B. Beck, P. Bouet, C. Etienne, I. Lettéron (a cura di), *L'architecture de la Renaissance en Normandie*, Caen 2003, t. II, Caen 2003, pp. 13-29.

T. GARNIER, *Gaillon*, Saint-Cyr-sur-Loire, 2004.

F. BARDATI, *"Uno paradiso terrestre se po' chiamare": i cardinali Georges d'Amboise e Charles de Bourbon a Gaillon*, in S. Frommel, F. Bardati (a cura di), *Villa Lante a Bagnaia*, Milano 2005, pp. 218-229.

F. BARDATI, *A Norman building site of the early Sixteenth Century: the castle of Gaillon. Organization, workers, materials and technologies*, in *Proceedings of the Second International Congress on Construction History*, Cambridge, (Queen's College 2006), pp. 289-307.

F. BARDATI, *Le château de Gaillon: du projet de Poitiers à l'édifice réalisé sous Georges Ier d'Amboise*, in T. Berrada (a cura di), *Du dessein à l'exécution. Architectes et commanditaires: cas particulier, du XVIe au XXe siècle* Actes de la journée d'étude (Paris 2004), Paris 2006, pp. 18-33.

E. HAMON, *La cardinal d'Amboise et ses architectes*, in F. Joubert (a cura di) *L'artiste et le clerc. La commande artistique des grands ecclésiastiques à la fin du Moyen Âge (XVIe-XVe siècle)*, Paris 2006, pp. 329-348.

G. BRESC-BAUTIER, *Profils et médaillons de marbre au musée d'Amiens*, in C. Orgogozo, Y. Lintz (a cura di), *Vases, bronzes, marbres et autres antiques, dépôts du musée du Louvre en 1875*, Paris 2007, pp. 206-231.

L'art des frères d'Amboise. Les chapelles de l'hôtel de Cluny et du château de Gaillon, Paris 2007, pp. 69-115, 120.

F. BARDATI, *Napoli in Francia? L'arco di Alfonso e i portali monumentali del primo Rinascimento francese*, in «I Tatti Studies. Essays in the Renaissance», XI (2007), pp. 115-145.

F. BARDATI, *Un omaggio a Caterina? La committenza di Charles de Bourbon a Gaillon*, in S. Frommel, G. Wolf (a cura di), *Il mecenatismo di Caterina de' Medici. Poesia, feste, musica, pittura, scultura, architettura*, Venezia 2008, pp. 345-367, tavv. 104-111.

F. BARDATI, *"Loghi da spasso et da piacere": i giardini del cardinale Georges d'Amboise a Déville, Gaillon e Vigny*, in G. Venturi, F. Ceccarelli, *Delizie in Villa: il giardino rinascimentale e i suoi committenti*, Firenze 2008, pp. 289-315.

Opere su Georges d'Amboise

Abregé de la vie et des plus belles actions du cardinal d'Amboise, sous le règnes de Louis XI, Charles VIII & Louis XII, Parigi, Bibliothèque Nationale, Ms. Pièce originale, 50, f. 479.

M. BAUDIER, *Histoire de l'administration du cardinal d'Amboise*, Paris 1634.

P. FRIZON, *Gallia purpurata*, Paris 1638, pp. 546-549.

A. AUBERY, *Histoire générale des cardinaux*, Paris 1645, t. III, pp. 9-26.

F. DE LA POMMERAYE, *Histoire des Archevesques de Rouen*, Rouen 1667.

F. DE LA POMMERAYE, *Histoire de l'Eglise cathédrale de Rouen, metropolitaine et primatiale de Normandie*, Rouen 1686.

L. LEGENDRE, *Vie du cardinal d'Amboise Ier ministre de Louis XII, avec un parallèle des cardinaux célèbres qui ont gouverné les états, dédié au roi*, Rouen 1726.

DE SACY, *Eloge de Georges d'Amboise, cardinal, archevêque de Rouen, principal ministre de Louis XII*, Londres 1776.

M. DE MONTBARD, *Le cardinal Georges d'Amboise*, Limoges 1853.

L. DE BELLESRIVES, *Le cardinal Georges d'Amboise, ministre de Louis XII*, Limoges 1853.

G. MORONI, *Dizionario di erudizione storico-ecclesiastica*, Venezia 1860, vol. I, pp. 309-310.

E. FRERE, a cura di, *Funérailles de Georges d'Amboise, archevêque de Rouen, cardinal légat du pape, ministre de Louis XII*, Rouen 1864.

M. DE MONTBARD, *Un ministre de Louis XII*, Limoges 1872.

E. HARDUIN, *Le cardinal d'Amboise*, Rouen 1874.

B. ZELLER, *Louis XII père du peuple et le cardinal d'Amboise. 1504-1508*, Paris 1889.

L.A. JOUEN, *Georges Ier d'Amboise, archevêque de Rouen, ministre de Louis XII*, Rouen 1914.

L.A. JOUEN, *La politique italienne de Louis XII et de Georges d'Amboise en 1498-1499*, Rouen 1916.

J. BALTEAU, M. BARROUX, M. PREVOST, a cura di, *Dictionnaire de biographie française*, Paris 1936, t. II, pp. 491-503.

L. VON PASTOR, *Storia dei papi dalla fine del Medioevo*, Roma 1958, vol. III, pp. 724-758.

E. CHIROL, *Georges Ier d'Amboise Cardinal-Archevêque de Rouen*, in «Grand hommes de Rouen», 1969-70, pp. 9-11.

F. GERARD-PIPAU, *Le mécénat de Charles d'Amboise, 1500-1511*, in «L'Information d'histoire de l'art», 1972, 4, pp. 176-181.

G. SOUCHAL, *Le mécénat de la famille d'Amboise*, in «Bull. de la société des Antiquaires de l'Ouest», XIII (1976), pp. 485-526 e 567-612.

R.A.M. DE MAULDE LA CLAVIERE, *L'entrevue de Savone (1507)*, Paris 1980.

M. VENARD, *Le testament du cardinal d'Amboise*, in *De l'histoire de la Brie à l'histoire des Réformes*. Mélanges offerts au chanoine M.Veissiere, Paris 1993, pp. 15-28.

P.Y. BOTTINEAU-FUCHS, *Georges Ier d'Amboise, prélat et mécène*, in «Vieilles maisons françaises», (1993) 147, *Seine-Maritime*, pp. 32-41.

F. JANIN, *Georges d'Amboise, archevêque de Rouen et légat "a latere" (1493-1510)*, Thèse pour l'obtention du diplôme d'archiviste paléographe, École de Chartes, Paris 1996.

F. JANIN, *Georges d'Amboise, archevêque de Rouen, et son chapitre (1493-1510)*, in S. Lcmagncn e P. Manneville (a cura di), *Chapitres et cathédrales en Normandie*, Caen 1997, pp. 123-137.

Y. BOTTINEAU-FUCHS, *Georges Ier d'Amboise et la Renaissance en Normandie*, in *Du gothique à la Renaissance, architecture et décor en France, 1470-1550*, Atti del convegno (Viviers settembre 2001), Aix-en-Provence 2003, pp. 90-104.

Y. BOTTINEAU-FUCHS, *Georges Ier d'Amboise (1460-1510). Un prélat normand de la Renaissance*, Rouen 2005.

F. BARDATI, *Hommes du roi et princes de l'Église romaine: la réception des modèles italiens dans le mécénat des cardinaux français (1495-1560)*, Thèse pour l'Habilitation à diriger des recherches, Paris, École Pratique des Hautes Études, 2008, pp. 235-248.

Riferimenti sulle altre opere di architettura commissionate da Georges d'Amboise

Blois, *hôtel particulier*

J. BERNIER, *Histoire de Blois, contenant les antiquitez et singularitez du comté de Blois, les éloges de ses comtes et les vies des hommes illustres qui sont nez au païs blésois, avec les noms et les armoiries des familles nobles du même païs*, Paris, Muguet, 1682.

L. DE LA SAUSSAYE, *Blois et ses environs. Guide artistique et historique*, Blois-Paris 1867.

P. LESUEUR, *Etudes et documents sur le château de Blois. Le donjon. La poterne Saint-Martin. La chapelle Sainte-Constance. L'hôtel d'Amboise*, Blois 1930.

A. COSPEREC, *Blois: la forme d'une ville*, Paris 1994, pp. 138-139.

Manoir di Déville-lès-Rouen

R. EUDE, *L'église de Déville-les-Rouen*, Rouen, 1946.

P. LE VERDIER, *Le manoir des Archevêques de Rouen à Déville*, in «Bulletin de la société d'histoire de Normandie», XIV (1925-1930), pp. 20-37.

P.-Y. LE POGAM, *Sources textuelles pour l'étude de la distribution dans les châteaux normands*, in «Histoire de l'art», 1998, pp. 59-65.

F. BARDATI, *Cardinaux aux champs. Georges d'Amboise à Déville-lès-Rouen et Antoine Du Prat à Vanves*, in M. Chatenet (a cura di), *Maisons des champs dans l'Europe de la Renaissance*, Paris 2006, pp. 151-158

Palazzo arcivescovile di Rouen

J. ADELINE, *Rouen au XVIe siècle d'apres le manuscrit de J. Le Lieur (1525)*, Rouen, 1892.

L.A. JOUEN, FUZET, *Comptes du manoir archiépiscopal de Rouen*, Paris 1908.

M. ALLINNE, *Deux bas-reliefs d'origine italienne provenant de l'Archevêché de Rouen*, in «Bulletin de la Société libre d'émulation, du commerce et de l'industrie de la Seine-Inférieure», 1934, pp. 352-367.

P. LARDIN, *Travail et Sociabilité sur un chantier du bâtiment: l'"ostel neuf "du cardinal d'Estouteville (1461-1466)*, in «Études normandes», 1991, p. 23-40.

F. BARDATI, *Le palais archiépiscopal de Rouen*, B. Beck, P. Bouet, C. Etienne, I. Lettéron (a cura di), *L'architecture de la Renaissance en Normandie*, Caen 2003, t. II, Caen 2003, pp. 121-126.

F. BARDATI, *Georges d'Amboise à Rouen: le palais de l'archevêché et sa galerie de marbre*, in «Congrès archéologique de France», *Rouen et Pays de Caux*, 2003 (2005), pp. 199-213.

S. GRESSE, *Rouen, archevêché, les transformations du palais, de Georges d'Amboise à la Révolution*, in «Congrès archéologique de France», *Rouen et Pays de Caux*, 2003 (2005), , p. 215-226.

Castello di Vigny (Val d'Oise)

A. DE CAUMONT, *Abécédaire ou rudiment archéologique (Architecture civile et militaire)*, Paris-Caen-Rouen 1853, pp. 448-449.

G. TUBEUF, A. MAIRIE, *Monographie du château et de l'église de Vigny*, Paris 1902.

A. DE COIGNY, *Mémoires*, 1817, edizione moderna Paris 1906.

R. BERLING, *"La jeune captive" à Vigny*, in «Mémoires de la Société historique et archéologique de l'arrondissement de Pointoise et du Vexin», LVIII (1957).

Le château de Vigny (Val-d'Oise), in «Vieilles maisons françaises», 1976, pp. 22-23.

SOMERS, N. CHOUBLIER-GRIMBERT, *Le château de Vigny*, in «Bulletin de l'Association des Amis du Vexin français», 1994, pp. 5-12.

Indice dei nomi

Indice dei luoghi

Referenze fotografiche

Grafici e fotografie sono dell'autore, tranne:

figg. 3, 7, 13, 38, 46, 48, 54, 57, 65, 68, 69
(Paris, Bibliothèque Nationale de France)

fig. 6 (A. Cosperec 1994)

fig. 8 (J. Adeline 1892)

figg. 10, 11 (DRAC Haute Normandie)

figg. 14, 23, 25 (disegno L. Menegatti 2009)

fig. 16 (J.-P. Babelon 1989)

figg. 18, 33 (F. Gebelin 1927)

fig. 19 (Firenze, Biblioteca Berenson)

fig. 22 (R. Crozet 1952)

fig. 27 (© Jean Guillaume)

fig. 28 (Schimmelpfennig 1994)

fig. 55 (Rouen, Archives Départementales
de la Seine-Maritime)

fig. 56 (Paris, Archives Nationales)

fig. 62 (disegno L. Menegatti 2006)

Prestampa Enrico D'Andrassi
Fotolito Ettore Annibali

Finito di stampare nel mese di dicembre 2009
presso la tipografia River Press, Roma
per conto della Campisano Editore srl - Roma